Das Buch

Ein Leben unter Engländern kann ziemlich abenteuerlich sein. Zumindest, wenn man als Korrespondent einen Nachruf auf die Queen verfassen soll – für den Fall der Fälle – und sich vornimmt, ihr wenigstens einmal leibhaftig zu begegnen. Bei seinen Bemühungen trifft Wolfgang Koydl auf Hofschranzen und Sargschreiner, auf Feudalherren und andere Exzentriker – und lotet dabei die Tiefen der britischen Seele aus. Nebenbei versuchen die Koydls sich im fremden Alltag zurechtzufinden und stolpern dabei in so manchen »clash of cultures«. Die wunderbar komische Geschichte einer deutschen Familie in England, mit viel Wärme, Witz und Feinsinn erzählt.

»Wer immer vor Koydl England eroberte: die Römer, die Angeln, die Sachsen oder die Normannen – keiner tat es mit so viel Laune wie er.« *Hermann Unterstöger, Süddeutsche Zeitung*

Der Autor

Wolfgang Koydl, 1952 geboren, Absolvent der Deutschen Journalistenschule, Redakteur beim *Münchner Merkur*, mit Mitte zwanzig Reporter für die BBC in England. Seit 1996 Auslandskorrespondent für die *Süddeutsche Zeitung*, mit Stationen in Istanbul und Washington. Seit 2005 berichtet Koydl aus London und lebt mit seiner Frau und Tochter im Vorort Kingston upon Thames.

WOLFGANG KOYDL

Fish and Fritz

ALS DEUTSCHER AUF DER INSEL

Ullstein

Besuchen Sie uns im Internet:
www.ullstein-taschenbuch.de

Umwelthinweis:
Dieses Buch wurde auf chlor- und säurefreiem Papier gedruckt.

Originalausgabe im Ullstein Taschenbuch
1. Auflage März 2009
6. Auflage 2009
© Ullstein Buchverlage GmbH, Berlin 2009
Umschlaggestaltung und Gestaltung des Vor- und Nachsatzes:
Sabine Wimmer, Berlin
Titelillustration: Olaf Hajek
Satz: Pinkuin Satz und Datentechnik, Berlin
Gesetzt aus der Excelsior
Druck und Bindearbeiten: CPI – Ebner & Spiegel, Ulm
Printed in Germany
ISBN 978-3-548-37256-3

*To the Most High, Mightie and
Magnificent Elizabeth – ohne die dieses Buch
buchstäblich nicht denkbar gewesen wäre.*

Eins

Gut möglich, dass ich mich täuschte. Wenn man nach innerer Uhr morgens um drei aus dem Flugzeug gestiegen ist, sind weder die Reflexe noch die Augen besonders scharf. Und der Schatten, der über das Gesicht des Concierge huschte, war auch so schnell wieder verschwunden, wie er erschienen war. Aber einen Augenblick lang schien sich ein Fenster in seine Seele zu öffnen und den Blick freizugeben in ein rabenschwarzes Loch.

Wie gesagt, es kann auch eine optische Täuschung gewesen sein. Was immer es war, der Mann an der Rezeption hatte sein Mienenspiel wieder rasch unter Kontrolle. Neutral, unverbindlich, ein wenig ölig – wie man es Hotelpersonal auf der ganzen Welt beibringt.

»Sie haben Zimmer 23, wir wünschen Ihnen einen schönen Aufenthalt.«

Der Schlüssel, den er über den Tresen schob, war an einem Anhänger befestigt, den man heutzutage durch keine Sicherheitskontrolle mehr bringen würde. Von Form und Gewicht her erinnerte er an eine Waffe, die ein englischer Infanterist in die Schlacht von Agincourt schleppte. Elektronische Schlösser mit Schlüsseln im Scheckkartenformat hatten das »Kingston Royal Arms« offensichtlich noch nicht erreicht.

Als Journalist ist man ja stets vorbereitet, auf kleine, vermeintlich unwichtige Indizien zu achten. Das haben wir, wenn wir uns bei dieser Gelegenheit mal selber schmeicheln wollen, mit Detektiven gemein. Aus dem ungeschlachten Schlüsselanhänger deduzierte ich mit Sherlock-Holmes'schem Scharfsinn, dass unser Hotel nicht unbedingt an der vordersten Front modernen Hotelmanagements anzusiedeln war. Konkret würde dies bedeuten, dass die Fernbedienung und der Flaschenöffner vermutlich an einem schweren Möbelstück angekettet und die Drahtbügel im Schrank mit der Kleiderstange verschweißt sein würden.

Ich wog den Schlüssel in der Hand und sah den Mann hinterm Tresen fragend an.

»Ach ja, Ihr Zimmer. Ganz leicht zu finden. Gehen Sie die Treppe hinauf und dann gleich links. Beim Feuermelder ist rechts eine Tür, die nehmen Sie nicht. Halten Sie sich halblinks, drei Stufen hinunter und dann vier wieder nach oben. Dann gehen Sie immer rechts. Wenn Sie aus dem Fenster links den Innenhof sehen, liegen Sie falsch. Kehren Sie um, und versuchen Sie es noch einmal. Irgendwann kommen Sie zu einer massiven Stahltür mit der Aufschrift ›Notausgang, nur in Notfällen benützen‹. Da gehen Sie durch, und dann noch zweimal links und einmal rechts. Da ist dann schon Ihr Zimmer.«

Ich sah meine Familie an, die ebenso erwartungs- wie vertrauensvoll dreinschaute. Frau und Tochter hatten gar nicht erst zugehört. Sie verließen sich, wie in solchen Fällen üblich, auf mich. Ein derartig blindes Vertrauen mag zwar grundsätzlich schmeichelhaft sein; im Laufe der Jahre nutzt sich die Ehre allerdings rasch ab.

»Tut mir leid, dass wir niemanden haben, der Ihnen mit dem Gepäck hilft«, sagte der Concierge ohne eine Spur von Bedauern, als ich mir die Laptoptasche über die Schulter hängte, den Schlüssel zwischen die Zähne steckte und in jede Hand zwei Taschen nahm. »Aber heute ist Mittwoch, wissen Sie.«

Nur der Schlüssel im Mund hinderte mich, ihn nach dem Zusammenhang zwischen dem Wochentag und der Abwesenheit eines Trägers zu fragen. Aber da hörte ich schon die zischende Stimme meiner Frau.

»Ich habe dir doch gleich gesagt, dass wir einen Tag später fliegen sollen.«

Viele Ehen sind schon dadurch gerettet worden, dass einer der Partner wegen eines vollen Mundes nicht sprechen konnte.

Schweigend, aber nicht ohne Hoffnung, machten wir uns auf den Weg. Als wir eine halbe Stunde später schwitzend und leicht schwindlig wieder in der Lobby standen, fühlten wir uns wie Indiana Jones, als er nach der Fahrt durchs Höhlenlabyrinth zum ersten Mal wieder Sonnenlicht sieht. Stöhnend ließ ich Taschen und Koffer aus den Händen fallen, spuckte den Schlüssel aus, lehnte mich an den Tresen und fragte, ob man uns beim nächsten Versuch vielleicht ein Wollknäuel oder ersatzweise ein Säckchen mit Kieselsteinen mitgeben könnte. Um ein Satellitennavigationssystem zu bitten erschien mir, angesichts des Eindrucks, den das ehrwürdige Gebäude auf uns gemacht hatte, dann doch ein wenig zu vermessen.

Natürlich formulierte ich es nicht ganz so drastisch. Briten – so viel hatte ich schon gelernt – beschweren sich nicht, jedenfalls nicht offen und direkt. Das gilt als unhöflich, vulgär, als schlechter Stil. Als deutsch eben. Stattdessen nimmt ein Brite, anstatt zu klagen und zu poltern, für alle Pannen und Missgeschicke die Verantwortung erst einmal auf sich. Zumindest gibt er es vor. Dieses Verhalten hat den Vorteil, dass es das Getriebe gesellschaftlichen Zusammenlebens ölt und hässliche Konfrontationen oft schon im Keim erstickt. Der Nachteil liegt darin, dass damit die Panne, der Anlass der Verstimmung, um die es geht, eher selten behoben wird.

»Es scheint, als ob wir zu beschränkt wären, Ihrer luziden Wegbeschreibung zu folgen und unser Zimmer zu finden«, hob ich an. »Es tut uns ganz schrecklich leid, Sie abermals mit unserer Anwesenheit und unseren aufdringlichen Fragen zu belästigen, aber wären Sie so gut, uns noch einmal in den Genuss Ihrer Erklärung kommen zu lassen.«

So macht man das formvollendet. Neuankömmlingen gehen solche Töne der Selbstkritik, die sich an Geständnisse in stalinistischen Schauprozessen anlehnen, nicht sofort flüssig und glaubhaft von den Lippen. Auch nach vielen Jahren im Land kostet es Überwindung, sich – sagen wir mal – vor Vertretern von British Airways in den Staub des Flughafenteppichbodens zu werfen und sich zerknirscht dafür zu entschuldigen, dass der Koffer auf dem kurzen Flug von London nach Belfast verschwunden ist. »Ich hätte besser auf ihn achtgeben sollen, ihn beim Einchecken nicht aus den Augen lassen dürfen«, wäre eine gute Formulierung, mit der man diese Beschwerde vorbringen könnte.

Nur böswillige Fremde würden diese ausgesuchte Höflichkeit als Feigheit interpretieren. Und es stimmt ja nicht, dass Briten sich nicht beklagen würden. Gäste in einem Restaurant beispielsweise hätten überhaupt keine Bedenken, an Speisen und Getränken herumzumäkeln. Sie tun es ausführlich und mit Genuss, nur eben so höflich und dezent, dass kein Dritter es mitbekommt. Fragt dann der Kellner, wie es schmeckt, hat man seinen Ärger schon ventiliert und kann mit süßsaurem Lächeln zu Protokoll geben, dass alles »lovely« und »delicious« sei.

Glaubwürdig muss man dabei nicht aussehen. Man ist im Restaurant und nicht beim Vorsprechen auf der Bühne. Lässt sich der Ekel in den Gesichtszügen überhaupt nicht mehr verbergen, dann lade man alle Schuld am lausigen Essen mannhaft auf sich:

»Es tut mir schrecklich leid, aber meine Geschmacksknospen scheinen heute nicht im gewohnten Maße dazu in der Lage zu sein, vollständig die hervorragende Suppe wertzuschätzen, die Sie uns freundlicherweise kredenzt haben. Wissen Sie, ich komme aus … (hier eine möglichst exotische Nationalität einfügen), und in meinem Land haben wir die grässliche Angewohnheit, unseren Mund regelmäßig mit reichlich Salz (ersatzweise kann man auch Knoblauch oder Chili-Schoten erwähnen) auszuwaschen. Es kann daher geschehen, dass ich derart leichtfertig und unbesonnen den Geschmack dieser kulinarischen Kreation ruiniert habe.« Das funktioniert so gut wie immer.

Auch der Empfangschef an der Rezeption des »Kingston Royal Arms« verzieh uns nicht nur großherzig unsere Beschränktheit, er erbot sich sogar, uns diesmal selbst aufs Zimmer zu begleiten. »Es ist ganz einfach«, versicherte er und blickte uns dabei so mitleidsvoll an wie ein Vorschullehrer, dessen Problemkind noch immer versucht, runde Stöckchen in dreieckige Löcher zu stopfen. Tatsächlich fanden wir mit seiner Hilfe ins Zimmer. Merkwürdig war nur, dass wir den Empfangsherrn nie mehr wiedersahen, nachdem er uns an der Tür verabschiedet hatte. Tochter Julia glaubte ihn Tage später einmal spätabends murmelnd und mit suchendem Blick in einem entlegenen Korridor gesehen zu haben. Vielleicht erklärt dies ja mutmaßliche Sichtungen von Geistern in alten englischen Country-Hotels. Demnach würde es sich bei solchen Erscheinungen in Wirklichkeit um Gäste oder Personal handeln. Irgendwann haben sie sich verlaufen und sind nun nach Art eines an Land gespülten Fliegenden Holländers dazu verurteilt, Gänge und Treppen zu durchstreifen und sich mit dem Instant-Kaffee und den mürben Keksen am Leben zu erhalten, die in den Zimmern ausliegen.

Wir hatten ein Doppelzimmer mit Zusatzbett bestellt und auch bekommen. Womit wir nicht gerechnet hatten, war, dass sich außer den drei Betten, einem Schreibtisch und einem Stuhl keine weiteren Möbelstücke in dem Raum befanden. Irgendwie war das klug, denn sie hätten nicht mehr hineingepasst.

»Okay«, meinte meine Frau Katja, praktisch und zupackend wie immer. »Entweder wir legen die Koffer auf die Betten und schlafen auf dem Parkplatz. Oder wir legen uns aufs Bett und pfeifen aufs Gepäck.«

Ein herbeitelefonierter Hotelangestellter sah uns misstrauisch an. »Sie wollten doch ein Dreibettzimmer«, meinte er, ohne sich zu bemühen, den leisen Vorwurf in seiner Stimme zu unterdrücken. »Und das ist ein Dreibettzimmer.«

Er deutete mit dem Zeigefinger auf die Schlafstätten und zählte: »Eins, zwei, drei.«

Viele Briten sind der Ansicht, dass Ausländer ein

bisschen begriffsstutzig sind. Das wird uns nicht als eigenes Verschulden angekreidet, schließlich kann nicht jeder das Glück haben, auf diesen Inseln geboren zu sein. Cecil Rhodes, der im Auftrag der Krone (und für die eigene Brieftasche) wilde Volksstämme in Afrika unterwarf, hielt einmal fest: »Als Engländer geboren zu sein bedeutet, in der Lotterie des Lebens den Haupttreffer gezogen zu haben. Frag irgendjemanden, welche Nationalität er am liebsten hätte, und neunundneunzig von hundert würden antworten, dass sie es vorzögen, Engländer zu sein.«

Weniger großmäulig, aber nicht weniger überzeugend klang das in einem Propagandafilm, mit dem die britische Regierung die Bevölkerung im Zweiten Weltkrieg auf eine deutsche Invasion einstimmen und ihr zugleich die Angst vor den Besatzern nehmen wollte. Der Film enthielt den tröstlichen Hinweis: »Es ist wissenschaftlich erwiesen, dass ein britisches Hirn schneller und flexibler arbeitet als ein deutsches.«

Heute würde man das nur noch klammheimlich denken, aber nicht mehr so deutlich aussprechen. Denn seit dem Krieg hat das britische Selbstbewusstsein derart viele Dellen, Schrammen und Kratzer abbekommen, dass es eher an ein Stockcar-Auto nach einem verlorenen Rennen erinnert als an eine auf Hochglanz polierte Limousine der Nobelmarke Rolls-Royce – die ja, my goodness, auch schon von Deutschen gekauft worden ist. Was die nationale Identität der Briten betrifft, so scheint sie mehr und mehr dem Wetter auf den Britischen Inseln zu ähneln: Jeder redet darüber, aber keiner kann etwas daran ändern. Und so wie das Wetter ist auch diese Identität oft so lauwarm, dass es schwierig wird, beides griffig zu beschreiben.

Vom Empire sind eigentlich nur Reggae-Musik, Curry-Take-aways und radikale islamische Prediger geblieben. Inzwischen ist der Prozess der Entkolonialisierung hautnah herangerückt: Schottland, Wales und womöglich sogar Cornwall betrachten sich zunehmend ebenfalls als unterjocht und streben nach mehr oder weniger Unabhängigkeit. Was dann noch übrig bleibt von diesem uneinigen Königreich ist so winzig, dass es leicht in dem einheitlichen Europa-Ragout zu verschwinden droht, das in Brüssel auf kleiner Flamme eingedampft wird. Auch außerhalb der Politik bieten sich dem modernen Briten wenig Lichtblicke: Im Eurovision Song Contest teilt er sich den letzten Platz mit den Deutschen, die Fußballnationalmannschaft ist eine Trauertruppe, und sogar im Nationalsport Kricket schlagen Ex-Kolonien das ehemalige Mutterland um Wicketlängen – oder wie immer man die Resultate in einem Sport zählt, in dem Teepausen eingelegt werden, der Schiedsrichter einen Metzgerkittel trägt und die Gastmannschaft »Touristen« heißt.

In Scharen wandern Briten nach Kanada, Australien oder Südafrika aus; die Rente verzehren sie, wenn möglich, in Spanien oder Frankreich. Immerhin haben sie auf diese Weise den europäischen Kontinent besser kennengelernt, der ihnen lange Zeit ferner und fremder erschien als das Hochland von Papua oder das australische Outback. Heute würden sie vermutlich auch nicht den Fehler wiederholen, der den Bürgern der nordenglischen Hafenstadt Hartlepool unterlief. Die Geschichte ereignete sich während der napoleonischen Kriege, als hier ein französisches Kriegsschiff auf Grund lief und mit Mann und Maus sank. Nur das Maskottchen der Mannschaft überlebte und wurde an Land gebracht: ein Äffchen, das die Matrosen in eine französische Uniform gesteckt hatten. Da die Hartlepooler noch nie in ihrem Leben einen Franzosen oder einen Affen gesehen hatten, identifizierten sie das arme Tier als einen französischen Spion. Dieser Eindruck verstärkte sich, als der Affe zu kreischen und zu schnattern begann – was in britischen Ohren eindeutig französisch klang. Für den Affen nahm die Geschichte keinen guten Ausgang. Er endete dort, wo französische Spione nach Überzeugung des Magistrats von Hartlepool hingehörten: am Galgen.

Dorthin schien uns auch der Hotelboy zu wünschen, nachdem er zum zweiten Mal die Anzahl der Betten im Zimmer hilfreich an den Fingern abgezählt hatte. Resigniert zuckte er die Achseln und wollte sich zum Gehen wenden.

»Das Zimmer ist aber recht klein für drei Personen«, gab ich schüchtern zu bedenken und schielte zu meiner Tochter hinüber, die überzeugend klaustrophobische Atemnot simulierte. »Haben Sie denn nichts Größeres?«

Schnell stellte sich heraus, dass es zwar größere Räume gab, die indes – aus nicht näher nachvollziehbaren Gründen – nur zwei Betten hatten. Mein Vorschlag, dass man doch das Extrabett aus unserem Zimmer in eine der großräumigen Zimmerfluchten hinüberschaffen könnte, rief ungläubiges Staunen angesichts derart verblüffender Begriffsstutzigkeit hervor.

»Das geht doch gar nicht. Das Bett passt nicht durch den Türrahmen. Und wir würden es auch nie unten im Gang um die Ecke wuchten können.«

»Aber irgendwann muss es doch mal in dieses Zimmer hereingebracht worden sein?« Ironie regte sich in mir, leider ununterdrückbar. »Oder wollen Sie sagen, dass erst das Klappbett da war und dann das Hotel? Dass das Haus rings um das Bett gebaut wurde?«

»Das kann ich Ihnen nicht sagen, Sir. Ich bin noch nicht so lange hier, und dies ist ein sehr altes Hotel.«

Er hatte fraglos recht, bewies doch schon ein kurzer Blick, dass nicht nur das Haus, sondern auch das Mobiliar Zeuge mehrerer Epochen von Königin Victoria bis Queen Elizabeth geworden war. Und vielleicht barg mein Spott einen Kern von Realität. Denn später, als wir in unser eigenes Haus eingezogen waren, erfuhren wir, dass Euan, unser Nachbar zur Rechten, einen ausgewachsenen Konzertflügel im ersten Stock stehen hatte. Er war dort abgestellt worden, bevor das Treppenhaus eingebaut wurde; anders hätte man ihn gar nicht in das Haus bringen können. In gewisser Weise waren die vier Wände also tatsächlich um das Klavier herum hochgezogen worden.

Als Euan später mitsamt dem Flügel auszog, musste zuerst ein Teil der Fassade Stein für Stein abgetragen werden, bevor ein Spezialkran das Musikmöbel vorsichtig durch die höhlenartige Öffnung in der ersten Etage heraushieven konnte. Andernfalls hätte er sein Haus nur musikalisch interessierten Käufern anbieten können.

Mit dem »Royal Arms« einigten wir uns schließlich auf ein großes Zimmer mit einem Doppelbett, in dem wir uns die nächsten Wochen zu dritt aneinanderschmiegten. Eigentlich war gar nicht geplant, dass wir so lange im Hotel nächtigen würden. Am Ende aber erwies sich das als Gewinn. Nicht nur, dass wir irgendwann blind unser Zimmer fanden; es war auch ganz

gut, dass wir wieder in europäische Verhältnisse, Maßstäbe und Größenverhältnisse hineinschrumpften.

Denn die Jahre davor hatten wir in Amerika gelebt,
wo wir in mehrerer Hinsicht verwöhnt worden waren.
Dazu gehört, dass es in den USA irre viel Platz gibt.
Platz für alles: für große Autos, große Bäuche und große Gedanken.

Der Größenkontrast zwischen unserer alten amerikanischen und der neuen englischen Heimat war
auch unserer Tochter nicht verborgen geblieben. Nachdem sie sich zum zehnten Mal die Hüfte an der spitzen
Kante der Kommode gestoßen hatte, die in unserem
Hotelzimmer den einzigen Durchgang zum Bad auf
Taschenbuchbreite verringerte, zeterte sie: »Ich weiß
jetzt, warum es England heißt – weil hier alles so eng
ist.«

Manchmal nötigt einem der Nachwuchs mit überraschenden Erkenntnissen doch noch Respekt ab. Sie
selbst bedauerte nur, dass sie das Wortspiel nicht ins
Englische übertragen konnte.

Zwei

Tatsächlich ist alles eng im Königreich: die Wohnungen, die Häuser, die Hotels, die Straßen, die Felder, die Gänge im Supermarkt, die T-Shirts, die Jeans über den geblähten Leibern – und mitunter auch das Denken. Noch mehr schrumpft die Wohnfläche auf der Insel zusammen, wenn man das nördliche Drittel abzieht: In den schottischen Highlands vermögen nur besonders abgehärtete Schafe und Schotten zu leben; Letztere auch nur deshalb, weil sie kratzende Pullover aus der Wolle der Ersteren stricken. Recht einsam geht es auch in den Mooren von Yorkshire im Nordosten und von Dartmoor im Südwesten zu. Deshalb bündelt sich alles rechts unten im Südosten, dort, wo die Insel einen wabbeligen Schmerbauch in die Nordsee hinausschiebt. In diesem Bauch ist alles angesiedelt, was Britannien ausmacht: die Königin und die Kultur, die Börse und die Politik, die Wirtschaft und die Wissenschaft und eben auch viele Menschen.

Kommt man aus Amerika ins enge England, dann fühlt man sich, als ob man Helmut Kohls ausgeleierte Lieblingsstrickjacke gegen einen Neopren-Anzug von Kate Moss eintauschen müsste. Engländer umschreiben diese Art von Enge gerne mit dem Wörtchen *cosy*. Das beschreibt einerseits eine gehäkelte

Wärmehaube für die Teekanne; andererseits heißt cosy so viel wie gemütlich – im selben Sinne, in dem man auch einem mittelalterlichen Kellerverlies einen gewissen Grad an Gemütlichkeit nicht absprechen konnte.

Es war allerdings wirklich ein Zufall gewesen, dass sich meine Tochter mit ihren amerikanischen Freundinnen daheim in unserem Haus in Washington gerade den Film »Liebling, ich habe die Kinder geschrumpft« ansah, als ich ihr mitteilte, dass wir nach London umziehen würden.

Ich beschloss, diesen Zufall zu nutzen, um die Nachricht spielerisch rüberzubringen.

»Haha, das ist komisch. Wenn wir nach England gehen, werden wir auch ein bisschen schrumpfen müssen.«

»Wie? Du meinst, wir gehen im Gras verloren und werden von Ameisen und Marienkäfern angegriffen?«

»Nein, nein, aber es wird schon alles ein wenig kleiner sein dort. Die Häuser dort zum Beispiel. Die sind eher wie dein Barbie-Haus. Putzig, nicht wahr?«

»Was? Ich kann mein Barbie-Haus nicht mitnehmen?«

Woher, zum Teufel, wusste sie das? Ab welchem Alter beginnt weibliche Intuition? Mein Vergleich mit dem Barbie-Haus war natürlich ein klassischer freudscher Versprecher gewesen. Nachdem ich Bilder unserer künftigen Londoner Bleibe gesehen hatte, war mir sehr schnell bewusst geworden, dass wir Ballast abwerfen müssten. Sehr viel Ballast. Und das Barbie-Haus balancierte – um bei dem Bild zu bleiben – unmittelbar auf der Korbkante des Heißluftballons.

Am Tag nach meiner Ankündigung hatte sich Julia

offensichtlich in der Schule weiter über Großbritannien informiert.

»Ich komme nicht mit«, teilte sie kategorisch mit. »Die Engländer stinken.«

»Wie um alles in der Welt kommst du denn da drauf?«

»Sie waschen sich nicht. Also, nicht richtig. Sie duschen nicht, sondern setzen sich in eine Wanne mit lauwarmem, schmutzigem Wasser. Und außerdem haben sie alle verschimmelte Zähne.«

»Verfault meinst du wohl, nicht verschimmelt.«

»Was immer. Sie gehen nicht zum Zahnarzt. Oder vielleicht gibt es dort gar keine Zahnärzte.«

Erstaunlich, diese Detailkenntnisse. Da sagt man immer, Amerikaner im Allgemeinen und amerikanische Grundschüler im Besonderen hätten keine Vorstellung von der Welt außerhalb der eigenen Grenzen.

Als unsere amerikanischen Freunde von unserem bevorstehenden Umzug nach London erfuhren, wussten auch sie nicht, ob sie uns beglückwünschen oder bedauern sollten.

Amerikaner haben ein grundsätzlich ambivalentes Verhältnis zu ihrer ehemaligen Kolonialmacht – ein wenig wie ein Teenager, der sich von seinem autoritären Vater emanzipiert hat und dem alten Herrn nun mit einer Mischung aus einem Rest von Respekt auf der einen und ätzendem Spott auf der anderen Seite begegnet. Als vorbehaltlos positiv wird lediglich registriert, dass man in Großbritannien eine weitgehend verwandte Sprache wie in den USA spricht. (Diese Tatsache versöhnt übrigens auch viele Briten mit den Yankees.)

»Na ja, ist auf alle Fälle schon mal besser als ein

Job in Zentralafrika, vor allem, wenn man eine Familie hat«, meinte Greg. »Aber an Paris kommt London natürlich nicht heran.«

Amerikaner haben sich eine nahezu zärtliche Zuneigung für die Stadt der Liebe und der Lichter bewahrt, die bis jetzt alle amerikanisch-französischen Verstimmungen überdauert hat. Man kann als Amerikaner Europa bereisen, ohne die Alpen, Rom oder das Mittelmeer gesehen zu haben. Man kann den ganzen Kontinent in 36 Stunden abhaken, nur Paris sollte dabei gewesen sein. Die französische Hauptstadt gehört zum unverzichtbaren Pflichtprogramm. Selbst Säuglinge werden über die Champs-Élysées geschleppt, damit sie später einmal ihren Kindern und Enkeln erzählen können, sie seien in Paris gewesen.

Bei Paris denken Amerikaner an Kunst, Mode, ohlà-là the girls und gutes Essen. Bei England denken sie (nicht notwendigerweise in dieser Reihenfolge) an: Oliver Twist, Robin Hood, Queen (die Band), die Queen (die alte Dame), Big Ben, Lady Diana, schlechte Zähne, die Queen, Harry Potter, das Monster von Loch Ness, Winston Churchill, Shakespeare, die Queen, Kilts und Dudelsäcke, die Queen, rote Busse und schwarze Taxis, die Beatles und die Stones. Und natürlich an die Queen. Irgendwie sehen Amerikaner in Großbritannien eine Art von überdimensionalem Vergnügungspark nach Art von Disneyland: Welcome to Englandworld, reisen Sie in der Zeit zurück nach Merry Old Englandland und fühlen Sie, wie feuchte Nebelschwaden nach Ihrem Gesicht greifen und lauwarmer Tee durch Ihre Kehle rinnt.

Tee darf im traditionellen Englandbild der Amerikaner schon gar nicht fehlen. Jedes Schulkind weiß, dass die britischen Kolonialherren im Hafen von Boston zu einer überkandidelten Teeparty eingeladen hatten, auf der sich die ungehobelten Neuengland-Pioniere deplatziert fühlten, weshalb sie sich anschickten, nicht nur die Teebeutel, sondern auch gleich die britischen Gastgeber ins Hafenwasser zu werfen. So muss es gewesen sein, oder zumindest so ähnlich, und der Rest ist Geschichte: Von dieser Teeparty führt eine schnurgerade Linie zur amerikanischen Weltmacht, die der Welt Coca-Cola, Milkshakes und Starbucks-Kaffee beschert hat, nur keinen Tee. Tee ist für Verlierer, und Tee färbt die Zähne gelb. Tee ist eben – nach amerikanischem Verständnis – für Briten. Deshalb gehen die meisten Amerikaner Tee aus dem Weg – wenn man einmal von New-Age-Intellektuellen in San Francisco oder Greenwich Village und ihren Kräuterinfusionen absieht. Wer in anderen Landesteilen – in Oklahoma beispielsweise oder in Wyoming – nach einer Tasse Tee verlangt, wird heute zwar nicht mehr geteert, gefedert und gelyncht; die Kellnerin wird ihn jedoch mit einem Blick bedenken, den sie für mutmaßliche Päderasten reserviert, bevor sie in die Küche ruft: »Marylou, ich hab hier 'nen Typen sitzen, der will ...« – bedeutungsschwangere Pause – »... Tee. Hast du unseren Teebeutel gesehen?«

»Weicheier mit gelben Zähnen«, urteilte dann auch mein Freund John und bleckte sein funkelndes 10 000-Dollar-Gebiss, als er erfuhr, dass wir nach England ziehen würden. »Wenn wir ihren Arsch nicht zweimal im letzten Jahrhundert aus dem Feuer geholt hätten, dann hätten sie sich die Eier ordentlich geröstet.«

John ist aus Texas. Dort spricht man so, und dort

hält man nicht nur die Briten, sondern im Großen und Ganzen den Rest der Welt für Schwächlinge. Immerhin wusste ich nun, wie meine Tochter zu ihren Kenntnissen über den mutmaßlich beklagenswerten Zustand der Dentalhygiene im Heimatland der Königin gekommen war. Johns Tochter war ihre beste Freundin. Ich konnte nur hoffen, dass sich John weniger drastisch ausdrückte, wenn Kinder in Hörweite waren.

Man kann nicht unbedingt sagen, dass sich England angestrengt hätte, um die Vorurteile Julias zu zerstreuen. Im Gegenteil: Sie und ihre Mutter zogen befremdet die Augenbrauen hoch, als sie im Hotel die Notiz entdeckten, welche die werten Gäste bat, keine Tiere und Kinder zum Abendessen ins Restaurant zu bringen. Man bitte um Verständnis, und selbstverständlich würde das Personal gerne sogenannte Doggie-bags mit den Resten des Abendessens packen für die kleinen Lieblinge, die im Zimmer bleiben mussten. Ob das gleichermaßen für zwei- und vierbeinige Lieblinge galt, blieb offen.

Das heißt, Julia bewegte weniger die Augenbrauen als vielmehr den Mund, um uns unzweideutig mitzuteilen, was sie vom »Kingston Royal Arms« im Speziellen und von Kinderdiskriminierung im Allgemeinen hielt.

»Das sieht nur so aus«, suchte ich sie zu beschwichtigen, wenn auch ohne große Überzeugungskraft. »In Wirklichkeit mögen die Engländer Kinder. Sehr gerne sogar. Sieh doch: Die Teletubbies, Peter Pan, Winnie Pu, Paddington Bär, Harry Potter – das sind alles Bücher, die britische Schriftsteller für Kinder geschrieben haben.«

Julia studierte mich aufmerksam. Man merkte ihr

an, dass sie nach einer passenden Antwort suchte. Ihre Mutter kam ihr zuvor.

»Ja, und da sieht man auch, wie gerne man hier Kinder hat«, höhnte Katja. »Tolle Vorbilder sind das: Die Teletubbies? Leben alleine mit einem Staubsauger und haben keine Eltern. Peter Pan – ausgesetzt von den Eltern, total verwahrlost, Sozialkrüppel. Paddington Bär – landet mutterseelenallein, und ich betone MUTTER-seelenallein, auf einem Großstadtbahnhof. Alice im Wunderland? Der will eine durchgeknallte Königin den Kopf abschneiden. Und Harry Potter wird in einen Verschlag unter der Treppe abgeschoben. Bei diesen literarischen Vorbildern wundert es mich überhaupt nicht mehr, dass man keine Kinder am Esstisch sehen will.«

Insgeheim machte auch ich mir Sorgen, ob Großbritannien nicht einen negativen Einfluss auf meine Tochter ausüben würde. In den USA war sie schließlich in einem hochmoralischen Land aufgewachsen, in dem das Fernsehen ausdrücklich auf Schimpfwörter aufmerksam macht, indem es sie mit einem Piepsen zudeckt. So züchtig geht es in den Staaten zu, dass Julia noch nicht einmal harmlose Schimpfwörter kannte. Einmal war sie verlegen zu mir gekommen und hatte mir die schlimmste Vokabel verraten, die sie kannte. So grässlich war das englische Wort, dass sie es sich nur zu buchstabieren traute: »Äitsch – ieh – ell – ell.«

»Ah, Hell, die Hölle.«

»Psst, Papa, das darf man nicht sagen. Das ist ein ganz schlimmes Wort.«

Unter diesen Umständen stellte ich mich auf böse Überraschungen ein, denn in Großbritannien hat man ein generell unverkrampfteres Verhältnis zum Fluchen als in den USA. Bei unseren ersten Fahrten im roten Doppeldeckerbus wusste ich nicht, ob ich mir oder meiner Tochter die Ohren zuhalten sollte angesichts der Gesprächsfetzen, die zu uns drangen.

Aber ich hätte mir keine Gedanken machen müssen. Unsere Tochter war ihren Eltern schon wieder mal weit voraus.

»Schau mal da drüben«, krähte sie bei einem Bummel durch die Fußgängerzone. »Diese Engländer. Noch nicht mal richtig schreiben können sie.«

Ich folgte ihrem ausgestreckten Zeigefinger zu dem Namen über einer Ladenfassade. French Connection UK stand da, kurz FCUK. »Erst kommt das U, und dann das C«, klärte mich Julia geduldig auf.

Vorwurfsvoll starrte mich Katja an.

»Warum siehst du mich so an?«, stotterte ich. »Von mir hat sie das bestimmt nicht. Wieso denkst du überhaupt immer gleich, dass ich an allem schuld bin?«

»Das sind Erfahrungswerte, mein Lieber, alles Erfahrung.«

Da manchmal auch Ehemänner über Erfahrungswerte verfügen, war mir schon früh klar gewesen, dass ich Katja und Julia behutsam auf die rauere europäische Atmosphäre vorbereiten musste. Wichtig war, von Anfang an das Fundament für eine positive Grundeinstellung zu legen.

»In England gibt es eine Königin«, hatte ich Julia zu locken versucht. Mir war bewusst, dass ich sie bei diesen Worten mit einer durchschaubaren Mischung aus Verlegenheit und Unaufrichtigkeit angrinste. Zum Glück bemerkte sie nichts davon.

»Gibt es auch Prinzessinnen? Mit hübschen Kleidern und langen blonden Locken?«

Ich dachte an Prinzessin Anne, hoch zu Ross, in abgewetztem Tweed mit Gummistiefeln, und schüttelte den Kopf.

»Nein, so richtige Prinzessinnen gibt es nicht. Aber Prinzen. Zwei hübsche. William und Harry heißen sie.«

»Jungs sind doof.«

»Das stimmt«, mischte sich meine Frau ein. »Aber mit Übung gewöhnt man sich an sie, und vielleicht heiratest du ja einen von den beiden.«

Meine Frau hat ein merkwürdig zwiespältiges Verhältnis zum Hochadel. Sie ist Russin und wuchs in der grundsätzlich adelskritischen Sowjetunion auf. Als gelernte Sowjetbürgerin meint sie daher zwar einerseits, dass Barone und Bojaren streng genommen an die Laterne, aufs Schafott oder zumindest in ein Umerziehungslager gehören. Als Mutter andererseits sähe sie es nicht ungern, wenn ihre Tochter eines Tages einen leibhaftigen Prinzen anschleppen und sie selbst Schwiegermutter des künftigen Königs von England werden würde. Dann könnte sie sich wenigstens an ihm mit der Umerziehung versuchen.

Ganz von ungefähr kam es ja nicht, dass ich meiner Tochter die königliche Familie gleichsam als Appetithappen für England hingeworfen hatte. Schließlich hatte Wilfried Mäuer, mein Ressortleiter, ebenfalls versucht, mir die Versetzung mit dem Königsargument schmackhaft zu machen.

»Na, dann sind Sie ja jetzt bald für die Königin zuständig«, sagte er gönnerhaft.

Aus seinem Mund klang es, als ob er mir dank seiner persönlichen Fürsprache bei der Queen einen Ritterschlag verschafft hätte. Zugleich schwang unüberhörbar ein klein wenig Spott mit. Über die Weltpolitik wirst du jetzt nicht mehr schreiben, hieß das. Jetzt machst du die Schmonzetten fürs Vermischte. Passt sowieso besser zu dir: die leichte Muse.

Ich schwieg. Er sprach ja nur offen aus, was ich mir ohnehin dachte.

Aber er war noch nicht fertig.

»Das dürfte doch ganz Ihre Kragenweite sein. Ein bisschen spöttisch, ein bisschen launig, ein bisschen historisch. G'schmackige Geschichten halt.«

Mäuer kommt aus dem Rheinland, und da kennt man Wörter wie »g'schmackig« eigentlich nicht. Aber in München reden auch Zugereiste nach einiger Zeit so, als ob sie im Komödienstadel vorsprechen wollten. Genau genommen eigentlich nur Zugereiste.

Ich schwieg weiter. Es gibt Situationen, da soll man Vorgesetzte nicht unterbrechen. Und ihnen schon gar nicht widersprechen, vor allem nicht, wenn sie recht haben. London war ja wirklich nicht schlecht. Viel Auswahl bleibt einem Auslandskorrespondenten nicht, wenn er mal in Washington gewesen ist, es sei denn, er strebt nach höheren Weihen in der Redaktion.

Es ist ähnlich wie mit Botschaftern, mit denen Journalisten ja ohnehin einiges gemein haben. Beide leben – jedenfalls nach dem Verständnis der Daheimgebliebenen – in Saus und Braus in irgendeinem Ausland, wo immer die Sonne scheint, das Essen besser und Elektro-Gerät billiger ist. Die meiste Zeit verbringen Diplomaten und Korrespondenten – häufig gemeinsam – auf Cocktailpartys und bei üppigen Abendessen, für die sie nicht selbst bezahlen müssen. Und natürlich nehmen sie sich schrecklich wichtig.

»Ach, bevor ich es vergesse«, ließ sich Mäuer wieder vernehmen, den ich über diesen Überlegungen schon beinahe vergessen hatte. »Apropos Königin. Wir brauchen einen Nachruf.«

Auch das noch. Nachrufe sind die Geißel des Korrespondenten. Es gibt nur zwei Varianten: Entweder stirbt jemand unerwartet und man muss dreihundert Zeilen Würdigung eines erfüllten Lebens im Wettlauf mit dem Redaktionsschluss runtertippen. Das ist die angenehmere Möglichkeit. Oder man verfasst den Abgesang auf den Toten von morgen noch zu dessen Lebzeiten. Ohne Zeitdruck, aber eben auch ohne wirklichen Anlass. Und ein wenig pietätlos ist es auch. Was, wenn der Moskau-Korrespondent nach vollbrachter Tat einem, sagen wir mal, quicklebendigen Michail Gorbatschow auf der Straße begegnen würde?

»Freut mich, Sie zu sehen, Michail Sergejewitsch. Also, wenn Sie sterben, können Sie sich freuen. Ich habe einen Nachruf auf Sie geschrieben – allererste Sahne. Wenn Sie wollen, schicke ich Ihnen eine Kopie. Wenn's so weit ist, wäre es ja zu spät. Ha-ha-ha. Für Sie jedenfalls.«

Es ist durchaus sinnvoll, für den Notfall zu planen und im Voraus zu schreiben. Denn die Erfahrung lehrt, dass berühmte Leute eigentlich immer zur Unzeit sterben, jedenfalls was den Redaktionsschluss einer Tageszeitung betrifft.

»Wir haben nachgesehen, und wir haben keinen Nachruf auf die Königin vorliegen«, sagte Mäuer. »Das ist ein echtes Versäumnis.«

»Aber keines, das Sie mir vorwerfen können. Das hätten ja schon mehrere Korrespondenten vor mir erledigen können«, erwiderte ich eingeschnappt. »Die

Dame sitzt schließlich nicht erst seit gestern auf dem Thron.«

»Sie haben recht, aber Sie wissen doch auch, wie das ist.«

Ja, das wusste ich. Aus den Ländern, in denen ich vorher arbeitete, hatte ich mich ebenfalls verabschiedet, ohne Nachrufe zu hinterlassen.

»Von der Königinmutter hingegen haben wir einen Nachruf vorliegen«, sagte Mäuer.

»Aber die ist doch schon tot.«

»Richtig, wir haben damals aktuell einen neuen schreiben lassen. Der, den wir haben, ist von einem ihrer Vorgänger geschrieben worden, 1969, glaube ich. Der war nun wirklich nicht mehr frisch.«

Das konnte ja heiter werden. Wenn die Tochter auch nur ein wenig von der Langlebigkeit ihrer Mutter geerbt hatte, dann würde auch mein Nachruf irgendwo im System verschimmeln. Bei meinem Glück würde Elizabeth mich überleben.

»Wäre gut, wenn Sie mal Kontakt zu ihr aufnähmen.«

»Und wie, bitte schön, stellen Sie sich das vor?«, fragte ich. »Ich kann mich schließlich nicht zu ihr in den Palast auf eine Tasse Tee einladen, ganz zu schweigen davon, dass ich mir aus Tee nichts mache.«

»Ach, es wird Ihnen schon etwas einfallen, da bin ich mir sicher. Bei Ihrer Erfahrung. Bleiben Sie ihr auf der Spur: Fahren Sie nach Ascot zum Pferderennen, da geht sie immer hin. Sie gibt Gartenpartys, da kommen Krethi und Plethi, warum nicht auch Sie? Und wenn es ein Problem gibt, Sie wissen ja: Sie können sich immer auf mich berufen.«

Drei

Nun waren wir also schon ein paar Wochen im Reiche Ihrer britannischen Majestät. Gesehen hatten wir freilich noch nichts von ihr, abgesehen von ihrem Porträt auf den Pfundscheinen. Davon mehr als genug, denn das Geld flatterte uns wie Herbstlaub bei Sturmwind aus den Händen. Schließlich hatte ein ebenso scharfsinniger wie scharfzüngiger Beobachter dem Vereinigten Königreich nicht von ungefähr den wenig schmeichelhaften Spitznamen »Rip-off Britain« verpasst. Mit dem frommen Grabsteinwunsch *Requiescat in pace* hat dies nichts zu tun, es sei denn, man wünschte sich angesichts des britischen Preisniveaus, möglichst schnell in Frieden auf einem Discount-Friedhof zu ruhen.

Rip-off steht vielmehr für nackte Ausbeutung, übers Ohr hauen, Wucher. Wenn man in den Fußgängerzonen und Einkaufszentren zwischen Brighton und Edinburgh hyperventilierende Menschen sieht, die allem Anschein nach unmittelbar vor einem Schlagfluss stehen, kann man davon ausgehen, ausländische Touristen vor sich zu haben, die soeben einen ersten Einblick in britische Preisstrukturen gewonnen haben.

Wir merkten sehr schnell, dass hier alles teurer war als anderswo – vom Briefporto bis zum Eigenheim, und das schloss unser Heim selbstverständlich auch mit ein. Klein, aber fein, könnte man sagen.

Aus demselben Grund hatten wir uns auch dafür entschieden, nicht im Zentrum Londons zu wohnen – denn das können sich nur deutsche Premier-League-Fußballer, russische Aluminium-Oligarchen oder saudische Ölprinzen leisten. Wir hatten ein Haus in Kingston gefunden, einer Kleinstadt, die irgendwie zu London gehört, zugleich aber Hauptstadt der Grafschaft Surrey ist. Mit vollem Namen heißt sie Kingston-upon-Thames, vermutlich, um Verwechslungen mit dem anderen Kingston in Jamaika auszuschließen.

Katja meinte dagegen, dass unser Haus nur klein sei. Je länger ich mich in unserer neuen Bleibe umsah, desto mehr musste ich ihr recht geben. Mit drei Etagen war das Haus zwar recht hoch, im Gegenzug aber ziemlich schmalbrüstig – ungefähr so breit wie eine Kingsize-Matratze, schätzte ich.

Meine latenten Zweifel steigerten sich zu handfesten Panikattacken mit Atemnot und beschleunigtem Pulsschlag, als der Umzugs-Container endlich vor der Tür abgestellt war. Eigentlich war er ja gar nicht so groß. Ein normaler Container, gerade mal zwanzig, dreißig Fuß lang, und in Meter umgerechnet klingt das sowieso nach noch weniger. Was sind schon neun Meter? Doch der monströse Stahlsarg schien alles zu zerquetschen: die Minis und Smarts in den badetuchgroßen Garageneinfahrten, die gepflegten Rabatten mit den zwergwüchsigen Buchsbäumen und sogar die ganze lange Reihe rot geziegelter, beklemmend enger Häuser.

Noch bevor die Packer die Stahltür des Containers öffneten, hatte sie ihr erster Weg stracks in die Küche geführt, als ob sie schon jahrelang in diesem Haus gelebt hätten.

»Na, Gouverneur, hammse schon den Teekessel aufgesetzt?«, fragte mich ihr Anführer mit einem Lächeln, das er vermutlich für gewinnend hielt.

Wie schön, wenn sich Klischees bewahrheiten. Auch wenn inzwischen in britischen Städten an jeder Straßenecke mehr Café-Ketten aus dem Boden sprießen als Kaffeesträucher in Kolumbien – der britische Werktätige bevorzugt weiterhin seine geliebte Cuppa Tea. Das unterscheidet ihn wohltuend vom deutschen Arbeiter, der im Allgemeinen Bier meint, wenn er Kaffee sagt. Amerikanische Handwerker wiederum weisen angebotene Erfrischungen mit einem Hauch Entsetzen zurück, als ob sie befürchteten, vergiftet oder zumindest unter Drogen gesetzt zu werden. Sie bringen ihre eigenen Wasserflaschen mit, deren Verschlüsse – so muss man annehmen – mit einem Zahlenschloss versiegelt sind.

Der Gouverneur warf also pflichtschuldigst den Gasherd an und kramte ein paar angestoßene Becher zusammen, welche der Vormieter zurückgelassen hatte. Apropos Gouverneur: Auch in Cool Britannia haben sich die Anreden nicht verändert, seit Professor Higgins den Markt von Covent Garden unsicher machte und dem Blumenmädchen Eliza Doolittle zunächst aufs Maul und dann auf die Lippen schaute. In Österreich und anderen orientalischen Weltgegenden avanciert rasch zum Doktor, Ingenieur oder Professor, wer nicht mit dem Trinkgeld geizt. Aber Gouverneur? Der einzige Österreicher, der diesen Gipfel erklommen hat, ist Arnold Schwarzenegger, und er musste drei steile Karrieren – Bodybuilder, Schauspieler (na ja) und Politiker – absolvieren, bevor er es zu diesem Titel schaffte. In Britannien hingegen genügt es, ein Taxi zu besteigen oder einem Klempner die Tür zu öffnen, und schon wird man Gouverneur.

Mit ihren Anreden beweisen die Briten generell mehr Phantasie als die Deutschen, wie Katja offensichtlich gerade erfahren hatte, weil sie zornbebend aus der Küche schoss.

»Dieser unverschämte Kerl. Was bildet der sich eigentlich ein. Nennt mich Darling, dieser fette tätowierte Klops.«

»Musst du nicht ernst nehmen, der meint es nicht persönlich.«

»Ach, ich sehe wohl nicht attraktiv genug aus?«

»Nein, doch, ja, natürlich, nur nicht für ihn …«

Sie warf mir einen Blick zu, der tiefe Zweifel an meinen geistigen Fähigkeiten offenbarte.

»Nein, du verstehst nicht«, versuchte ich zu erklären. »Briten reden einander mit Darling an, oder mit Liebes, Dear oder Luvvie. Manche sagen auch Pet. Es ist freundlich gemeint, aber ohne Hintergedanken. Wenn sie intim werden und turteln, dann nennen sie einander sogar zärtlich ›Silly Sausage‹.«

»Dummes Würstchen? Haustier? Du wirst mir doch nicht im Ernst weismachen wollen, dass jemand mich als Haustier bezeichnet und es nett meint?«

Ihre Zweifel an meinem Verstand schienen sich von Sekunde zu Sekunde zu verstärken.

»Du weißt doch, wie gerne Engländer Hunde und Katzen haben. Mögen sie mehr als Kinder. Wahrscheinlich, weil Kinder kein kuscheliges Fell zum Streicheln haben. Und deshalb würde dich auch kein Verkäufer Baby nennen. Das ist doch auch was wert, oder?«

Ich sah, dass die Diskussion eine ungute Richtung einzuschlagen drohte, und verkrümelte mich zwischen den Kartons, die mittlerweile aus dem Container zu quellen begannen. Katja ging mit umwölkter Stirn zurück in die Küche, wo sich die Möbelpacker an unserem Tee labten – »Vier Stück Zucker, bitte, Darling, und nur ein Tröpfchen Milch. Lovely, thanks.« –, und ich schlich mit einer Mischung aus düsterer Vorahnung und zwickenden Bauchschmerzen um die Metallkiste vor unserer Haustür herum. Misstrauisch beäugte ich sie von allen Seiten. Konnte es sein, dass sie gewachsen war? Immerhin waren sieben Wochen vergangen, seitdem wir sie das letzte Mal gesehen hatten und sie im Hafen von Baltimore verschifft worden war. Seitdem hatte uns die Spedition mit immer neuen Zwischenmeldungen auf dem Laufenden gehalten, die sich anhörten wie die Stationen einer Weltumseglung. Es schien keinen Hafen zwischen amerikanischer Ostküste und Westeuropa zu geben (ein paar afrikanische Stationen eingeschlossen), wo unsere Möbel keine Stippvisite eingelegt hätten. Einmal wurden sie sogar in Hongkong gesichtet, aber dies erwies sich als Fehlinformation. Verdächtig lange hielt sich unser Umzugsgut in Rotterdam auf. Wahrscheinlich wollte es sich nach all den Jahren des Entzuges und der amerikanischen Prüderie erst einmal wieder an leichten Drogen und schnellem Sex gütlich tun.

Jetzt also war er hier. Das Monster, das die Einfahrt zu unserer *Close* versperrte, sah eher aus, als ob es nach einem Transformer-Film auf dem Set zurückgeblieben wäre. Es war Zeit, die eigenen Bedenken mit der Ehefrau zu teilen.

»Schatz, ich glaube, wir haben ein Problem«, sagte

ich und versuchte dabei so entspannt und locker wie möglich zu bleiben.

»Sag mir was Neues. Wir haben ein Problem, seit wir in dieses Land gekommen sind. Hier kann man sich ja nicht mal auf der Straße umdrehen, ohne dass man drei Leute wegkegelt.«

»Du musst nur spätabends rausgehen, wenn alle daheim sind«, versuchte ich zu beschwichtigen. »Und dich nicht so schnell bewegen. Aber der Container.«

»Was ist mit dem Container? Sei froh, dass er endlich hier ist.«

»Schon, aber komm doch mal gucken. Siehst du, was ich meine?«

»Ja, da steht ein alter, rostiger Blechbehälter, der schon unsere Straße in Washington verschandelt hat. Und putzen könnte man den auch wieder mal.«

»Stell ihn dir doch mal hochkant vor«, schlug ich ihr vor.

Dann sah sie es. Ich konnte es daran erkennen, dass sie blass wurde und auch ihr Atem ein wenig schneller ging.

»Mein Gott«, hauchte sie schließlich. »Der ist ja genauso groß wie unser Haus.«

»Stimmt. Und morgen kommt die zweite Kiste.«

Wegen seiner Größe war das Haus von Anfang an ein Dorn der Zwietracht zwischen uns gewesen. In Katjas russischer Heimat mochten die realsozialistischen Plattenbaupuppenstuben zwar auch beengt gewesen sein. Aber dafür war das Land groß, oder vielmehr breit, wie es ein populäres Lied besang: »O wie breit bist du, mein Mutterland.« Wenn Russen wahre Größe ausdrücken wollen, dann greifen sie gerne zu dem Adjektiv breit – vor allem, wenn sie nach reichlichem Wodka-Genuss breit im deutschen Sinne sind und dann ihr Land beschreiben, das sich ja tatsächlich weiträumig wie Pizzateig zwischen Ostsee und Pazifik quer über den Globus fläzt. Und in den USA hatten wir in den letzten Jahren das bewohnt, was dort als Durchschnittsbleibe für eine Kleinfamilie betrachtet wird, aber in Großbritannien zu einem semiprofessionell geführten Bed and Breakfast mit zwölf Zimmern, Frühstücksraum, Lounge und Wintergarten umgewandelt würde.

Das Problem war zudem, dass ich etwas getan hatte, was man nie – niemals! – tun sollte. Ich hatte unser Haus anstandslos von meinem Vorgänger übernommen, ohne meine Frau zu konsultieren. Und warum eigentlich nicht, bitte schön? Ich wusste, dass unsere neue englische Bleibe geradezu palastartig war – für englische Verhältnisse. Drei Etagen! Sieben Zimmer! Zwei Bäder! Ein Dachboden! Na ja, ein Kriechboden, aber trotzdem. Eine Garage! Da durfte man doch wohl darüber hinwegsehen können, dass wir die Zimmer nicht so einrichten konnten, wie wir uns das vorstellten, sondern so, wie die Möbel durch die Türen passten. So endete das Schlafzimmer zwangsläufig im ersten Stock hinten statt ganz oben, weil das Bett nur durch die Panoramascheibe auf dem Balkon hindurchgezwängt werden konnte. Familienpackungen an Küchenrollen und Waschpulver, die wir kostengünstig im Großmarkt in den USA erstanden hatten, ließen sich ebenfalls nur durch die Schiebetür zum Garten ins Haus schaffen. Aber dafür haben wir im Garten sogar noch ein Extrahaus, ein sogenanntes Wendy House. Ich weiß nicht, ob es nach der weiblichen Hauptfigur in Peter Pan benannt ist. Ich weiß nur, dass Wendy Houses kleine Blockhütten aus Pressspan sind, die wohlhabendere Eltern für ihre Kinder bauen. Vorgeblich sollen sie darin spielen, aber in Wirklichkeit sollen sie hier wahrscheinlich das Leben in beengten Wohnverhältnissen einüben. Wenn die Kinder aus dem Haus sind, übernimmt der Familienvater die Konstruktion als sogenanntes *shed*. Hier werden nicht nur Spaten, Rechen, Gießkannen und der Holzkohlegrill verstaut; hierher zieht sich der Mann zurück, wenn er denken und basteln will. Wäre Bill Gates Brite, dann wäre Microsoft nicht in einer Garage, sondern in einem Gartenschuppen entstanden.

»Sieben Zimmer?«, hatte meine Frau gehöhnt. »Aber auch nur, wenn du die beiden begehbaren Kleiderschränke dazurechnest. Auf dem Dachboden kann noch nicht mal ein Oompa Loompa aus Willy Wonkas Schokoladenfabrik aufrecht stehen. Und die Garage ist schon voll, wenn wir unsere Koffer und Fahrräder darin abgestellt haben.«

Das Dumme an Ehefrauen ist, dass sie meistens recht haben. Nicht immer, aber doch häufig genug, dass es irritiert. Noch peinlicher ist, dass Ehemänner diese Tatsache jedes Mal aufs Neue vergessen, während Ehefrauen das Wissen ihrer eigenen Überlegenheit gewissermaßen genetisch abgespeichert haben.

Wollte ich den Ehefrieden nicht noch weiter gefährden, musste ich also einwilligen, nach einem anderen Haus zu suchen – obwohl ich das Unternehmen für reine Zeitverschwendung hielt.

»Bist du sicher, dass du dir das antun willst?«, fragte ich Katja mit einem Hauch von Verzweiflung in der Stimme.

»Du weißt nie, ob es nicht etwas Besseres gibt, solange du dich nicht umgesehen hast«, zischte sie zurück.

»Aber Liebes, wenn man weiß, dass man das Richtige gefunden hat, dann schlägt man sofort zu. Das ist wie beim Einkaufen damals im Sozialismus: Du kommst an einem Lastwagen mit Melonen vorbei – und zack, schleppst du so viele ab, wie du tragen kannst.«

»Jetzt vergleichst du aber wirklich Äpfel mit Birnen.«

»Nein, Melonen mit Häusern, das ist was anderes. Außerdem, wäre ich so wie du, dann hätten wir vielleicht nie geheiratet, weil ich immer noch weiter und weiter nach einer nichtexistierenden Traumfrau suchen würde.«

»Willst du damit etwa sagen, dass du die nicht gefunden hast?«

»Doch, doch. Aber nur, weil ich sofort zugegriffen habe. Wie mit den Melonen.«

Vier

Weil ich es vorgezogen hatte, den Streit nicht weiter eskalieren zu lassen, saßen Katja und ich zwei Tage später bei einem Typen, der sich locker und unverkrampft als Ralph vorstellte. Wie ein Maklerbüro sah sein Arbeitsplatz nicht aus, eher wie eine Mischung aus einem Wellness-Studio, einem Zeitgeist-Café und einem Aston-Martin-Showroom. In einem gläsernen Tresen wechselten sich Perrier-Fläschchen und Cola-Light-Dosen ab. Obendrauf thronte ein chromglitzernder Gaggia Espresso-Automat mit mehr Ventilen, Hebeln und Manometern als im Maschinenraum der Titanic.

Während sich das Neongelb der Designermöbel mit dem Firmengrün der Agentur biss, war Ralphs altrosa Hemd farblich perfekt auf seinen Teint abgestimmt. Es stand zu vermuten, dass er seine Gesichtsfarbe weniger einer anstrengenden Tätigkeit an der frischen Luft verdankte, sondern eher langen Abenden bei Gin and Tonics im Pub.

Die Gesichtsfarbe passte aber ebenso hervorragend zu seinen Gesichtszügen. Denn Ralph sah aus wie ein Schwein. Oder vielleicht sollte man besser sagen: Hätte man ein Schwein in einen Anzug gesteckt und auf die Hinterbeine gestellt, dann hätte es ausgesehen wie

Ralph. Die Augen waren kaum auszumachen in den aufgeblasenen Wangen, die Nase schien der Schwerkraft zu trotzen und ragte derart steil in die Höhe, dass die Nasenlöcher deutlich zu sehen waren wie bei der Steckdosenschnauze eines Ferkels. Ich war so fasziniert von dem Anblick, dass ich den Blick nicht abwenden konnte. Erst als mich Katja in die Rippen kniff, konnte ich mich losreißen. »Chrjuscha«, sagte sie auf Russisch, »Schweinchen«, und lachte. Es klang wie ein Grunzen, und Ralph blickte misstrauisch von seinem Block hoch.

»Sie werden sich schnell entscheiden müssen, sobald die Besichtigung abgeschlossen ist«, sagte er und musterte uns misstrauisch. Dann entspannte er sich und lächelte. »Aber das dürfte Ihnen nicht schwerfallen.«

Sein Lächeln war so falsch wie der Diamant am linken kleinen Finger, der wie eine glänzende Warze auf seiner Boxerpranke glitzerte. Der Schmuck konnte nicht darüber hinwegtäuschen, dass Ralphs Fingernägel säuberlich bis aufs Bett hinab abgekaut waren. Manchmal blickte er verstohlen auf die Fingerkuppen. Es sah weniger danach aus, dass ihm der Status seiner Maniküre peinlich war, sondern eher, als ob er bedaure, dass seine Nägel noch nicht hinreichend für eine erneute Knabberattacke nachgewachsen waren.

Es gehört zu den größeren – und noch nicht gelösten – Rätseln britischen Wesens, weshalb Männer auf der Insel derart hingebungsvoll an ihren Fingernägeln herumbeißen. Ich vertrete ja die Theorie, dass es etwas mit der aufgestauten Aggression zu tun hat, die bei Briten wie Lava unter der dünnen Oberfläche von Höflichkeit und Umgangsformen brodelt.

»Das kommt davon, wenn man auf einer Insel zusammengepfercht lebt«, hatte mir Hermann erklärt. Er ist ein Korrespondentenkollege, der schon so lange in London lebt, dass es den Anschein hat, als ob er einst im Hofstaat von Königin Victorias Prinzgemahl Albert aus Coburg über den Kanal gekommen wäre. Hermann tut nichts, um diesen Eindruck zu zerstreuen. Fragt man ihn, seit wann er denn nun wirklich in England lebe, schweigt er und lächelt geheimnisvoll. Was immer geschieht, stets strahlt er die huldvolle Nachsicht eines Mannes aus, der schon alles gesehen hat: Winston Churchill und Charles Dickens, Heinrich den Achten und Wilhelm den Eroberer. Es würde mich nicht überraschen, wenn sich herausstellen sollte, dass er im Tross von Julius Caesars Legionen zum ersten Mal den Fuß auf britannischen Boden setzte. Über Großbritannien weiß Hermann mehr als Wikipedia und die Encyclopaedia Britannica zusammengenommen, und er teilt dieses Wissen gern mit anderen. Über die Jahre (Jahrzehnte? Jahrhunderte?) hat er sich einen einzigartig feinen englischen Akzent angewöhnt. Die Betonung liegt tatsächlich auf einzigartig, weil niemand anders im Königreich so knödelig moduliert wie Hermann. Er sieht dann nicht nur aus wie ein Kater, der gerade dabei ist, einen besonders voluminösen Haarball heraufzuwürgen, er hört sich auch so an.

»Dasselbe Phänomen wie in Japan – immer verbeugen, immer höflich«, hatte Hermann seine Theorie vom Zusammenleben auf engem Raum weiter ausgeführt. »Ich war mal vor vielen Jahren in Tokio in einem Nachtclub, da hat es so ein Typ, ein Kunde, einer Tussi auf einem Laufsteg besorgt, während unten ich weiß nicht wie viele Männer zugesehen haben. Als er fertig war, ist er aufgestanden, hat sich die Hände vors Gemächt gehalten und tief verbeugt.«

Der Kollege hatte vorwurfsvoll den Kopf geschüttelt, was freilich in Widerspruch zu dem verklärten Lächeln stand, das sich in Erinnerung an das Erlebnis über seine Züge legte.

»So ist er, der Japaner: ausgesucht höflich in jeder Lebenslage, so wie der Brite. Aber gib ihnen eine Chance, und sie rasten total aus: die Japaner im Krieg, die Briten bei Fußballspielen im Ausland. Zur Not auch bei Heimspielen. Zwischendrin üben sie sich in heroischer Selbstkontrolle. Einmal hat sogar ein Vizepremierminister im Wahlkampf einen Wähler niedergestreckt. Rechte Gerade, beeindruckend.«

Ich musste ihn sehr zweifelnd angesehen haben, denn er nickte mehrmals.

»Du musst mir nicht glauben. Vor kurzem erst hat ein Brite selber etwas von seiner ›zornigen Rasse‹ geschrieben. Er bewundert an den Engländern am meisten, ›dem täglichen Kampf, nicht den natürlichen Trieben nachzugeben und mit einem Cricketschläger Amok zu laufen oder in einem überfüllten Tee-Restaurant auszuspucken und um sich zu beißen‹, hat er geschrieben. Was Engländer wirklich groß macht, ist nicht das, was sie sind, sondern ihre Fähigkeit, das, was sie sind, so erfolgreich zu unterdrücken.«

»Dann verstehe ich, was ich unlängst in der Zeitung gelesen habe.«

»Was denn?«

»Eine Geschichte, die sich irgendwo in Mitcham abgespielt hat. Mitcham ist doch eine gute Gegend?«

»Gutbürgerlich. Kaum Kriminalität. Gesittete Leute. Ein bisschen zugeknöpft – sowohl was die Kleidung betrifft als auch von den Emotionen her. Gut britisch eben, würde ich sagen.«

»Ja eben, darum habe ich mich ja gewundert.«

Hermann sah mich erwartungsvoll an.

»Na ja, so wie ich verstanden habe, hat am Samstagnachmittag ein Junge auf der Straße Ball gespielt, und da ist der Ball in den Garten eines Nachbarn geflogen.«

»Ah, ich ahne es schon. Scheibe kaputt. Das ist uns doch allen mal passiert.«

»Nein, nichts ist passiert. Der Ball rollt nur im Gras, knickt noch nicht mal ein Stiefmütterchen um. Der Vater des Jungen ist dem Ball nachgerannt, hat ihn schon wieder in der Hand, da geht die Haustür auf und heraus stürzt der Hausbesitzer – hochrot im Gesicht und brüllend wie Mel Gibson als Braveheart. In der einen Hand hält er ein Samurai-Schwert, in der anderen einen Golfschläger.«

»Ja, das kommt hin«, unterbrach mich mein Freund. »In Mitcham würde man Golfspieler treffen. Aber ein Samurai-Schwert? Vielleicht ein Sammler.«

»Ist ja egal. Jedenfalls fällt er ohne Vorwarnung wie ein Berserker über den verdutzten Nachbarn her. Dann schließen sich noch andere Männer an, es muss eine sportliche Nachbarschaft gewesen sein, denn sie hatten Baseball- und Cricketschläger dabei. Na, und am Ende war der Typ tot, der den Ball holen wollte.«

Mein Freund zuckte mit den Achseln.

»Tja, das kann passieren. Wann war das, sagst du? Samstagnachmittag? Nach dem Fußball. Gut möglich, dass sein Verein verloren hatte.«

Wie gesagt, auch unser Immobilienmakler Ralph sah trotz seines gutmütigen Ferkelgesichtes aus, als ob er willens und bereit wäre, bei der geringsten Provokation von seinen Fäusten Gebrauch zu machen, wenn gerade kein geeigneter Cricketschläger zur Hand war.

Manchmal kann eine Aura latenter Aggression ja von Vorteil sein, dachte ich mir, als wir Ralph zwei Tage später wiedersahen. Denn zur Hausbesichtigung waren fünf Paare gekommen, und sie machten den Eindruck, als ob sie den einen oder anderen unnatürlichen Todesfall gerne in Kauf genommen hätten, solange dies ihnen nur das Haus verschaffte.

Dazu muss man wissen, dass es bei einem Hauskauf in England um mehr geht als lediglich um den Kauf eines Hauses. Wenn Deutsche beispielsweise ein Reihenhaus oder eine Eigentumswohnung erwerben, dann verfolgen sie die eigenwillige Absicht, darin zu wohnen. Briten kommt diese Haltung seltsam, wenn nicht gar ein wenig suspekt vor. Für sie ist ein Eigenheim ein Spekulationsobjekt, mit dem man möglichst schnell seinen Einsatz vervielfältigen möchte. Es ist dasselbe Prinzip, nach dem ein Gebrauchtwagenhändler eine Rostlaube neu lackiert und anschließend als so gut wie neu wieder verkauft. Beim Haus sind es ein neuer Anstrich, eine gusseiserne Badewanne, Spotstrahler in der Diele – und schon wird aus einer Durchschnittsbleibe ein Designerhaus. Ganz zu schweigen davon, dass die Immobilienpreise jahrelang von ganz alleine in schwindelerregende Höhen geklettert waren.

Unsere Mit-Interessenten jedenfalls sahen so abgehärtet und durchgefroren aus, als ob sie bereits in der Nacht zuvor hier gewesen wären, um schon einmal von außen Maß zu nehmen. Auch uns taxierten sie kritisch, wobei es weniger um unsere Körpermaße ging als darum, ob wir reich genug erschienen, um als potentiell bedrohliche Konkurrenten in Betracht zu kommen. Wir grüßten uns mit demselben Grad an Wärme und Herzlichkeit, mit dem sich wahrscheinlich Camilla Parker-Bowles und Prinzessin Diana begegnet waren, als die eine noch mit Charles verheiratet war und die andere ihn nur am Wochenende sah.»Oh, hello. Sie suchen also auch ein Haus. Lovely to meet you.«

»Yes, indeed. Lovely house, isn't it.«

Dann strichen sie wieder umeinander herum wie Hyänen, die ungeduldig darauf warten, bis das Löwenrudel sich satt gefressen und den Kadaver freigegeben hat.

Ralph hatte für den Termin im ländlichen Londoner Umland den Nadelstreifen aus dem Büro gegen eine Tweedjacke ausgetauscht. Auf dem Kopf saß eine karierte Stoffmütze, nur die Gummistiefel und die Schrotflinte fehlten. Aber das gewünschte Bild vom Landedelmann wollte sich dennoch nicht einstellen. Er wirkte eher wie ein illegaler Buchmacher bei einem Windhundrennen in der nordenglischen Provinz.

Wir waren nach Esher gekommen, einer Kleinstadt im Südwesten von London, die so edel und teuer ist, dass sich Charlottenburg, die Außenalster und das Ostufer des Starnberger Sees dagegen ausnehmen wie Arme-Leute-Viertel. In der Grafschaft Surrey lebte schon immer, wer nicht auf den Penny blicken musste. Die Preise wurden noch mal in die Höhe getrieben, als der russische Milliardär Roman Abramowitsch das Training seines Fußballclubs Chelsea hierherverlegte und nicht nur selber nach Esher zog, sondern auch allen Spielern nahelegte, sich ein Häuschen in Surrey zu suchen.

Nun ist Chelsea mein Verein nicht, und ich verdiene auch geringfügig weniger als Michael Ballack. Aber Katja hatte sich für Esher entschieden, weil Julias Schule in derselben Gegend lag. Dass sich im Gegenzug meine Anfahrt in die Innenstadt verlängerte, stand nicht zur Diskussion. Dass mich im Gegensatz zu meiner Tochter kein Schulbus morgens an der Haustür abholte, auch nicht. Abramowitschs Sohn ging auf dieselbe Schule. Offenbar verpasste er zuweilen den Bus, denn die Schule hatte eigens für ihn einen Hubschrauberlandeplatz angelegt. »Cool«, fand Julia, als sie das hörte. »Einen Hubschrauber wollte ich auch schon immer haben.«

»Wenn wir hier wohnen, kannst du zu Fuß in die Schule, aber glaube nicht, dass wir es uns leisten können, die Schuhe neu zu besohlen«, seufzte ich.

Im Garten des Hauses am Orchard Grove wäre sowieso kein Platz gewesen für einen Helipad. Dazu hätte man die Magnolie fällen müssen, deren Äste von der Gartenmauer bis zu den Fenstern reichten. Katja war von dem Baum hellauf begeistert, schließlich fielen hier zwei ihrer Leidenschaften zusammen: Gärten (ohne die Gartenarbeit) und das Südstaatendrama »Vom Winde verweht«. Wenn sie schon nicht ihren Lebenstraum von der moosbewachsenen Südstaatenvilla mit Veranda und Schaukelstuhl verwirklichen konnte, so durfte es wenigstens eine Magnolie sein.

Ich war mir da nicht so sicher.

»Magnolien sind blöd«, wandte ich ein. »Okay, im Frühling sehen sie toll aus, und Leute kommen von weit her, gaffen den Baum an und machen Fotos. Aber im Sommer hast du einen derart dichten Laubvorhang vor den Fenstern, dass du glaubst, du seist Dornröschen hinter der Dornenhecke.«

»Na wennschon. Da haben wir wenigstens Schatten im Sommer.«

»In England?«

»Glaubst du, der Klimawandel macht einen Bogen um England?«

Bevor wir das Thema vertiefen konnten, bahnten sich zwei massige Menschen einen Weg durch das Dickicht der Magnolie: ein Rotbart mit mächtiger Wampe und eine Blondine mit ebenso ausgeprägter Oberweite.

»Hi, ich bin Frank.« Der Rotbart streckte uns seine Pranke entgegen. »Und das hier ist Debbie, oder einfach Deb.«

Keine Frage: Amerikaner. Die drei britischen Paare rückten noch weiter von uns ab und äugten misstrauisch herüber. Erst zwei Deutsche und nun auch noch Yanks? Konnte man denn nirgendwo unter sich bleiben?

Frank war aus Houston, Texas, und arbeitete für eine Firma, die wegen ihrer Nähe zur Regierung in Washington und ihrer Tätigkeit im Nahen Osten in Verruf gekommen war. Sie zahlte aber offenbar so gut, dass Debbie und die Kinder für die nächsten achtzehn Monate in London geparkt werden konnten, während Frank in Saudi-Arabien eine Raffinerie errichten half. »Das ist keine Gegend für 'ne Frau und für Kinder«, erklärte Frank, »und London ist halt näher als Houston. Kann ich öfter zu Besuch kommen.«

Frank und Deb hatten den 9-Uhr-30-Slot bekommen, versehen mit der strengen Auflage, nicht die ganzen zehn Minuten für die Besichtigung zu vergeuden.

»Wir sind hier ein bisschen in Zeitnot, die Besitzer wollen schließlich zum Lunch ihr Haus wieder für sich haben«, schärfte Ralph ihnen ein.

Entweder beherzigten die beiden Amerikaner die Ermahnung, oder sie waren verhältnismäßig schnell zu ihrer Entscheidung gelangt.

»Ich steige aus«, rief Frank, als er wieder durch die Haustür in den Garten trat. Resigniert warf er die Arme in die Höhe wie ein Pokerspieler, der sein Blatt enttäuscht in die Ecke drischt.

»Sechs Riesen für diese Hütte!« Er schlug sich mit der Hand an die Stirn. »Sechstausend Dollar. Im Monat. Jeden Monat.«

»Ja, der Dollarkurs ist etwas ungünstig im Moment«, ließ sich Ralph seidig vernehmen und strich einen Namen auf seiner Liste durch. »Für Amerikaner jedenfalls.«

Ohne Frank und Debbie eines weiteren Blickes zu würdigen, wandte er sich uns zu.

»Hier entlang, bitte. Ich glaube, ich begleite Sie lieber bei der Besichtigung.«

Das Haus war das, was man in Deutschland eine Doppelhaushälfte nennen würde. Zwei Etagen, graue Ziegel, ein paar Kamine auf dem Dach. Entfernt hatte sich der Bauherr an klassischen Herrenhäusern aus frühviktorianischer Zeit orientiert. Das Haus hatte sogar einen Namen: The Ivy. Briten geben ihren vier Wänden gerne einen Namen. Das klingt nobler als eine Hausnummer, doch meist zeugen sie mehr von Wunschdenken als von Wahrheitsliebe. Vor Jahren entdeckte ich auf einer Urlaubsreise in Cornwall ein

Bed and Breakfast mit dem deutschen Namen »Meeresblick«. Es lag Meilen von der Küste entfernt und wurde von einer Österreicherin mit Sinn für Humor betrieben. Das Meer sah man nur von einer bestimmten Stelle auf dem Dach, zu der man über eine eigens installierte Hühnerleiter gelangte. Für den Zutritt zur Aussichtsplattform verlangte die Landlady fünfzig Pence. Sie stammte, wenn ich mich recht erinnere, aus Vorarlberg, also jenem Teil Österreichs, der Schwaben und der Schweiz am nächsten liegt.

Acht Minuten sind nicht viel Zeit, um ein Haus zu besichtigen, vor allem dann nicht, wenn man eine Entscheidung treffen muss, die bis zu fünftausend Euro Miete kosten kann. Im Monat, nicht im Jahr. Aber Briten schaffen das, wie ich einem Zeitungsbericht hatte entnehmen können. In acht Minuten sind Spaghetti weich gekocht, in acht Minuten legt ein sehr guter Läufer dreitausend Meter zurück. In acht Minuten würde kein Brite eine Entscheidung über den Kauf neuer Gardinen treffen wollen: Dafür lässt er sich im Schnitt elf Minuten Zeit. Ja, diese Zahl ist irgendwann einmal tatsächlich amtlich ermittelt worden. (Es ist besser, nicht zu fragen, warum.) Aber wenn sie ein Haus kaufen wollen, dann reichen ihnen acht Minuten, mitunter sogar weniger. Am Ende müssen sie oft eine Kaufsumme aufbringen, die dem Bruttosozialprodukt eines mittelgroßen afrikanischen Staates entspricht und die zu ihren Lebzeiten nie getilgt werden kann. Gardinen wären billiger.

Katja hat sich noch nie drängeln lassen. Nicht, wenn sie sich zum Ausgehen fertigmacht. Nicht, wenn sie Klamotten kauft. Nicht, wenn sie aus einer Speisekarte auswählt, und sei es aus dem weitgehend überschaubaren Angebot bei McDonald's. Ich glaube nicht, dass es irgendeine Tätigkeit gibt, durch die Katja sich in acht Minuten hetzen lassen würde, Spaghetti kochen eingeschlossen. Sie war denn auch felsenfest entschlossen, nicht ausgerechnet bei einer Hausbesichtigung mit ihren Gewohnheiten zu brechen.

»Die Haustür schließt nicht«, hielt sie Ralph gleich am Eingang zum ersten Mal auf. »Und sehen Sie die Ritzen hier am Türstock: Da kann man ja durchsehen. Im Winter heizen wir wohl für die Nachbarschaft, was?«

Ralph sah Katja mit einem Blick an, als ob sie sich darüber beklagt hätte, dass man bei Regen nass wird. Undichte Türen und Fenster, sagte dieser Blick, gehören so unverzichtbar zum englischen Haus wie die Klimaanlage zum amerikanischen.

Ein wenig tat mir Ralph sogar leid. Nicht nur, dass er meine Frau nicht kannte. Dafür konnte er nichts. Aber er schien von Frauen an sich nicht viel zu verstehen. Vor allem nicht, dass sie nicht nur einen siebten Sinn haben, sondern auch ein drittes Auge. Sie sehen alles. Immer und überall. Sie sehen durch feste Objekte hindurch, sie durchschauen Flunkereien und Vorwände. Mitunter sehen sie Gespenster, und oft sehen sie sogar Dinge, die gar nicht existieren. Man kann aber sicher sein, dass sie sich in dem Augenblick zu manifestieren beginnen, in dem eine Frau sie erkannt hat.

Jedes Kind ist mit dem Spruch groß geworden: »Benimm dich, deine Mutter sieht alles, auch wenn du glaubst, dass sie nicht herschaut.« Was Kinder nicht wissen: Das ist keine mütterliche Eigenschaft, sondern eine weibliche Fähigkeit, die unabhängig vom Alter ist.

»An deiner Gabel hängt ein Haar«, ruft mir meine Tochter quer über den Tisch zu. Ich halte mir die Gabel vors Gesicht und betrachte aufmerksam ein Stück Bratwurst mit ein paar Fäden Sauerkraut. Von einem Haar keine Spur – bis Julia herüberkommt, es von der Gabel zieht und mir triumphierend vor Augen hält.

Ihre Mutter hat einen noch schärferen Blick, irgendwo zwischen Supergirl und Bionic Woman.

»Die Schutzleiste da unten ist aber sehr locker.«

Vorwurfsvoll deutete Katja mit dem Finger in eine dunkle Ecke hinter dem Kleiderständer.

»Und ist das ein feuchter Fleck dort an der Wand? Wissen Sie eigentlich, dass Schimmel töten kann?«

Selbst wenn Ralph von dieser Möglichkeit gehört hätte, ließ er sich nichts davon anmerken.

Wir waren noch nicht einmal im ersten Stock angekommen, da hatte Katja schon Folgendes zu Protokoll gegeben: Die Tapeten im Wohnzimmer (großformatige bräunlich grüne Floral-Arrangements) seien potentiell tödlich, weil sie selbstmörderische Depressionen auslösen könnten. Der Küchenherd müsse durch ein Modell ersetzt werden, das mindestens in der zweiten Hälfte des 20. Jahrhunderts produziert wurde. Dasselbe gelte für den Kühlschrank.

»Und was das Loch in der Wohnzimmerwand angeht ...«

»Sie meinen die Durchreiche?«

»Eine Durchreiche, bei der ich auf der Küchenseite quer über die Herdflamme reichen muss ...?«

Ralph nickte und versuchte verbindlich zu lächeln.

»Das Einzige, was mir wirklich gefällt, sind die beiden begehbaren Kleiderschränke«, versuchte Katja der Begehung einen positiven Umstand abzugewinnen. »Die sind wirklich praktisch.«

Ralph war verwirrt.

»Begehbare Kleiderschränke?«

»Ja, die kleinen Kammern. Nur schade, dass sie so weit vom Schlafzimmer entfernt sind.«

»Ach so.« Ralph atmete erleichtert auf. »Sie meinen die beiden Kinderzimmer. Cosy, nicht wahr?«

Was Katja trotz ihres scharfen Blickes nicht bemerkte: Ralph schrieb keine ihrer Beanstandungen auf seinen Block. Stattdessen blickte er zunehmend ungeduldig auf die Uhr, verdrehte in Momenten, da er sich unbeobachtet glaubte, die Augen zur Decke und warf mir schließlich einen verzweifelten kumpelhaften Blick zu, der so viel aussagte wie: »Hör mal, können wir Männer das nicht unter uns klären.«

Laut sagte er: »Es steht Ihnen selbstverständlich frei, kleinere Reparaturen jederzeit auf eigene Kosten durchführen zu lassen, vorausgesetzt, Sie erhalten dazu die Einwilligung der Hausbesitzer. An der Tapete aber, da muss ich Sie jetzt schon warnen, wird sich nicht kratzen lassen, wenn Sie das Bild gestatten. Offensichtlich wurde die von der Schwiegermutter persönlich ausgesucht, kurz bevor sie starb.«

Das war der Augenblick, an dem wir die Besichtigung abbrachen. Wir hatten ohnehin schon deutlich überzogen, was wir an den Blicken der drei verbliebenen Paare ablesen konnten. Gut, dass niemand einen Cricketschläger oder ein Samurai-Schwert mitgebracht hatte.

»Ich vermute, Sie interessieren sich nicht mehr für dieses Objekt«, fragte Ralph der Form halber und ließ seinen Kugelschreiber über dem Block schweben.

»Wenn Sie wollen, kann ich Ihnen nächste Woche ein, wie soll ich sagen, nicht so aufwendiges Haus zu einem passenderen Preis zeigen.«

Nie erschien uns unsere Bleibe reizvoller als nach der Rückkehr aus Esher. Auch in den nächsten Tagen und Wochen fand Katja zwar noch immer etwas zu mäkeln und zu bekritteln, aber grundsätzlich schien sie ihren Frieden mit unserem Haus geschlossen zu haben. Nur ab und zu fluchte und zeterte sie, dass sie klaustrophobische Anfälle bekomme, wenn sie noch einen Tag länger hier verbringen müsse. An anderen Tagen wiederum erschreckte sie mich mit unvermittelten bautechnischen Änderungsvorschlägen: eine Aufstockung um ein bis zwei Etagen beispielsweise, eine Verschiebung der Außenmauer um einen Meter oder zwei oder gleich die Annexion des Nachbarhauses.

Da meine Frau handwerklich sehr viel praktischer veranlagt ist als ich, unterstrich sie diese Vorschläge mit dem Angebot, mit eigener Hand die Spitzhacke oder den Vorschlaghammer zu schwingen: »Was man selber machen kann, spart Geld.« Als Ehemann tut man in dieser Situation, was man in langen Jahren gelernt hat: nicken und murmelnd Zustimmung signalisieren.

In Gedanken war ich längst bei einem sehr viel ehrgeizigeren Projekt: der Begegnung mit der Königin. Schon bald würde sie wieder eine ihrer jährlichen Gartenpartys geben. Mäuer hatte doch gesagt, dass dazu auch gewöhnliche Sterbliche eingeladen würden. Gilt man als Deutscher als gewöhnlicher Sterblicher? Als Journalist? Es sollte doch möglich sein, eine Einladung zu bekommen? Oder was wäre, wenn ich mich einfach irgendwann unter ihre Untertanen mischte, stundenlang im strömenden Regen hinter einer Barriere wartete, wenn sie irgendwo im Land ein Einkaufszentrum eröffnet oder einen Flugzeugträger tauft?

Am Tag zuvor hatte Mäuer angerufen. Man weiß sofort, dass er am Apparat ist, weil man zunächst nichts hört als eine Art von stillem Schmatzgeräusch. Das erzeugt er, wenn er seinen Fisherman's Friend in die Backe schiebt. Erst wenn er das Bonbon aus dem Weg geräumt hat, beginnt er zu sprechen. Ich sah ihn vor mir, mit gespitzten Lippen und dem hochgefönten weißen Haar. Ein Redaktionsgerücht will wissen, dass er sich daheim jeden Tag unter die Trockenhaube setzt.

»Edward Heath ist gestorben«, verkündete er mit einer Stimme, als ob der Ex-Premierminister ein persönlicher Freund von ihm gewesen wäre.

»Ich war's nicht.«

Mäuer zog es vor, meine Bemerkung zu ignorieren. Vorwurfsvoll fuhr er fort:

»Wir hatten keinen Nachruf vorliegen.«

Das wusste ich, schließlich war ich es gewesen, der zwischen Umzugskartons, einer gelangweilten Tochter und einer genervten Frau in Rekordgeschwindigkeit einen Nachruf heruntergetippt hatte. Zum ersten Mal war mir klargeworden, warum ein Laptop nach dem Schoß benannt ist.

»Heath war ja gottlob nur eine kleine Nummer – im Vergleich«, fuhr Mäuer fort. »Aber jetzt wäre es wirklich an der Zeit, dass wir das Stück über die Königin haben. Für alle Fälle. Und pronto.«

Mäuer ist stolz auf seine Fremdsprachenkenntnisse. Einmal hatte man ihn sogar mit einer russischen Zeitung gesehen.

Während Mäuer weiterdröhnte, blickte ich aus dem Fenster in den Park hinüber. Ein Plan begann in meinem Kopf heranzureifen. Der Park? Wieso war ich nicht gleich darauf gekommen? Die Königin und wir waren streng genommen Nachbarn, auch wenn sie es selbst vermutlich noch nicht wusste. Wie sollte sie auch: Wir waren schließlich gerade erst eingezogen.

Unser Haus grenzt an den Richmond Park, und der ist Elizabeths Privatbesitz. Der Queen gehören in London acht Parks (und ein Friedhof) – darunter auch Hyde Park, St. James' Park und Regent's Park. Die Bezeichnung Park für das weitläufige Wald- und Wiesengelände zwischen Richmond, Roehampton, Ham und Kingston im Südwesten von London ist eigentlich irreführend. »Das ist doch kein Park«, hatte Katja vorwurfsvoll ausgerufen, als wir das erste Mal mit dem Auto durchgefahren waren und kein Ende gefunden hatten. »Das ist eine Wildnis, sieh doch die Hirsche. Park! Von wegen. Der Gorki-Park, das ist ein Park. Oder der Stadtpark in Nürnberg.«

Meine Frau liebt die Natur, aber sie zieht es vor, wenn jemand sie vorher gezähmt hat – ein Landschaftsgärtner, beispielsweise, oder auch eine Straßenbaufirma. Amerikas undurchdringliche Wälder waren ihr immer suspekt gewesen. Nach ihrer Überzeugung ist ein Wald so lange nicht komplett, wie er keine Parkplätze und Ausflugsrestaurants beherbergt. Im Idealfall werden asphaltierte Spazierwege in regelmäßigen Abständen von Imbissbuden und Eiscremeständen gesäumt, wobei der Idealabstand bei zweihundert Metern liegt. Parkbänke verstehen sich ohnehin von selbst. Der Englische Garten in München ist in Katjas Augen ein Grenzfall. Teile davon würde sie als Park durchgehen lassen.

Richmond Park indes fiel eindeutig nicht in die Park-Kategorie. »Das ist ein Urwald«, hatte sie gestöhnt. »Wer weiß, was hier für wilde Tiere leben. Und wahrscheinlich haben auch Verbrecher hier ihr Versteck.«

»Schatz, das ist nicht der Sherwood Forest, wo Robin Hood und seine Bande ihr Unwesen treiben«, hatte ich sie zu beruhigen versucht. »Im Richmond Park gilt das Wort der Königin. Gemeines Volk hat streng genommen gar keinen Rechtsanspruch, hier zu spazieren, zu reiten oder gar zu joggen.«

Diese Unterredung kam mir wieder in den Sinn, als ich trübsinnig ins Laubwerk auf der anderen Seite der Gartenmauer starrte. Wenn schon der Zutritt zum Park von Huld und Gnade der Monarchin abhing, dann hatte Elizabeth auch eine gewisse Fürsorgepflicht für ihre Untertanen, die sich in ihre Parks wagten oder in deren unmittelbarer Nachbarschaft lebten. Und dies war der Punkt, an dem der tote Baum ins Spiel kam. Auf ihrer Seite der Gartenmauer, gleich neben unserem Grundstück, stand ein Baum, der von einem Blitz erschlagen worden war und mittlerweile einen bedrohlichen Neigungswinkel aufwies. Katja waren Stamm und Winkel schon beim ersten Blick aus dem Schlafzimmerfenster aufgefallen. Der verbrannte Stamm war eines ihrer zahlreichen Sekundärargumente gegen das Haus gewesen.

»Der kann jeden Augenblick umstürzen, und wenn er umfällt, dann fällt er auf unser Haus, oder auf unsere Tochter, wenn sie im Garten spielt, und dann ist sie tot und das Haus ist hin.«

»Ganz zu schweigen von unserem neuen Grill«, spottete ich. »Der steht genau in der Falllinie.«

»Haha, sehr witzig. Und ich sage, der Baum muss weg. Sprich mit dem Besitzer«, hatte Katja gefordert.

Dieses Gespräch kam mir nun wieder in den Sinn.

»Es ist eine Besitzerin, es ist eine Frau«, murmelte ich.

»Wie, was reden Sie da?«

Ich hatte völlig vergessen, dass ich noch mit Mäuer verbunden war.

»Ach nichts, mir ist da nur gerade eine Idee gekommen, wie ich mit meiner Nachbarin ins Gespräch kommen kann«, sagte ich.

»Ihre Nachbarin interessiert mich nicht«, blaffte Mäuer zurück. »Wir reden von der Queen.«

»Eben, davon rede ich doch gerade«, erwiderte ich. »Wie es der Zufall will, handelt es sich dabei in meinem Fall um ein und dieselbe Person.«

»Wie, Sie leben neben dem Buckingham-Palast?« Mäuers Stimme schwankte zwischen Neid, Überraschung und Vorwurf. Schließlich entschied er sich für das Letzte. »Wir bezahlen Sie offensichtlich viel zu gut.«

»Zu kompliziert, um Ihnen alles zu erklären«, beeilte ich mich, das Gespräch zu beenden. »Aber ich glaube, ich habe eine Idee, wie ich einen Kontakt zur Queen herstellen kann.«

Fünf

War Katja der Park weitgehend suspekt, so liebte ihn Chico umso mehr. Mit ihm zusammen hatte ich schon große Teile erforscht, jedenfalls jene, die für einen Hund interessant sind – also vor allem Unterholz, Fuchsbauten und Pfützen. Wir hatten Chico aus einem Tierasyl in Amerika gerettet, aber Großbritannien schien ihm besser zu gefallen als die USA. Der Bundesstaat Maryland, wo wir früher lebten, stellt hohe Ansprüche an einen Hund. Bevor er ohne Leine laufen und frei herumtollen darf, muss er – zusammen mit seinem Herrchen oder Frauchen – einen neunwöchigen Intensivkurs belegen. Bestehen beide die Abschlussprüfung, wird dem Hund ein Diplom verliehen, das ihn als »Good Canine Citizen« ausweist. Dieser gute Hundebürger darf dann gleichberechtigt am gesellschaftlichen Leben teilnehmen. Die Gewährung des aktiven und passiven Wahlrechts für derart vorgebildete Vierbeiner auf kommunaler Ebene wird dem Vernehmen nach aktiv angedacht.

Woher Chico kam, haben wir nie herausgefunden. Wir sind uns ja noch nicht einmal über seine Rasse schlüssig. Passanten und Tierärzte haben nicht mit hilfreichen Vorschlägen gegeizt. Von Dackel bis Bernhardiner war alles vertreten. Wir wissen nur, dass er dreifarbig, mittelgroß und nicht besonders intelligent ist. Blaue Augen hat er, aber das hilft uns auch nicht weiter. Das soll nicht heißen, dass Chico keinen Stammbaum hätte. Genau genommen hat er gleich mehrere, an denen er bevorzugt das Bein hebt.

Er selbst hüllt sich über seine Herkunft in Schweigen. Bislang hat er noch kein Wort über seine Eltern verloren. Es mag sein, dass er im Streit von ihnen schied. Auch die vorherigen Besitzer sind uns unbekannt. Da er mit dem Namen Chico ins Tierheim eingeliefert worden war, tippten wir zunächst auf eine lateinamerikanische Verbindung. Später schränkten wir das geographisch auf eine karibische Insel ein. Denn zufällig hatten wir bemerkt, dass Chico eine besondere Beziehung zu Jamaika zu haben scheint. Es muss nur jemand den Namen dieser Insel nennen, und schon setzt er sich auf die Hinterbeine, reckt den Kopf steil in die Höhe und beginnt jämmerlich zu heulen.

Es war nicht leicht gewesen, Chico nach England zu bringen. »Oh my god!«, war die erste Reaktion unserer Tierärztin in Washington gewesen. »Hätten Sie sich nicht ein einfacheres Land aussuchen können? Den Irak vielleicht oder Somalia? Die Briten sind irrsinnig kompliziert. Für sie ist jeder Hund potentiell ein Tollwutträger.« Immerhin hatte die Regierung in London vor einigen Jahren beschlossen, Haustieren aus einigen besonders vertrauenswürdigen und verbündeten Ländern die ansonsten obligatorischen sechs Monate Quarantäne zu ersparen. Erstaunlicherweise zählten auch die USA zu diesen privilegierten Nationen.

»Also, sehen wir mal«, hatte die Ärztin geseufzt und einen Ordner aus dem Regal gezogen. »United Kingdom, da haben wir es ja. Also: Wir brauchen Blutproben,

Labortests, einen Würmer-Check-up und eine generelle Unbedenklichkeitsbescheinigung für Chico. So eine Art von polizeilichem Führungszeugnis. Und bevor Sie fragen: Nein, Pfotenabdrücke werden nicht verlangt. Aber einen Mikrochip mit all diesen Daten werden wir ihm einpflanzen müssen. Dann können Sie ihn wenigstens an jeder Supermarktkasse durchscannen.«

Mir war schwindelig geworden, aber die Tierärztin war noch nicht fertig gewesen.

»Für jeden Schritt gibt es genaue Fristen, die wir penibel einhalten müssen. Hier steht es: Wenn wir eine Frist auch nur um einen einzigen Tag überziehen, fängt der ganze Prozess wieder von vorne an. Sechs Monate müssen wir veranschlagen, haargenau sechs Monate. Sie wissen doch schon auf den Tag genau, wann Sie in London eintreffen wollen? Danach richtet sich nämlich unser Zeitplan für den Hund.«

Als wir Chico endlich als Frachtgut aufgegeben und in der Maschine Platz genommen hatten, tauchte kurz der Mann der Frachtabteilung in der Kabine auf.

»Machen Sie sich keine Sorgen«, rief er über fünf Reihen hinweg, so dass alle Passagiere ihn hören konnten. »Sind noch zwei andere Hunde an Bord. Ich werde ihnen Poker-Karten geben, damit es ihnen unterwegs nicht langweilig wird.«

Er lachte gutmütig und verschwand mit einem fröhlichen Winken. Eine untersetzte, muskulöse Frau in Armeepulli und Schnürstiefeln beugte sich über den Mittelgang vertraulich zu mir herüber.

»Sie bringen einen Hund ins Vereinigte Königreich?«, flüsterte sie verschwörerisch.

»Ja, war auch nicht leicht.«

»Ich weiß, ich weiß. Ich bin selber Veterinär für die

britische Armee. Sie haben doch sicher alle Bestimmungen und Vorschriften buchstabengetreu eingehalten? Auch gestern, vierundzwanzig Stunden vor dem Abflug, den Check für Würmer und Zecken.«

»Ja, natürlich.«

»Und auch die Fristen? Die Fristen sind ganz wichtig.«

»Doch, doch.«

»Der Arzt hat doch gestern die genaue Uhrzeit vermerkt, zu der er Ihrem Hund in den Anus geblickt hat?«

Mir sank das Herz in Anus-Höhe. Die Uhrzeit? Nein, das glaubte ich nicht.

»Na, das werden Sie ja spätestens bei der Ankunft herausfinden«, beschied mich meine Nachbarin und vertiefte sich wieder in ihre Lektüre, allerdings nicht, ohne mir vorher einen Blick zugeworfen zu haben, als ob sie mich verdächtigte, Chico als eine Art von biologischer Massenvernichtungswaffe ins Vereinigte Königreich einschmuggeln zu wollen. Letzten Endes war er dann doch ohne viel Aufhebens ins Land gelassen worden.

Seitdem hatte sich Chico als unentbehrlicher Eisbrecher erwiesen, mit dessen Hilfe es mir gelang, mit wildfremden Menschen ins Gespräch zu kommen. Nur ein Hund schafft es, gleichsam spielerisch die tief gestaffelten Verteidigungswälle zu überspringen, die viele Briten rings um sich aufgeworfen haben, um Wechselbeziehungen zu anderen Exemplaren der Gattung Homo sapiens sapiens zu verhindern.

»Kein Mensch ist eine Insel«, hatte der englische Dichter John Donne vor vierhundert Jahren geschrieben – und damit offenkundig nicht seine Landsleute gemeint. Denn in Wirklichkeit ist jeder Brite eine Insel, oder genauer genommen ein Atoll, das umringt ist von scharfzähnigen Korallenriffen. Doch Hunde gleiten mühelos über diese Untiefen hinweg. Die meisten Einheimischen zerfließen schier vor Rührung und Freude, wenn sie eines Hundes von weitem gewahr werden. Ekstatisch beugen sie sich hinab, kraulen den fremden Hund am Kopf, flüstern ihm Kosenamen ins Ohr und erkundigen sich angelegentlich nach seinem Befinden. Bei ihm, nicht bei seinem Besitzer. Oft ist das Eis schon nach ein, zwei Dutzend solcher Begegnungen so weit aufgetaut, dass diese Tierfreunde auch den Besitzer des Hundes zur Kenntnis nehmen und in die Konversation mit einbeziehen.

Wer die Kosten und die Mühen für einen Hund scheut, der kann sich auch mit einem Säugling behelfen. Ein seit Jahren in London lebender deutscher Kollege hatte sich schon damit abgefunden, bis ans Ende seiner Tage seinen Mitmenschen in der Nachbarschaft schweigend zu begegnen – bis seine Frau ein Kind bekam. Schlagartig änderte sich das Verhalten der Umwelt: Passanten blieben stehen, beugten sich zum Kinderwagen hinab und begannen ernsthafte Konversationen mit dem Baby. Nur mit dem Vater oder der Mutter wechselten sie zunächst kein Wort. Lange dachte der junge Mann über dieses Phänomen nach, bis er eine Erklärung fand: Briten, so meinte er, litten unter Bindungsängsten. Würden sie mit anderen Menschen sprechen, befürchteten sie, bei der nächsten Begegnung schon wieder mit ihnen reden zu müssen. Über kurz oder lang könnte sich das zu einer Art von Beziehung auswachsen. Ein achtloses »How are you« könnte also zu potentiell katastrophalen Verstrickungen wie einer Dinner-Einladung oder einer Ehe führen. Doch bei Säuglingen und Hunden halten sich diese Risiken in Grenzen. Beide teilen, um nur ein Beispiel zu nennen, ihr Abendessen ungern mit Fremden.

Wie dürftig die sozialen Kontakte waren, konnten wir in unserer unmittelbaren Nachbarschaft studieren. Insgesamt zweiundzwanzig Häuser stehen in unserem Hof. Bei fünf Bewohnern konnten wir immerhin die Gesichter einer Hausnummer zuordnen; mit vier von ihnen hatten wir schon ein paarmal Grüße und ein verlegenes Winken ausgetauscht. Zwei Nachbarn kannten wir bereits mit Namen.

»Beachtlich, für diese kurze Zeit«, beglückwünschten uns schon länger im Lande lebende Kollegen zu diesen Erfolgen. »Es muss wohl daran liegen, dass ihr in Amerika gelebt hat«, vermuteten sie. »Da habt ihr euch was abgeschaut von dieser offenen, schulterklatschenden Art, auf Menschen zuzugehen.« Sie selbst, so versicherten sie, seien kaum über ein »Hello« an der Bordsteinkante, ein »Frohes Weihnachtsfest« zur entsprechenden Jahreszeit und vielleicht einmal eine Bemerkung über das Wetter hinausgekommen.

Ein Glück, dass es überhaupt das Wetter gibt. Ohne meteorologische Erscheinungen würden die Briten selbst wahrscheinlich wie die Mitglieder eines Trappistenordens durch das Leben gehen. So aber ist das Wetter das bevorzugte und häufig sogar das einzige Thema. Grundsätzlich gilt, dass man Wetter nur dann wirklich als unangenehm empfindet, wenn es warm ist und vielleicht länger als zwei Tage die Sonne scheint. Das fällt in die Rubrik »lähmende Hitzewelle«. Allen anderen klimatischen Erscheinungen gewinnen Briten grundsätzlich positive Aspekte ab.

»Bisschen feucht heute«, konstatieren sie beispielsweise trocken, derweil sie versuchen, einander durch einen undurchdringlichen Wasservorhang zu erkennen und reißende Regenbäche ihre Gummistiefel umspülen. Niederschläge bis zu fünfzig Zentimeter fallen noch unter die Rubrik »lovely day«. Für jene Art von nervtötend feinem Nieselregen, der jede Schutzkleidung durchdringt, haben sie sich den wunderbaren irischen Euphemismus »a soft day« ausgeborgt.

Nun redet man auch in anderen Weltgegenden vom Wetter, aber dass ausgerechnet Briten das Thema derart verfeinert haben, ist insofern erstaunlich, als es auf den Inseln eigentlich überhaupt kein Wetter gibt – jedenfalls kein richtig großes Wetter mit Hurrikanen, Tornados, klirrendem Frost, Sand- oder Schneestürmen und schwüler Tropenhitze. Stattdessen ein bisschen Nieseln hier, ein kleines Tröpfeln dort, mal mehr Wolken, mal weniger, und die einzig wirkliche Gefahr, die vom Klima ausgeht, ist, dass man ohne Schirm vom Regen erwischt wird. Aber auch dies ficht Briten nicht an: Sie kleiden sich ohnehin nicht nach vorherrschender Temperatur und Niederschlagsmenge, sondern nach dem Kalender. Wenn dort August steht, trägt man kurze Hosen, basta. Auch wenn es stürmt und schüttet.

Ein wenig ähnelt britisches Wetter britischer Lebensart: nicht besonders aufregend, stets ein wenig dunstig und verhangen, aber total unvorhersagbar. Es kann jederzeit umschlagen. In beiden Fällen genügt die Zufuhr von Flüssigkeit – eine Regenfront hier, ein paar Gläser Bier dort. Schon dem amerikanischen Philosophen George Santayana war diese Wechselbeziehung aufgefallen: »Der Engländer«, schrieb er, »wird von seiner inneren Atmosphäre gelenkt, vom Wetter in seiner Seele.«

Einer der ersten Männer, mit denen mich Chico im Park zusammengeführt hatte, war Len gewesen. Genauer gesagt, wurde die Beziehung zunächst auf Hunde-Ebene geknüpft: Chico hatte aus nicht näher nachvollziehbaren Gründen einen Narren an Lens Hund gefressen. Bates ist eine graue Dänische Dogge von der Größe eines Shetlandponys. Bedrohlich freilich wirkt er ganz und gar nicht: Mit seinem hoheitsvoll-traurigen Gesicht sieht er eher aus wie James, der Butler von Miss Sophie bei ihrem »Dinner for One«. Wie ein älterer und ein wenig trotteliger Domestike hat auch Bates die Angewohnheit, zuweilen unvermittelt stehen zu bleiben und in eine Art meditativer Trance zu verfallen. Weder Wurst noch gute Worte können ihn daraus hervorlocken. Man kann nur abwarten. Schlecht ist das nur, wenn es regnet.

Sehr rasch war Len gleichsam zur Keimzelle meiner Fokusgruppe britischer Bürger geworden, an denen ich Puls und Temperatur der Nation zu erfühlen hoffte. Denn er kannte die meisten anderen Hundebesitzer im Park und stellte mich ihnen nicht ohne Stolz gleichsam als eine Art von später Kriegsbeute vor: »Haben Sie schon meinen Freund getroffen? Ja, ja, ich weiß, er ist ein Kraut. Aber er ist trotzdem okay.«

Ich quittierte den Seitenhieb mit demselben gequälten Lächeln wie Lens grässliche Angewohnheit, mich bisweilen mit stramm in die Höhe gerecktem rechten Arm und einem Akzent zu begrüßen, den er für deutsch hielt. Er orientiert sich an Charlie Chaplins Kunst-Deutsch im »Großen Diktator«. Auch Lens gleichermaßen epische wie ermüdende Erzählungen seiner Berufsjahre als Heizer auf einer Dampflok der britischen Staatsbahnen erduldete ich schweigend. Nach mehreren gemeinsamen Spaziergängen war ich so weit, dass ich alle maßgeblichen Stationen zwischen London-Euston und Penzance in Cornwall aufzählen konnte. Mit ein bisschen Mühe hätte ich mich auch auf einem Führerstand zurechtgefunden.

Ich zahlte diesen Preis gerne, denn ohne Len wäre ich auf jenen Personenkreis angewiesen gewesen, mit dem man es als Auslandskorrespondent meistens zu tun hat: andere Journalisten, Akademiker, Politiker, Diplomaten. An Kontakten zu denen, die man »normale Menschen« nennt, muss man härter arbeiten. Manche Korrespondenten treten einem Fußballverein bei und lassen sich als Rechtsaußen aufstellen, andere schicken ihre Kinder auf eine öffentliche Schule und hoffen auf die Elternabende. Besonders gründliche Korrespondenten suchen sich im Gastland einen einheimischen Ehepartner. Ich empfehle diese Methode ganz besonders, weil ich sie selbst praktiziert habe, als ich bei einem mehrjährigen Korrespondentenaufenthalt in Moskau Katja kennenlernte. Sie (sowohl die Methode als auch die Ehefrau) hat nur den Nachteil, dass man sie bei Versetzungen nicht beliebig oft wiederholen kann.

Mit seiner wie Leder gegerbten, ewig gebräunten Haut, den wässrigen blauen Augen und den tiefen Falten wirkte Len ein wenig wie Winnetous Großvater. Außerdem hatte er keinen einzigen Zahn mehr im Mund, was ihn freilich nicht zu stören schien. Für besondere Gelegenheiten bewahrte er in einer Plastikbox einen Satz künstlicher Beißer auf. Aber wenn er den Hund ausführte, war das kein besonderer Anlass, der es gerechtfertigt hätte, den unbequemen Zahnersatz in den Mund zu schieben.

Len war nicht der Einzige mit dentalen Problemen in diesem Land – da hatten die Amerikaner schon recht. Ziemlich viele Briten mussten sich notgedrungen die bissfesten Kieferleisten von Schwarzknopf-Höckerschildkröten antrainieren, weil ihnen Zähne fehlen – mal mehr, mal weniger, mal überhaupt der komplette Satz. Eine regierungsamtliche Untersuchung kam irgendwann einmal zu dem Schluss, dass der Gebisszustand der Nation deshalb so miserabel sei, weil die Kosten für Zahnbehandlung und Zahnersatz so hoch seien und vom staatlichen Gesundheitsdienst nicht erstattet würden.

»Zähne plombieren teurer als Autoreparatur«, hatte eine Boulevardzeitung gekreischt und Horrorgeschichten aus Praxen im ganzen Land aufgetischt: »Auf Knien flehte ich den Zahnarzt an, mir zu helfen«, schrieb eine Samantha aus Warrington. »Aber er wies mich ab. Ich müsse erst achtundvierzig Stunden lang Schmerzen haben, bevor er mir auf den Zahn fühlen dürfe.« Unter diesen Umständen ist es kein Wunder, dass manche Briten ihr Gebiss im Do-it-yourself-Verfahren behandeln – mit der Kombizange aus dem Baumarkt.

Len hatte für die Misere in britischen Mündern einen anderen Sündenbock ausfindig gemacht: die Europäische Union. Der Fairness halber muss gesagt werden, dass die EU in Lens Augen sowieso an allen Missständen des modernen Britanniens schuld ist. Ausgenommen davon sind nur jene Dinge, die speziell die Franzosen verursacht haben oder die Deutschen.

»Das Problem ist doch, dass du mit Zahnärzten

nicht reden kannst«, hatte er mir einmal auseinandergesetzt.

»Stimmt. Die packen dir den Mund mit Watte und
Stahl voll und stellen dir dann dumme Fragen, auf die
du nur lallend antworten kannst.«

»Nein, du kannst nicht mit ihnen reden, weil sie
unsere Sprache nicht sprechen. Wusstest du, dass
Zahnärzte nicht Englisch können müssen, wenn sie
aus Europa kommen? Nein, ich wette, das wusstest du
nicht. Es reicht, dass sie ein Loch in den Zahn bohren
können. EU-Verordnung, du weißt schon.«

Len führte den Zeigefinger vielsagend an das rechte
Auge. Mir kann man nichts vormachen, besagte diese
Geste. Ich habe die Burschen in Brüssel durchschaut.

»Die kommen aus Polen, Frankreich, aus Slowakis-
tan oder wie immer diese Volksstämme heißen. Was
weiß ich, welches Kauderwelsch die reden. Aber Englisch? Fehlanzeige. Du gehst rein für 'ne Plombe und
kommst raus mit 'nem Satz Dritter, weil du dich mit
ihm nicht unterhalten kannst. Als Bohrer benutzt er
wahrscheinlich sowieso eine Black and Decker. Das ist
Europa für dich. Also wirklich, so was kann man sich
nicht schlimmer ausdenken.«

Das war Lens Lieblingsfloskel. Irgendwie war er der
Meinung, dass das Leben – zumal in seiner von Brüs-
seler Eurokraten ausgeheckten Form – bizarrer und
grotesker war, als es sich der phantasievollste Dreh-
buchautor ausdenken könnte.

Nach meinem Gespräch mit Mäuer hatte ich Chico an
die Leine genommen und war in den Park gegangen,
um mir das Corpus Delicti, den bedrohlich geneigten
toten Baum noch einmal genauer anzusehen. Len sah

mich schon von weitem und winkte mir lebhaft zu. Er schien den Baumstamm nicht zu fürchten, denn er stand direkt neben ihm.

»Gut, dass ich dich sehe, ich brauche deinen Rat«, begrüßte ich ihn und deutete auf den Stamm. »Der muss nämlich weg.«

»Das kannst du zweimal sagen«, antwortete Len mit einer unwirschen Kopfbewegung Richtung Baum. »Seit zehn Minuten stehe ich hier, nur weil er sich wieder mal nicht von der Stelle rührt. Und es sieht verdammt nach Regen aus.«

Erst jetzt sah ich Bates, der mit hängenden Schultern und einer Miene dastand, als ob er sich an ein Wort zu erinnern versuchte, das ihm auf der Zungenspitze lag.

»Nein, ich meine nicht Bates«, sagte ich. »Ich meine den Baum.«

Ich erklärte ihm meinen Plan, dass ich über den Baum einen Kontakt zur Königin herstellen wollte. Len war schon länger in mein »Projekt Queen« eingeweiht. Nicht, weil ich annahm, dass er Zugang zu den königlichen Gemächern oder zu Elizabeth gehabt hätte. Aber ich war dankbar für jeden, der mir zuhörte, ohne mich gleich für verrückt zu halten. Dies war umso wichtiger geworden, als Katja wenige Wochen nach unserer Ankunft im Vereinigten Königreich erneut in frühstalinistische Denkmuster zurückgefallen war, in welchen das Wort Aristokrat wie in einem Reflex mit Guillotine assoziiert wird.

»Wer braucht die eigentlich, einen König und alle diese Lords und Ladys, wozu sind die überhaupt gut?«, hatte sie mehr als einmal gehöhnt, wann immer ich das Gespräch auf den Nachruf und die Königin brachte.

Dabei dehnte sie die Wörter Lord und Lady, als ob sie sich eine eklige Fleischsehne aus den Zähnen ziehen wollte. »Wir in Russland haben dieses Pack gottlob abgeschafft, und niemand hat sie jemals wieder vermisst.«

Ich vermutete, dass ihre revolutionäre Gesinnung in jener Zeit wiederaufgelebt war, als sie in der Boulevardpresse jeden Tag neue unappetitliche Einzelheiten über die Umtriebe der Prinzen William und Harry las. Vor allem eine Eskapade schien ihr zu denken zu geben. Die Zeitungen hatten berichtet, dass Englands künftiger König und sein Bruder auf einer feuchtfröhlichen Party getestet hatten, wie viele CDs die anwesenden Mädchen von ihren nackten Brustwarzen baumeln lassen konnten. Der Rekord lag, wenn ich mich recht erinnere, bei acht Scheiben, aber Katja war an diesen Details nicht so sehr interessiert. Für sie war nur klar, dass weder William noch Harry geeignetes Schwiegersohnmaterial darstellten.

Bei Len konnte ich indes auf Verständnis zählen. William und Harry erinnerten ihn an seine eigenen wilden Jugendjahre, und auf die Queen ließ er ohnehin nichts kommen.

»Sollte eigentlich okay sein. So wie ich die Königin einschätze, dürfte sie nichts gegen dich persönlich haben. Du bist doch ganz in Ordnung, jedenfalls für einen *Kraut*. Gummistiefel trägst du ja schon wie die Queen. Mit ein bisschen Phantasie könntest du fast als Brite durchgehen, solange du den Mund hältst, versteht sich. Dein Akzent ist wirklich grässlich.«

Wie viele Kontinentaleuropäer haben schon versucht, als englischer Gentleman zu bestehen? Dabei braucht man gar nicht viel: Gummistiefel, eine Regenjacke, eine Stoffmütze. In England ist das eine alle sozialen Schichten umfassende Einheitsuniform. Len trägt sie eigentlich bei jedem Wetter, wenn ich es mir genau überlege. Und in ihrer Freizeit kleidet sich auch die Königin so, nur dass sie die Mütze durch ein Kopftuch ersetzt.

Len hüstelte und zog probeweise an Bates' Leine. Vielleicht waren ihm nach meiner Schilderung nun auch Zweifel an der Stabilität des Baumes gekommen. Aber die Dogge schien fester mit dem Erdboden verwachsen zu sein als der verdorrte Stamm.

»Wie gesagt: Die Tatsache, dass du ein Kraut bist, wird nicht gegen dich sprechen. Genau genommen ist sie selber mit einem verheiratet. Und wer Prinz Philip derart lange ausgehalten hat, den kann nichts mehr erschüttern.«

Len grinste, doch dann fiel ihm etwas ein.

»Andererseits geht es um einen Baum, und da wärst du bei Prinz Charles wahrscheinlich besser aufgehoben als bei seiner Mutter. Er ist der Naturbursche dieser Familie. Man nennt ihn nicht von ungefähr den Marsmann von Windsor.«

»Ein Marsmensch?«

»Ja, Ohren wie ein Raumsegel und durch und durch grün. Er redet mit seinen Pflanzen. Manche vermuten, dass er auch auf sie hört. Wenn jemand feststellen kann, ob der Baum noch lebt, dann eigentlich nur er. Vielleicht durch Handauflegen.«

»Nur dass ich keinen Nachruf auf Prinz Charles schreiben muss, sondern auf die Frau Mama«, erinnerte ich ihn, während ich meine Stoffmütze aus der Jackentasche zog, weil es urplötzlich heftig zu nieseln begann. »Ich muss weiter«, rief ich Len im Weggehen zu und deutete in den Himmel, wo sich immer dunklere Wolken zusammenballten. »Du solltest auch gehen. Merkst du nicht, dass es schüttet?«

»Ich schon«, murmelte er zahnlos und schlug den Jackenkragen hoch. »Aber ihn stört es nicht.«

An Bates' Flanken rann das Wasser mittlerweile in Strömen herab. So wie er da stand, hätte man ihn vom Fleck weg anwerben können – als Model für ein Duschgel.

Sechs

Als ich um die Ecke in unseren Hof bog, hatten sich die Wolken wieder verzogen, und es tröpfelte nur noch ein bisschen. Vor der Haustür sah ich Euan, der auf mich gewartet zu haben schien. Er ist der einzige Nachbar, mit dem ich mehr als nur ein paar unverbindliche Grußworte gewechselt habe, was in erster Linie Euans unersättlicher Wissbegierde zu verdanken ist. Jede Kleinigkeit interessiert ihn, und wenn er etwas wissen will, dann druckst er nicht lange herum, sondern fragt auf eine mitunter verstörend unenglisch direkte Art. Name und Akzent weisen Euan als Schotten aus, in deren Adern zuweilen heißblütiges keltisches Blut wallt.

Auch jetzt schien ihm irgendetwas auf der Seele zu liegen.

»Entschuldige, wenn ich dich so direkt frage«, überfiel er mich. »Aber es konnte mir nicht verborgen bleiben, dass du so viele verschiedene Zeitungen liest.«

»Ja, aus beruflichen Gründen. Spaß macht es mir nicht, das kannst du mir glauben.«

»Na ja, du bist eben Ausländer«, fügte er rätselhaft hinzu.

Auf längeres geduldiges Nachfragen rückte Euan damit heraus, worum es ihm ging. Er hatte herausfinden wollen, wo ich politisch stand. Dazu hatte er den Pressetest angewendet – nur eben ohne Erfolg, weil die Vielzahl der Blätter, die der Zeitungsjunge jeden Morgen anlieferte, keine eindeutigen Rückschlüsse zuließ.

»Wenn du wissen willst, neben wem du wohnst, musst du eigentlich nur von Haustür zu Haustür gehen und gucken, welche Zeitung im Briefkasten steckt«, erläuterte Euan schließlich den Test. »Am Titel erkennst du die Weltanschauung des Lesers.«

»Tut mir leid, dass ich dich verwirrt habe«, tröstete ich ihn. »Aber wenn wir schon davon reden: Ich sehe nicht, dass du eine Zeitung abonnierst. Was liest du eigentlich?«

Ich könnte schwören, dass Euan ein klein wenig errötete. Nach längerem Hin und Her gab er schließlich preis, dass er nur Bilanzen, Kurse und am liebsten seine Kontoauszüge las. »Und dann natürlich die Speisekarte im Restaurant von Jamie Oliver«, wie er hinzufügte. In seinem Büro in Canary Wharf, vertraute er mir an, liege allerdings jeden Morgen die *Financial Times* auf dem Schreibtisch. Glücklicherweise sei sie groß genug, dass er seine Motorsport-Magazine darunter verstecken könne. Seine Frau Colette bringe ab und zu den *Tatler* nach Hause. In dieser Zeitschrift erfährt man, wofür man das sechsstellige Gehalt und den Millionenbonus zum Jahresende am besten ausgeben kann und wer mit wem auf welcher Party oder in welchem Club was getrieben hat.

»Und wie erkennst du an der Zeitung, welche Partei dein Nachbar bei der letzten Unterhauswahl gewählt hat?«, wollte ich von ihm wissen.

»Och, das ist ganz einfach. Der Spruch ist zwar alt, aber er gilt noch immer«, erklärte er mir. »Die *Times* wird von den Leuten gelesen, die das Land regieren, was nicht heißt, dass sie gerade die Regierung stellen. Gemeint sind die Staatsbeamten. Deren Ehefrauen lesen die *Daily Mail*. Den *Mirror* wiederum halten sich die Leute, die sich einreden, dass sie das Land regieren – also die gegenwärtige Labour-Regierung. Der *Guardian* wird von den Leuten gelesen, die davon überzeugt sind, dass eigentlich sie das Land regieren sollten. Die Leser des *Daily Telegraph* meinen, dass das Land noch immer von denselben Leuten regiert werden sollte wie vor achthundert Jahren. Am sympathischsten sind mir die *Sun*-Leser: Denen ist es egal, wer das Land regiert, Hauptsache, sie hat große Titten.«

»Interessant. Und Leute wie du, die sich die *Financial Times* halten?«

»Oh, das sind die, denen das Land gehört, nicht wahr?«

Wie viel von diesem Land Euan persönlich sein Eigen nannte, wussten wir nicht. Auf alle Fälle besaß er mehrere Autos – vier nach der letzten Zählung: einen Range Rover, einen Ford Ka als motorisierten Fahrradersatz für Einkaufsfahrten sowie einen Ferrari und einen Aston Martin fürs Gemüt und für die Seele.

Womit genau Euan sein Geld verdiente, war uns bisher ebenfalls nicht restlos klargeworden. Er schien irgendetwas in Canary Wharf, dem neuen Finanzzentrum im East End, zu sein, wo er einen Hedgefonds verwaltete, mit Milliardensummen jonglierte und jedes Jahr die eine oder andere Million dafür als Bonus bekam – jedenfalls so lange, wie dieses Kartenhaus noch stand. Mit der Queen würde er mir nicht weiterhelfen können, das wusste ich schon. Für ihn war sie lediglich Teil der Dekoration auf englischen Banknoten. Je mehr Königin, desto besser – das war alles, was ihm zum Thema Monarchie einfiel.

Wenn es überhaupt eine weibliche Figur gab, zu der er aufblickte, dann war es Margaret Thatcher. Auch jetzt war er – im Zusammenhang mit seinen politischen Ausführungen – wieder auf sie zu sprechen gekommen.

»Die war schon etwas Besonderes«, murmelte er.

Ich nickte verständnisvoll.

»Klar, gerade für dich, Euan. Big Bang der Börse, Öffnung der Märkte, freies Spiel der Kräfte, jeder konnte sich bereichern, ohne Ansehen der Herkunft und der Klasse. Ist doch alles deine Kragenweite.«

Ohne Maggie Thatcher wärst du wahrscheinlich Automechaniker geworden und hättest bei einem Ferrari nur die Zündkerzen ausgetauscht, dachte ich mir.

Laut sagte ich: »Ihr verdankst du wahrscheinlich deine Karriere. Vor Maggie und ihrer Revolution hätte dein Vater wohl mindestens Gouverneur der Bank of England sein müssen, bevor man einen jungen Spund wie dich mit Geld hätte hantieren lassen. Und ohne Maggie Thatcher müsstest du wahrscheinlich noch immer mit Stockschirm und Melone in die Bank gehen.«

Euan blickte mich verständnislos an.

»Wovon redest du? Nein, ich denke an Maggie Thatcher als Frau. Zu ihrer Zeit war die ein scharfer Feger, findest du nicht?«

Diesmal zog ich es vor, diplomatisch zu schweigen.

»Ja, sie hatte was, echt. Sie erinnerte mich immer an meine Englischlehrerin in der Oberstufe. Mrs Donnelly, Gwyneth Donnelly. Die trug genauso strenge Röcke und steife Blusen. Wir haben immer absichtlich was angestellt, weil sie uns dann mit dem Rohrstock den Hintern verdrosch. Ich glaube, ihr hat es auch Spaß gemacht.«

Gewisse Erinnerungen, die Briten an ihre Schulzeit haben, kann man als Kontinentaleuropäer einfach nicht nachvollziehen. Leider konnte ich das Thema mit Euan nicht vertiefen, weil ihn seine Frau zum Essen ins Haus rief. Sie erinnerte mich übrigens, wie mir in diesem Augenblick schlagartig bewusst wurde, überhaupt nicht an Margaret Thatcher. Wenn man die Augen ein wenig zusammenkniff, war sie eher ein Typ wie Angelina Jolie. Ob sie von Euans geheimen Phantasien etwas ahnte?

Generell unterstütze ich ja die These, dass man im Leben alles einmal selbst ausprobieren sollte – vielleicht mit Ausnahme von Inzest und Volksmusik, wie der sauertöpfische britische Dirigent Thomas Beecham einmal anmerkte. Denn gerade ein Reporter darf nicht aus zweiter Hand berichten. Er muss unmittelbar, am eigenen Körper erfahren, wie es sich anfühlt, Schafe zu hüten, in Spukschlössern auf ein Gespenst zu warten oder, ja gerade auch das, der Königin die Hand zu schütteln und ihr in die Augen zu blicken.

Auf noch größeres Leserecho würden wahrscheinlich Geschichten über das Sexualverhalten fremder Nationen stoßen – zumal dann, wenn sie selbst mit vollem Körpereinsatz recherchiert wurden. Aber wie, bitte schön, soll man das anstellen?

Man konnte ja schlecht auf einen Passanten zutreten und ihn ansprechen: »Verzeihen Sie, ich bin kein Spanner, sondern von der Zeitung. Würden es Ihnen sehr viel ausmachen, wenn ich mich heute Nacht ganz still zu Ihnen ins Schlafzimmer setzen würde? Nein,

nein, keine Kamera, ich arbeite für die Zeitung. Ich nehme nur einen Notizblock und einen Stift mit.«

Nicht sehr vielversprechend.

Noch schwieriger wäre es, wenn man verheiratet ist. Ehefrauen von Korrespondenten bringen ohnehin schon viel Geduld und Verständnis auf. Aber man sollte den Bogen nicht überspannen.

»Hallo, Schatz, ich habe heute Nacht einen Termin.«

»Heute Nacht? So spät? Wohin musst du denn?«

»Ach, nichts Besonderes. Ich bin mit einer Engländerin verabredet. Rothaarig, Sommersprossen, dünne Lippen, sehr hellhäutig. Na, du kennst den Typ ja. Ich will mal rausfinden, wie die kleinen Engländerinnen so im Bett sind. Die Wochenendbeilage möchte eine Geschichte.«

»Ach, wie ärgerlich. Wollen die nichts von dir über die Unterhausabstimmung morgen über Stammzellenforschung? Oder willst du nicht lieber endlich diesen Nachruf schreiben? Das macht sicher mehr Spaß als die Nacht mit dem Rotschopf.«

»Ich weiß, ich weiß. Das ist wirklich zu unangenehm. Aber wenn ich es nicht mache, muss der Kollege vom Feuilleton einspringen. Das will ich ihm nicht antun.«

»So bist du eben. Du denkst nie an dich selbst. Also, ich hoffe, dass es nicht zu langweilig wird. Ich sehe dich dann beim Frühstück.«

An dieser Stelle klingelt entweder der Wecker, oder meine Frau kommt ins Zimmer und fragt, worüber ich denn gerade so angestrengt nachdenke.

Der Weg zur Recherche aus erster Hand war mir beim Thema Sex und Briten also verschlossen, und deshalb hörte ich umso aufmerksamer Euan bei seinen Schwärmereien für Mrs Donnelly und Mrs Thatcher zu. Später sollte ich erfahren, dass er mit seinen Phantasien nicht alleinstand. Denn offenbar spielte Margaret Thatcher im Sexualleben vieler britischer Männer eine buchstäblich belebende Rolle. Gewiss, auch manche Deutsche gaben einmal in einer Umfrage zu, beim Sex an die Eiserne Lady zu denken. Der Unterschied war nur, dass für deutsche Männer die Maggie im Kopf die gedankliche Entsprechung zu einer kalten Dusche war, während den Briten die Vorstellung von der gestrengen Premierministerin zum Höhepunkt verhalf.

Mit diesen Gedanken war ich zu Hause angekommen. Katja erwartete mich schon ungeduldig in der Diele. In der Hand hielt sie ein Telefon, und das Gesicht hatte sie angewidert verzogen, als ob sie in einem Hamburger eine Made entdeckt hätte. Wortlos formten ihre Lippen das Wort »Mäuer«.

Es wäre übertrieben zu sagen, dass meine Frau meinen Chef mochte. Sie hatte ihn nur einmal gesehen, aber diese Begegnung reichte ihr für ein abschließendes Urteil. Im Gegensatz zu uns ewig schwankenden, unentschlossenen Männern zeichnen sich Frauen im Allgemeinen und Ehefrauen im Besonderen durch die Fähigkeit aus, jede neue Bekanntschaft in Warp-Geschwindigkeit einem Charaktertest zu unterziehen.

Die Abneigung beruhte indes nicht auf Gegenseitigkeit. Nicht dass Mäuer speziell meiner Frau nachgestellt hätte. Er war an Frauen eher als Gattung interessiert, seit ihm jemand – vermutlich im Scherz – gesagt hatte, dass er unwiderstehlich sei. Wenn er nun einer Frau begegnet, die er attraktiv findet – und Mäuer ist weiß Gott nicht wählerisch –, spitzt er die Lippen, als ob er ihr auf einer Querflöte ein Ständchen bringen wollte.

Dabei gerät ihm allerdings der Fisherman's Friend in die Quere, mit dem er seinen Mundgeruch bekämpft, was wiederum die bedauerliche Folge hat, dass seine Komplimente von einem Speichelspray mit einem Unterton von Pfefferminz begleitet werden.

Seit Mäuer Chef geworden ist, hat ihm niemand mehr ins Gesicht gesagt, dass diese Eigenart seinen Attraktivitätsquotienten nicht unbedingt erhöht. Hinzu kommt, dass Mäuer nicht besonders groß ist. Er selbst würde wahrscheinlich von napoleonischer Größe sprechen, und tatsächlich war er der Einzige in der Redaktion, der auf einen Aprilscherz der Londoner *Times* hereingefallen war. Sie hatte behauptet, dass der ebenfalls längenmäßig benachteiligte Napoleon-Nachfolger Nicholas Sarkozy sich einer neuartigen Operation unterziehen werde, die ihn zehn Zentimeter wachsen lasse. Mäuer war so begeistert, dass er der Wissenschaftsredaktion den Auftrag erteilte, die Sache zu recherchieren.

Den meisten Frauen reicht Mäuer nur bis zur Brust. Er sieht dies nicht unbedingt als Nachteil, sondern macht sich den Umstand insofern zunutze, als er seinem Gegenüber schamlos auf den Busen starren kann, ohne den Blick zu senken. Mäuer nennt das ein Verhältnis auf Augenhöhe.

Genau betrachtet, wäre es interessant, wenn man sich einmal mit Mäuer über Margaret Thatcher als Sexsymbol unterhalten könnte.

Ungeduldig streckte mir Katja das Telefon entgegen. »Nun nimm schon.«

»Ja, Herr Mäuer.«

»Wir müssen uns über Margaret Thatcher unterhalten«, überfiel er mich grußlos.

»Ach, das ist nun aber wirklich Gedankenübertragung«, stammelte ich.

»Das heißt, Sie wissen, wovon ich rede?«

»Nun ja, vielleicht nicht so sehr, wie ich es wollte. Aber ich arbeite dran. Wie es der Zufall will, recherchiere ich Frau Thatcher gerade in diesem Augenblick.«

»Dann wissen Sie auch, dass sie demnächst achtzig wird. Das müssen wir würdigen. War ja eine große Frau.«

Ja, dachte ich, mehr als Augenhöhe für dich.

»Außerdem können Sie beim Geburtstagsartikel gleich für ihren Nachruf üben. Den haben wir nämlich auch noch nicht. Übrigens: Wie weit sind Sie denn mit der Queen? Schon Aussicht auf ein Interview?«

»Wenn mir ständig Geburtstagsgratulationen für andere ältere Damen dazwischenkommen, wird nie etwas daraus werden«, murmelte ich. »Außerdem gibt die Queen keine Interviews, noch nicht mal der BBC, und das will was heißen.«

»Aber wir hatten doch abgemacht, dass Sie sie treffen werden?«

»Richtig, richtig. Aber das lässt sich nicht übers Knie brechen.«

»Bleiben Sie dran, die Frau ist kein Backfisch mehr.«

Langsam stieg ich die fünfunddreißig Stufen zu meinem Arbeitszimmer empor. Schwer atmend ließ ich mich in den Stuhl fallen und öffnete den Ordner mit meinen Notizen. Seit Tagen schon hatte ich an diesem Brief herumgefeilt. Es sollte ein Brief sein von Nachbar zu Nachbar, verbindlich im Ton und kategorisch in der Sache. Der morsche Baum würde verschwinden müssen, das war klar. Aber es sollte kein böses Blut geschaffen werden, schließlich würden wir ja weiter nebeneinander leben müssen.

Peter hatte mir erklärt, wie ein Beschwerdebrief aussehen müsse, und vom Briefschreiben verstand Peter etwas. Er war der älteste Bewohner in unserem Hof, sowohl was die Lebensjahre anging als auch die Wohndauer. Seit seiner Pensionierung hatte er den Vorsitz der Hausbesitzervereinigung übernommen, eine Tätigkeit, die hervorragend mit seinem ausgeprägten Interesse an seiner Umwelt harmonierte. Weniger wohlmeinende Mitbewohner hätten von Neugier oder Schnüffelsucht gesprochen.

Genau genommen tat Peter nichts anderes, als immer und überall jedermann Briefe zu schreiben. Er schrieb sogar den Leuten in Nummer sieben Briefe. Peter wohnt in Nummer acht. Letzthin hatte er sich wieder über Nummer sieben beschwert – bei mir, nicht bei Nummer sieben.

»Der ist Ägypter und verkauft Gebrauchtwagen.«

Aus Peters Mund klang es wie »Kamele«.

»Aber es hat den Anschein, als ob er sich seine Arbeit mit nach Hause bringt.«

Sein Arm schoss nach vorne, und mit dem Zeigefinger deutete er quer durch den Hof.

»Hier, der Suzuki, der Vauxhall, der Renault, der zweite Suzuki, der Volkswagen und das Motorrad. Gehören alle dem Ägypter. Parkraum ist sowieso schon knapp in unserem Hof, das haben Sie ja selber schon festgestellt.«

Das hatte ich in der Tat bemerkt, und zudem war mir nicht verborgen geblieben, dass der Ägypter einer der Übeltäter war, der für diese Situation verantwortlich zeichnete.

»Ja«, warf ich ein, »da müsste man mal mit ihm darüber reden.«

»Reden? Mit ihm reden?«

Peter starrte mich an, als ob ich ihm vorgeschlagen hätte, einen Piranhaschwarm mit in die Badewanne zu nehmen.

»Na, warum denn nicht? Wie soll er denn sonst erfahren, dass seine Autos stören.«

»Nein, so geht das nicht. Ich weiß schon, was ich tue: Ich werde einen Rundbrief an alle Bewohner verfassen und allgemein darauf hinweisen, dass zu viele Autos im Hof abgestellt werden. Er wird sich angesprochen fühlen, da bin ich sicher.«

»Sie glauben wirklich, dass das hilft?«

Peter nickte. Ich wollte ihn nicht enttäuschen und sagte ihm daher nicht, dass Ägypter nach meiner Kenntnis in ihrer überwiegenden Mehrheit zwar herzensgute Menschen seien, dass sie jedoch bislang keine sensiblen Antennen entwickelt hätten, mit denen sie versteckte Anspielungen im Schriftverkehr wahrnehmen könnten.

»Briefe sind immer besser«, bekräftigte Peter. »War schon immer so. Als Haus Nummer sechzehn letztes Jahr die Mülltüten am Abend rausstellte und die Füchse über Nacht den ganzen Dreck verteilten, habe ich auch nicht lange gefackelt und an die Stadtverwaltung geschrieben. Sie ahnen nicht, wie schnell ein Inspektor in Nummer sechzehn war.«

»Aber die dürften dann ganz schön sauer auf Sie gewesen sein, dass Sie sie angeschwärzt haben?«

Er tippte mit dem Finger an die Nase und zwinkerte mir verschwörerisch zu.

»Aber woher denn. Das wissen die doch nicht. Ich

war doch nicht so dumm, den Brief zu unterschreiben.«

Wo ich herkomme, nennt man solches Verhalten Petzen, und es ist nicht unbedingt hoch angesehen. Bevor ich Peter etwas sagen konnte, war mir natürlich die Mitteilung eingefallen, die wir mit der Post erhalten hatten. Die Licensing-Behörde, das britische Gegenstück zur deutschen GEZ, hatte uns ultimativ aufgefordert, unverzüglich unseren Fernsehapparat anzumelden und die Gebühren zu berappen. Im Falle anhaltender Missachtung drohten uns harte, wenn auch nicht näher spezifizierte Strafen und Torturen. Dem Ton nach schienen das mindestens fünf Jahre Einzelhaft im Hochsicherheitsgefängnis Belmarsh zu sein.

Katja war platt gewesen. »Woher wissen die, dass wir einen Fernseher haben? Wir haben ihn doch erst am Wochenende gekauft, und geliefert wird er erst nächste Woche!«

Da meine Frau eine glühende Anhängerin paranormaler Phänomene ist, unterstellte sie der Behörde, Medien oder Wahrsager zu beschäftigen. Die Wahrheit war prosaischer.

»Hier, hör mal«, hatte ich aus dem Brief vorgelesen. »Das Kaufhaus John Lewis hat uns verpfiffen. Die haben denen gesagt, dass wir einen Fernseher gekauft haben.«

»Denunzianten!«

»Vielleicht bist du ein bisschen zu streng. Ich glaube, dass man das hier so macht. Im Radio habe ich einen Werbespot gehört. Da fragt eine Stimme, du weißt schon, tief, sonor, vertrauenheischend: ›Haben Sie einen Kollegen, der keine Steuern zahlt? Kennen Sie einen Handwerker, der sich bar bezahlen lässt? Verdächtigen Sie einen Nachbarn, Steuern zu hinterziehen?‹«

»Okay, ich habe einen furchtbaren Verdacht«, hatte Katja geseufzt. »Wie geht's weiter?«

»Dann sagt die Stimme: Sie können das ändern. Melden Sie Ihren Verdacht dem Finanzamt. Und dann kommt der Hammer: Ihren Namen müssen Sie selbstverständlich nicht nennen. Und was das Schönste ist: Die Leute machen mit. In der Zeitung hat gestanden, dass letztes Jahr zweihunderttausend Leute ihre Freunde, Kollegen, Nachbarn und Angehörigen beim Fiskus verpfiffen haben.«

Nun ja, wenn der Staat schon zur Denunziation einlädt, konnte man Peter vielleicht wirklich keinen Vorwurf machen, wenn er Nachbarn anonym anschwärzte.

Mein Brief durfte nicht anonym sein. Ich wollte ja, dass die Empfängerin auf mich aufmerksam wurde. Name und vollständiger Absender waren unverzichtbar.

Sorgfältig zog ich die Tastatur zu mir heran, klickte auf Word und öffnete ein neues Dokument. Welche Schriftart sollte ich wählen? Arnold-Boecklin? Zu verspielt. Oder vielleicht Comic Sans? Nein, nicht ernst genug. Passt eher für ein Tagebuch. Oder wie wär's mit Caelon Open Face. Das sah irgendwie keltisch aus. Aber vielleicht auch wieder zu keltisch. Nein, der Brief sollte ja nüchtern sein, geschäftsmäßig. Am besten keine Experimente: Times New Roman.

»An den Verwalter der Königlichen Gärten«

Absatz, neue Zeile.

»Kopie: Ihrer Majestät Elizabeth II., Königin von Großbritannien und Nordirland.«

Die anderen Territorien, Commonwealth-Länder und dergleichen, ließ ich lieber weg. Es ging ja letztlich nur um einen Baum auf einem ihrer Grundstücke in London. Kein Grund, die Kanadier mit reinzuziehen.

Zunächst wollte ich ja sie direkt anschreiben und dem Verwalter eine Kopie schicken. Aber niemand hat es gerne, wenn man sich über seinen Kopf hinweg an den Chef wendet. Ginge mir mit Mäuer doch genauso.

Sorgfältig formulierte ich das Schreiben, schlug im Wörterbuch nach, kürzte hier, verlängerte dort. Sachlich und, wie ich hoffte, britisch unterkühlt schilderte ich die Situation mit dem abgestorbenen Baum (»ein Blitzschlag, zweifellos, nicht menschliches Einwirken«). Katjas drastische Argumente (»dieser Baum hat mehr zerstörerisches Potential als ein radikaler Muslim mit einem Sprengstoffgürtel und eine größere Seitenneigung als eine Pappel im Sturmwind«) ließ ich lieber weg. Es hätte zu hektisch geklungen, zu kontinentaleuropäisch.

Allerdings fügte ich hinzu, dass entweder der Gartenverwalter oder die Königin, je nachdem, wer eher die Zeit dafür fände, herzlich eingeladen sei, sich die Situation von unserem Schlafzimmer aus zu betrachten, von wo man einen guten Blick über die Gartenmauer hätte.

Fertig.

Ich lehnte mich zurück und überflog noch einmal, was ich geschrieben hatte. Etwas fehlte. Ich war mir nicht sicher. Aber andererseits ging es mir ja um mehr als um einen morschen Stamm. Der Baum sollte mir schließlich nur die Türen zur Queen öffnen.

Ich stützte den Kopf in die Hände und starrte den Bildschirm an, ohne ihn zu sehen. Ein bisschen wagemutig wäre es schon, wenn ich die Königin darauf ansprechen würde, das war mir schon klar. Katja würde mich bestimmt für verrückt erklären. Und es stimmt ja, dass private Elemente in einem Geschäftsbrief an und für sich nichts zu suchen haben. Aber wie sagt der Russe? Wer nichts riskiert, der trinkt keinen Champagner. Nein: Ich hatte nichts zu verlieren, aber alles zu gewinnen. Ich verschränkte die Finger und knackte mit den Gelenken. Dann begann ich, das Postskript zu tippen.

Sieben

»Wie bitte? Du hast was gemacht?«

Katja fuhr so schnell herum, dass sie um ein Haar die lebensgroße Pappfigur von Marilyn Monroe zu Boden gerissen hätte.

»Hast du noch alle Taschen im Schrank?«

Es ist selten, dass sie so zornig wird. Wie zum Schutz hielt ich die Zeitschrift vor mein Gesicht, die den Wutausbruch ausgelöst hatte.

»Aber du musst doch zugeben, dass eine gewisse Ähnlichkeit besteht«, verteidigte ich mich.

Das Foto auf dem Titelbild der fast sechzig Jahre alten Ausgabe der Picture Post zeigte einen kleinen Jungen in kurzen Hosen. Er trug einen Tweedmantel, dem man schon von weitem ansah, dass er fürchterlich kratzen musste. Der Bub blickte auch gar nicht glücklich drein. Aber er hatte niedliche Grübchen in den Wangen und an den Knien.

»Woher soll ich das wissen? Ich kannte dich damals nicht. Und du wirst mir doch nicht weismachen wollen, dass du als kleiner Junge auf dem Titel einer Illustrierten warst.«

»Was, Papa war mal ein Model? Cool!«

Neuerdings wird Julia immer dann hellhörig, wenn von Mode, Modenschauen und Fotomodellen die Rede ist. Mitunter habe ich den Eindruck, dass sie überhaupt nur bei diesem Thema zuhört und alles andere von einem Spamfilter im Gehirn abblocken lässt. Die Wände in ihrem Zimmer – und in jenen ihrer Freundinnen – waren ohnehin schon über und über mit Fotos aus »Frühstück bei Tiffany« und »Ein Herz und eine Krone« beklebt.

Nachschub für diese Sammlung gab es bei VinMag, einem jener merkwürdigen Londoner Läden, in denen Dinge verkauft werden, die eigentlich niemand braucht – so wie eben zerfledderte Ausgaben alter Zeitschriften, die man früher mit einer Schnur gebündelt und einmal im Monat vor die Haustür gelegt hatte. Jetzt kosteten sie zwanzig Pfund und mehr pro Ausgabe. Neben nutzlosem Tand bot VinMag aber auch Erzeugnisse an, die durchaus nützlich sein konnten. Bevor ich auf die Picture Post gestoßen war, hatte ich versonnen eine Kollektion von Fernbedienungen studiert, die versprachen, dass man mit ihnen die Ehefrau, die Kinder und den Hund kontrollieren könne. Es gab auch eine für Ehemänner, aber ich hatte mich derart geschickt vor der Auslage postiert, dass Katja sie nicht sehen konnte. Batterien waren nicht drin, sonst hätte ich das Gerät gleich an Ort und Stelle ausprobieren können. Die Fernbedienung einfach auf Katja richten und auf einen der Knöpfe mit den Kommandos »Vergib«, »Vergiss« oder »Nun hab dich doch nicht so« drücken.

»Du hast also dem Verwalter der königlichen Gärten geschrieben, dass es sehr alte Verbindungen zwischen dir und der königlichen Familie gibt?«

Auch mit Batterie hätte mir die Fernbedienung nichts geholfen. Sie war zu fest in einem kleinen Plastiksarg verschweißt.

Ich räusperte mich.

»Wir wollen mal festhalten, dass es deine Idee war mit dem Brief. Wer liegt mir denn seit Wochen in den Ohren mit dem dämlichen Baum im Park.«

»Ja, Baum, aber nicht Stammbaum. Von deiner Familie war nie die Rede. Und was interessiert es einen Gärtner, wie du als Kleinkind ausgesehen hast? Auch wenn er für die Königin arbeitet.«

»Na ja«, versuchte ich einzulenken, »der Brief ging ja in Kopie auch an die Königin, nicht nur an ihren Lakaien. Und sie wird das sicher interessieren, dass man mich damals immer mit ihrem Sohn verglichen hat.«

Ich deutete abermals auf das Foto in der Picture Post.

»Ganz wie der Prinz Charles, genauso süß – das habe ich als kleiner Junge immer und überall zu hören bekommen.«

Jetzt, da ich es aussprach, klang es gar nicht mehr überzeugend, sondern eher lächerlich. Schon als ich mein Postskript schrieb, hatte ich dunkel geahnt, dass ich mit diesen Zeilen ein gewisses Risiko einging. Wer wusste, ob die Queen wirklich gerührt sein würde, wenn sie erfuhr, dass dieser Mann, der sie ja eigentlich nur um die Entsendung eines Baumdoktors bat, ihrem Erstgeborenen wie aus dem Gesicht geschnitten war. Ich hatte kurz überlegt, ein Foto beizulegen. Aber das wäre doch zu anbiedernd gewesen. Vielleicht hätte sie mich gar verdächtigt, auf Grundlage der physiognomischen Ähnlichkeit Thronansprüche herzuleiten. Kaspar Hauser war ja auch aus Deutschland gewesen, und Hof an der Saale, wo ich aufgewachsen bin, liegt nahe bei Coburg, wo Elizabeths Familie der Sachsen-Coburg-Gothas herstammt.

Damals in den grauen fünfziger Jahren wäre noch niemand auf die Idee gekommen, Hof als eine Stadt zu bezeichnen, die »in Bayern ganz oben« liegt. Stattdessen war in realistischer Selbsteinschätzung der wahren Lage vom »A... der Welt« die Rede. Wer es weniger deftig wollte, bevorzugte den Titel »Sibirien Bayerns«. Das war zum einen auf das im Schnitt immer ziemlich miese Wetter gemünzt, zum anderen auf die Tatsache, dass das Königreich Bayern missliebige Hofbeamte nach Hof strafversetzte. Hier an der äußersten Ecke Oberfrankens konnten in Ungnade gefallene königl.-bayr. Konsistorialräte über ihre Sünden nachdenken.

Zu den wenigen Lichtpunkten meiner Kindheit gehörten die Milchbar und der Würstchenmann. Letzterer stand hinter einer großen Metallkiste, die anzufassen mir streng verboten war, weil ich mir sonst die Finger verbrannt hätte. Aus dieser Kiste fischte er heiße Würstchen und steckte sie in eine Semmel. Da ich zu diesem Zeitpunkt keinen Senf mochte, schlang ich Wurst und Brot trocken hinunter. Es dauerte noch einige Jahre, bevor Deutschland und ich in den Genuss von Ketchup kamen.

Als ich Julia dies einmal erzählte, blickte sie mich an, als ob ihr Vater Mastodonten gejagt hätte. Es schloss sich ein Gespräch über meine liebsten Fernsehsendungen und über die Anzahl der speziellen Kinder- und Jugendkanäle im deutschen TV der sechziger Jahre an. Als ich meine Erklärung mit der Bemerkung krönte, dass die dreißig Minuten Kinderprogramm um fünf Uhr nachmittags in Schwarzweiß ausgestrahlt wurden, fragte sie nur: »Ach, wie bei Familie Feuerstein?«

Aber auch ohne Ketchup setzte Hof seinem Würstchenmann ein Denkmal, was irgendwie für die gelassene Größe dieser Stadt spricht. In Stein gemeißelt steht er nun da für alle Zeiten und bietet Würste feil. Dass das Denkmal obendrein in der Bismarckstraße steht, belegt darüber hinaus die bewundernswerte Fähigkeit der Hofer, Historisches mit Kulinarischem so vollendet zu verbinden wie eine Wurst mit einem Brötchen.

Meinen Eltern und anderen Erwachsenen dürften heiße Würste und Milchmischgetränke an der Milchbar freilich nicht als Höhepunkte des Alltages ausgereicht haben. Da traf es sich gut, dass das ferne englische Königshaus mitsamt seinem Wonneproppen Charles mittels Illustriertenfotos ein wenig Glanz auch auf Hof an der Saale warf. Die Zeiten waren ohnehin schlecht genug, aber dies ist ein Thema, das ich bei Katja lieber nicht erwähne. Sie kontert dann immer mit ihrer noch härteren Sowjetkindheit, in der sich siebenundzwanzig Erwachsene und dreiundvierzig Kinder eine Toilette teilen mussten und eine aus einem Birkenast geschnitzte Puppe ein heißbegehrtes Geschenk war.

Auch jetzt schien Katja intuitiv zu bemerken, worauf ich lossteuerte, und blockte mich denn auch gleich ab.

»Egal wie schlecht es dir oder mir auch geht – am Ende wird es dir immer bessergehen als mir.«

»Wieso soll es mir bessergehen? Wo ist denn da die Logik?«

»Das ist doch offensichtlich: Wenn es dir schlechtgeht, dann hast du immer noch mich, mit der du sprechen kannst.«

»Und? Wenn es dir schlechtgeht, dann hast du doch mich, an den du dich anlehnen kannst, deinen Mann.«

»Eben.«

Seufzend legte ich die Zeitschrift wieder zur Seite. Vielleicht war es besser, jetzt nicht davon zu sprechen, dass ich in meinem Brief die Königin um ein Haar an eine weitere Verbindung erinnert hätte. Die Sache ist nämlich die, dass wir uns in gewisser Hinsicht schon einmal über den Weg gelaufen sind, die Königin und ich. Es ist lange her, sehr lange sogar, in den späten siebziger, frühen achtziger Jahren, als ich schon einmal in London lebte. Wir waren alle jünger damals – Elizabeth sowieso, aber natürlich auch ich und Prinz Charles. Beide hatten wir – ich muss es leider gestehen – zu diesem Zeitpunkt schon viel von unserem knabenhaften Charme eingebüßt. Wir waren beide ledig und stellten der britischen Damenwelt nach, wobei wir uns nicht in die Quere kamen, weil wir uns in verschiedenen sozialen Schichten bewegten. Charles begann dann auch bald damit, auf Geheiß des Hofes einer bleichen Jungfrau namens Diana Spencer Avancen zu machen – spätere Heirat zwingend eingeschlossen.

Mich beschäftigte diese offizielle Liebelei des Prinzen freilich nur am Rande. Ich arbeitete für den deutschen Dienst der BBC, wo ich hochpolitische Nachrichten verlas und Sendungen machte, die mit allem Möglichen zu tun hatten, nur nicht mit Liebesleben und Paarungsverhalten der Windsors.

Relevant für meine indirekte Begegnung mit den Royals war vielmehr mein Arbeitsplatz: Bush House, eine architektonische Monstrosität im triumphalistischen Stil der dreißiger Jahre des letzten Jahrhunderts, liegt im Herzen von London, zwischen Strand und Fleet Street, also quasi am Scharnier zwischen der City of Westminster und der City of London. Als der Trautermin von Charles und Diana bekanntgegeben wurde, sickerte alsbald durch, dass die Hochzeitsprozession vom Buckingham-Palast zur St.-Pauls-Kathedrale Bush House passieren würde. Unverhofft erhielten meine Kollegen und ich die Möglichkeit, Zeugen dieses Jahrhundert-Ereignisses zu werden – von einem Fenster im neunten Stock aus, von wo man einen hervorragenden Blick lotrecht hinab auf Charles' Mütze und Dianas Schleier haben würde.

Eigentlich hatte ich erwartet, dass ich diesen Logenplatz am Fenstersims für mich alleine haben würde. Nicht nur, weil die ganze Nation anlässlich des Jubeltages einen freien Tag geschenkt bekam und daher auch in Bush House nur die Sonntagsbesetzung Dienst hatte. Sondern vor allem, weil die Kollegen herablassendes Desinteresse an der Vermählung des Thronfolgers bekundet und sogar eimerweise Hohn, Spott und Häme über das Königshaus im Allgemeinen und das prinzliche Paar im Besonderen ausgegossen hatten. Wir waren keine Monarchisten, versicherten wir einander, sondern Republikaner. Mehr noch: Wir waren Bundesrepublikaner, die in einem Land groß geworden waren, in dem verhärmte alte Männer in schlotternden Vorkriegsanzügen in einem verschlafenen Rhein-Städtchen namens Bonn eine Turnhalle zu einem Plenarsaal umfunktionierten und einer traumatisierten Nation einen kompletten Satz neuer Werte zu vermitteln versuchten. Für Junker und anderes Adelsgezücht war da kein Platz.

Umso erstaunter war ich, als ich am Tag der Jahrhunderthochzeit dann doch so gut wie alle Kolleginnen und Kollegen antraf. Statt sich in Studios und Schneideräume zu verziehen, wetteiferten sie an den Fenstern um den besten Blick. Zu unserer Ehrenrettung kann ich versichern, dass wir das Geschehen unten auf der Straße weitgehend stillschweigend verfolgten. Keiner jubelte. Niemand schwenkte einen Union Jack.

Freudenkundgebungen hätte man uns ohnehin vermutlich als Sarkasmus ausgelegt. In den siebziger Jahren war der Krieg noch nicht so lange vorbei – schon gar nicht im britischen Verständnis. An diese Tatsache erinnerte man uns Deutsche mit schöner Regelmäßigkeit – mit Hitler-Gruß, Achtung-Achtung-Rufen und einem bemüht schnarrend hervorgebrachten »Fahrbottn«, wenn etwas nicht gestattet war.

Unser Dienst selbst und der auf Englisch sendende World Service waren ja als Antwort auf englische Nazi-Propagandasender entstanden. Um diese Kriegsjahre, als das besetzte Europa mit dem Radioempfänger unter eine Wolldecke kroch und »Feindsender« hörte, rankten sich heroische Legenden. Charles de Gaulle und andere Exilanten begaben sich regelmäßig ins Bush House und richteten ihre Völker mit Durchhalteparolen auf. So zahlreich und häufig gaben sich Staatsmänner und gekrönte Häupter die Klinke in die Hand, dass man es den Pförtnern nicht übelnehmen konnte, wenn sie mitunter den Überblick verloren. Als wieder einmal ein soignierter Herr in elegantem Kamelhaarmantel vor ihm stand und nach dem Weg fragte, seufzte der diensthabende Türsteher tief auf und griff nach dem Haustelefon. »Ich habe einen Typen hier«, informierte er einen Redakteur oben im Studio. »Er sagt, er ist der König von Norwegen. Kann ich ihn hochschicken?« Es war natürlich, versteht sich, der König von Norwegen.

Bei uns im Büro verging kaum eine Woche, in der

wir nicht Anrufe von britischen BBC-Kollegen erhielten, die fürs Fernsehen arbeiteten und ganz spezielle Hilfe brauchten.

»Hi, hier ist Brian. Wir produzieren eine neue Serie über den Krieg. Wie sagt man auf Deutsch ›Hands up or I'll shoot, you English pig‹?«

»Hände hoch oder ich schieße, du englisches Schwein.«

»Ah, ich sehe. Aber gab es da nicht ein anderes Wort … schwaijnhunt oder so?«

»Schweinehund, ja, ja, das können Sie auch nehmen.«

Die korrekte Aussprache war nie wichtig. Die deutschen Rollen wurden immer von Briten gespielt. Deutsche Offiziere sprachen, als ob sie in Oxford oder auf der Militärakademie Sandhurst ausgebildet worden wären. Hauptsache, irgendwo an ihrer Uniform baumelte ein Hakenkreuz oder ein Totenkopf.

Besonders populär war die Serie »Colditz«. Das war eine mittelalterliche Burg in Sachsen, die von den Deutschen zu einem Hochsicherheitsgefängnis für »unverbesserliche« alliierte Kriegsgefangene umgewandelt worden war. Dabei handelte es sich um britische, amerikanische, kanadische oder australische Offiziere, die bereits mehrmals versucht hatten, aus Gefangenenlagern zu entfliehen.

In jeder Folge heckten diese Anglos nun einen neuen tollkühnen, gewitzten und genialen Fluchtplan aus. Im letzten Augenblick wurde der Ausbruch dann jedes Mal von den deutschen Bewachern verhindert. Das garantierte zwar die Fortsetzung der Folge, ließ aber eine wesentliche Frage unbeantwortet: Wie konnten die Deutschen, die dargestellt wurden, als ob sie den

Aufmerksamkeitsgrad einer entspannten Kuh und den Intelligenzquotienten einer Amöbe hätten, die raffinierten Pläne ihrer durchtriebenen Gefangenen jedes Mal durchkreuzen?

Diese Fernsehkost, die ergänzt wurde durch einschlägige Bücher und Zeitungsartikel, führte dazu, dass unsere britischen Kollegen auch uns mit einer Mischung aus Spott und Mitleid als ein wenig unterbelichtet betrachteten.

Nein, Ausländern traute man damals nicht viel zu. So lange war es schließlich noch nicht her, dass das Empire untergegangen war; das Selbstbewusstsein der Nation war weitgehend intakt, und deshalb hingen Briten dem Glauben an, alles besser zu können als andere Völker: Sie führten Kriege besser (hatten sie den letzten nicht mehr oder minder im Alleingang gewonnen?). Sie waren sportlich spitze, vor allem im Fußball (der, ähem, Triumph von Wembley war vor gerade mal einem Jahrzehnt errungen worden). Gab es eine Sportart, in der Briten nicht reüssierten, so wurde sie kurzerhand zu einem Zeitvertreib erklärt, dem ohnehin kein Brite mit einem Rest von Selbstachtung nachgehen würde.

Gelegentlich konnte man zudem sportliche Betätigungen vorweisen, in denen Briten schon deshalb konkurrenzlos führend waren, weil es keine Konkurrenz gab. Baumstammwerfen in Schottland etwa, oder Rugby, Billard, Darts und Cricket.

Damals war in den Augen der Briten zudem alles, was Großbritannien produzierte, unbesehen besser als die Konkurrenz: Kleidung (altmodisch, aber haltbar), Autos (altmodisch und nicht haltbar) oder Atomkraftwerke (neumodisch und ohne Erfahrungswerte in puncto Haltbarkeit). Ich hörte mir das Eigenlob mit der anerzogenen Demut eines westdeutschen Nachkriegskindes an. Nur einmal muckte ich auf, als meine damaligen Mituntermieter Steve und Anne die himmlischen Genüsse einer Tafel Cadbury-Schokolade priesen. Wir Deutsche mochten zwar den Krieg verloren haben, aber wir waren mit Lindt, Milka und Suchard groß geworden. Als ich den beiden einen Knüppel Toblerone aus Deutschland mitbrachte, fraßen sie ihn im Handumdrehen weg. Sie sprachen erst wieder mit mir, nachdem ich ihnen gelobt hatte, dass Tobler eine Schweizer und keine deutsche Firma sei.

Obwohl London schon immer eine bunte, multiethnische Stadt war, fiel man als Nicht-Brite damals eher auf. Dafür sorgte allein schon ein Ausweis, den ausschließlich Ausländer mit sich führen mussten: die *Alien Registration Card.* Das erste der drei Wörter war mir damals unbekannt. Für mich waren Ausländer *foreigner* oder *strangers* – wobei ich damals schon bewunderte, dass man den Fremden mit dem zweiten Begriff ganz offen ins Gesicht sagte, dass man sie für ein wenig seltsam hielt. Als dann wenig später der erste Film der Science-Fiction-Reihe »Alien« in den Kinos anlief, wusste ich endlich, mit welchen Augen mich meine Nachbarn betrachteten.

Eine ganz besondere Herausforderung stellte der Haufen von Aliens in Bush House für die Kantinen-Crew der BBC dar. Deren Kochkünste beschränkten sich auf Shepherds Pie – eine britische Moussaka-Variante mit undefinierbaren Fleischstücken unter einem Kartoffelbreideckel –, die unvermeidlichen Fish and Chips, die ebenso unappetitlich wie passend Bangers and Mash genannten Würstchen mit Kartoffelpüree und – gleichsam als *piece de resistance* an Sonn- und Feiertagen – auf Roastbeef mit Yorkshire Pudding.

Manchmal wollten die BBC-Köche ihren fremdländischen Gästen mit Rezepten aus deren Heimat eine Freude machen. Doch so stark und lobenswert der gute Wille war, so schwach waren das Talent und mitunter die Verfügbarkeit der Zutaten. So kamen bemerkenswerte Pizzen auf der Grundlage von Biskuitteig zustande, Chow Mein, das frappant an Irish Stew erinnerte, in dem ein paar dünne Nudeln schwammen, und schwedische Fleischbälle, die man in Musketen laden und als tödliche Munition hätte abfeuern können. An einem denkwürdigen Tag beschloss die Küchenbrigade gleich zwei Nationalitäten auf einen Schlag mit einem Gericht zu ehren: Auf der Speisekarte stand Nazi Goering. Weder der indonesische noch der deutsche Dienst griffen zu.

England war in den siebziger Jahren in vieler Hinsicht ein anderes Land als heute: sparsamer und bescheidener, eher eintönig weiß anstatt multiethnisch bunt und ganz generell verzopfter und altmodischer auf eine Art, die Agatha Christie wiedererkannt hätte. Das fing schon bei der BBC an. Es war erst wenige Monate vor meinem ersten Auftritt vor dem Mikrofon gewesen, als man – fraglos gegen den hinhaltenden Widerstand von Traditionalisten – die Vorschrift abschaffte, dass Nachrichtensprecher unbedingt eine Krawatte tragen müssten. Nun sind manche Briten noch immer davon überzeugt, dass ein Mann erst dann respektabel wird, wenn er sich ein Stück Stoff um den Hals gebunden hat. Aber in einem Hörfunkstudio?

Als Begründung wurde angeführt, dass eine Stimme mit Krawatte würdiger, ja staatstragender klingen würde. Gepresster, hätte ich vermutet, je nachdem, wie eng der Knoten gebunden war. Aber immerhin sorgte sich die BBC damals noch um Intonation, Klang und Tonfall. Es wäre undenkbar gewesen, dass ein Sprecher anders als mit jenem Akzent gesprochen hätte, den man nicht von ungefähr BBC English nannte. Heute dagegen hört man quer durch alle Kanäle so viele regionale Dialekte, dass man mitunter meint, man sei mit einem Call-Center in Tipperary, auf den Shetland-Inseln oder in Mumbai verbunden.

Reality-TV gipfelte bei der BBC in der Weihnachtsansprache der Königin – und die war auch schon lange nicht mehr live. Die alte Tante – die BBC, nicht die Königin – wollte nichts dem Zufall überlassen. Außerdem wünschte die Queen das Weihnachtsfest auf dieselbe Weise zu verleben wie ihre Untertanen: Nach dem Genuss des Weihnachtstruthahns und des flambierten Christmas Pudding, hinabgespült mit großen Mengen diverser alkoholischer Getränke, zieht sich die Nation schwer atmend auf die Sofas vor den Fernsehapparaten zurück und wartet auf die Rede der Monarchin. Elizabeth, so fand man später heraus, sieht sich selber gern im TV, was bei einem Live-Auftritt ja schlecht möglich wäre. An diesem Weihnachtsritual hat sich in den vergangenen sechs Jahrzehnten nichts geändert – weder für die Untertanen noch für die Souveränin.

Acht

Das alles war also zu einer Zeit, als nach der Überzeugung von Julia noch Mammuts in sumpfigen Themse-Auen grasten. Anders ausgedrückt: Dreißig Jahre waren vergangen, und ich war mir lange Zeit nicht sicher, ob sich Stadt und Land nun eigentlich verändert hatten oder im Wesentlichen gleich geblieben waren. Es war wie mit einem alten Bekannten, den man nach vielen Jahren wiedertrifft. Zunächst erschrickt man, wenn man erkennt, welche Verwüstungen die Zeit an ihm angerichtet hat: Man hätte ihn kaum wiedererkannt und fragt sich insgeheim beklommen, ob man selbst auch so fürchterlich aussieht. Dann aber bemerkt man, dass er im Kern der irritierende Langeweiler geblieben ist, der er schon in der Schule war. Noch nicht mal neue Witze scheint er in den vergangenen Jahrzehnten gelernt zu haben. Nicht anders verhielt es sich mit London.

Gewiss, neue Gebäude waren hochgezogen worden, aber die Skyline mit ihren kunterbunt gemischten Baustilen wirkte noch immer wie ein unaufgeräumtes Wohnzimmer mit viel zu vielen Möbelstücken. Franzosen planen Städte, Briten lassen sie unkontrolliert wuchern. Mit Ausnahme einiger Portiers in Londoner Nobelhotels trug niemand mehr eine Melone auf dem

Kopf; die generelle Einstellung zu Mode und Kleidung freilich war noch immer von genialer Gleichgültigkeit geprägt. Franzosen putzen sich heraus, Briten bedecken Blößen.

Viel versprach ich mir von einer kulinarischen Revolution, die sich in den vergangenen Jahrzehnten in Britannien vollzogen haben sollte. Die ganze Welt hatte von britischen Celebrity Chefs wie Gordon Ramsay und Jamie Oliver gehört, Restaurantführer wie der Guide Michelin hatten erstmals britischen Restaurants Sterne verliehen, und die Öffnung des britischen Marktes für ausländische Lebensmittel sollte die Einheimischen auf den Geschmack für andere Leckereien als Fish and Chips oder Bangers and Mash – fette Würste mit Kartoffelbrei und Erbspüree – gebracht haben.

Damals in den siebziger Jahren war man, wie gesagt, meilenweit von kulinarischer Vielfalt entfernt. Zu den gastronomischen Höhepunkten Londoner Restaurants gehörten Schweinefleisch süßsauer oder Chicken Tikka Masala. Letzteres Gericht hatte den – für britische Geschmacksknospen und britische Nerven – unbestreitbaren Vorteil, dass es zwar indisch klang, mit Indien aber nichts zu tun hatte. Erfunden wurde es in den späten sechziger Jahren in Glasgow, als ein schottischer Gast, dem das vorgesetzte Originalgericht zu trocken war, nach einem Schuss Bratensoße verlangte.

Ähnlich genialen Begegnungen zweier Kulturen verdanken wir den deutschen Döner, den mittlerweile sogar Türken ihrem eigenen Produkt vorziehen, und das amerikanischste aller amerikanischen Gerichte. Nein, nicht den Hamburger, sondern die Pizza. In der

US-Version, die jeden Neapolitaner grün im Gesicht werden lässt (und es ist nicht der Neid), ruht auf einem schaumig-weichen, an Marshmallows gemahnenden Teigboden ein Belag, der sich aus möglichst vielen Zutaten zusammensetzt, die mitunter an das Ergebnis eines Streifzuges durch gesammelte Küchenabfälle erinnern.

In den siebziger Jahren erwiderten Witzbolde auf die Frage, wo man in London denn das nächste gute Restaurant finden könne, mit stoischem Gesichtsausdruck: »Die Autobahn entlang nach Dover, dann aufs Schiff, und wenn Sie erst einmal in Calais sind, ist es egal, wohin Sie gehen. Es schmeckt überall.«

Ganz so schlimm war es nicht, wie ich selbst feststellte, nachdem ich das Restaurant im Swiss House am Leicester Square entdeckt hatte. Für einen Preis, der in etwa meinem Wochenlohn entsprach, erhielt ich einen Teller Zürcher Geschnetzeltes, einen frischen Gurkensalat und ein Bier von der Größe einer Dose Red Bull. Vier Wochen hatte ich mich zu diesem Zeitpunkt bereits von einheimischen britischen Gerichten ernährt – doch jetzt quollen mir an dem kleinen Resopaltisch unter einem Wappen des Kantons Uri Tränen der Dankbarkeit und des Selbstmitleids in den Teller.

Außerdem gab es für heimwehkranke Deutsche das German Food Centre. Es lag im Edelviertel Knightsbridge, schräg gegenüber von Harrods und in der Nachbarschaft teurer Boutiquen. Wenn man ein paar Monate lang fleißig sparte, konnte man sich dort mit einem Päckchen Pumpernickel und einer kleinen Mettwurst verwöhnen. Mit ein wenig Glück reichte es sogar noch für ein Päckchen Quark und einen Riegel Milka-Schokolade.

Britische Freunde verfolgten derlei merkwürdige Verhaltensweisen mit einer Mischung aus Ekel und Nachsicht, so wie man letzten Endes auch Verständnis für einen Buschmann aufbringt, der Käfer und Engerlinge isst. Engländer wären zum Beispiel nie auf die Idee gekommen, beim Lebensmittelhändler nach Olivenöl zu fragen. Im günstigsten Fall wäre man von ihm auch an die nächste Apotheke verwiesen worden, im ungünstigsten Fall hätte er verstohlen unter dem Tresen den Knopf gedrückt, der die Polizei alarmierte.

Den genügsamen Briten reichte es auch vollständig, dass es Wein nur in zwei Varianten gab: weiß oder rot. Wer Rosé trinken wollte, stand sowieso im Verdacht, homosexuell oder irgendwie abartig zu sein. In jedem Fall konnte er sich sein Getränk selbst zubereiten, indem er Rot- und Weißwein mischte. Eine der beliebtesten Weinmarken kam angeblich aus Deutschland und hieß Blue Nun, weil eine vertrauenerweckende Nonne auf dem Etikett prangte. Ein einfaches Experiment, das sich mit wenig Zutaten in jedem Haus nachstellen lässt, gibt eine Vorstellung davon, wie dieser Wein schmeckte: Man nehme ein Glas Essig – vorzugsweise Weinessig, aber das ist keine Voraussetzung – und füge nach und nach so viel Zucker hinzu, bis sich beim Trinken die Gesichtsmuskeln nicht mehr reflexartig verziehen.

In mancher Hinsicht freilich hatten die Briten seit meinem letzten Aufenthalt geradezu evolutionsgeschichtliche Sprünge zurückgelegt. Ich kam aus dem Staunen nicht heraus, als ich sah, mit welcher Selbstverständlichkeit sie heute mehr Balsamico-Marken auseinanderschmecken können als einst Weine. Mit Olivenöl werden heute gelegentlich sogar Pommes frittiert, und Pubs, in denen es einst bestenfalls Erdnüsse, Kartoffelchips oder Sandwiches zu essen gab, beherbergen heute asiatische Restaurants. Meine Parkbekanntschaft Len freilich – zahnlos und europhob – steht dieser Entwicklung skeptisch gegenüber: Kokosreis oder Hähnchenspieß mit Saté-Soße hinter Butzenscheiben und Fachwerkfassaden sind nicht sein Ding. »Also ich kann mit diesem exotischen Fraß nichts anfangen«, nörgelte er einmal bei einem Spaziergang mit Chico und Bates. »Ich habe es lieber bodenständig britisch: Ein scharfes Curry oder eine Lasagne sind gut genug für mich.«

Vor dreißig Jahren waren Pubs noch nach Klassen unterteilt: Der Boden der Public Bar war mit Sägespänen ausgestreut, weil es als ausgemacht galt, dass die hier trinkenden Proleten ausspuckten und Bier verschütteten; nebenan in der Saloon Bar war Teppichboden verlegt, die Sitzmöbel waren sowohl plüschiger als auch bequemer, und das Publikum vermied es, über den gemeinsamen Tresen hinweg in auch noch so zufälligen Blickkontakt mit der Arbeiterklasse zu treten.

Im Rinnstein vor der Tür hockten Kinder, aus deren kurzen Hosen blaugefrorene Beine ragten. Sie knabberten an Chips herum und schlürften kalte Cola, während drinnen in der Kneipe Papa und Mama ebenfalls Kartoffelchips verputzten und warmes Bier in sich hineinschütteten. Heute ist das Bier gekühlt, doch Minderjährige haben noch immer nichts im Pub verloren. Ganz klar ist nicht, weshalb man sie nicht reinlässt: Will man sie vor schlechten Vorbildern trunkener Erwachsener bewahren, verpufft dieser fromme Wunsch spätestens zu dem Zeitpunkt, da ihre Eltern durch die Tür nach draußen torkeln. Und viele Jugendliche vertragen heutzutage ohnehin schon mehr als Vater und Mutter.

Trotz Jamie Oliver, Gordon Ramsay und Nigella Lawson, trotz Kochbuchschwemme und TV-Kochshows plagen mich Zweifel, wie sehr die kontinentaleuropäische Esskultur tatsächlich Einzug gehalten hat. Das beliebteste Gericht ist nach wie vor das Sandwich, dessen Verzehr sprachlich unlösbar an das englische Verb »to grab« gekettet ist: Man grabscht sich eine Stulle gleichsam im Vorbeigehen, und ohne Pause verdrückt man sie dann auch im Sturmlauf. Darin liegt bereits ihr entscheidender Vorteil, wie schon ihr Erfinder, der Earl of Sandwich, erkannte: Man braucht weder Besteck noch einen Tisch oder einen Stuhl, um sie zu essen. Alle Gerichte, die diese Voraussetzungen erfüllen, steigen ungekostet in der Wertschätzung der meisten Menschen im Vereinigten Königreich.

»Meine Frau und ich benutzen unseren Esstisch nur zu Weihnachten, wenn die Familie zum Truthahn zu Besuch kommt«, gestand mir Len einmal, ohne rot zu werden.

»Und wie esst ihr den Rest des Jahres? Ein Sandwich im Stehen?«

»Nein, wir setzen uns auf das Sofa vor den Fernseher. Ehrlich gesagt: Der Typ, der das Fertiggericht erfunden hat, dem sollten sie den Nobelpreis geben. Es geht schnell, ist reichhaltig, nicht teuer, und weil du nur eine Gabel zum Essen brauchst, hast du die zweite Hand frei für die Fernbedienung. Klasse!«

In meinem Gesicht musste sich wohl Unverständnis

widergespiegelt haben, denn Len schob ein Killer-Argument nach.

»Die Queen hält das genauso, kannst du mir glauben. Habe ich gelesen. Sie lässt sich schnell was in der Mikrowelle warm machen und isst es, während sie ›Eastenders‹ oder ›Coronation Street‹ guckt.« Er hatte recht. Aber er kannte nicht die ganze Wahrheit, die ich später erfuhr: Die Königin löffelt ihr Essen am liebsten aus einer Tupperware-Dose.

Nicht nur Len und die Queen scheinen in dieser Hinsicht landestypisch zu sein, sondern auch der Premierminister. Als US-Präsident George W. Bush London besuchte, lugte die Kochkorrespondentin der *Times*, Sarah Brown, der Frau des Premierministers in die Töpfe – und war voll des Lobes: »Das ist ein Menu, auf das wir stolz sein können«, jubelte die Zeitung. »Großartiges britisches Essen, einfach gekocht, und nicht irgendetwas geschmäcklerisch französisches oder italienisches, wie es derzeit so modern ist. Gut gemacht, Sarah Brown.«

Und was hatte die gute Sarah gekocht, im ersten Jahrzehnt des 21. Jahrhunderts? Grüne Erbsensuppe, Roast Beef mit Yorkshire Pudding, und zum Nachtisch Trifle – ein sehr englisches Dessert aus Gelee, gezuckerten Früchten und Vanillesoße. Die alten kulinarischen Instinkte, so scheint es, sind noch immer nicht abgestorben.

Ausgerechnet für Essen mehr Geld auszugeben, als unbedingt nötig ist, das ist in den Augen vieler Briten noch immer mehr als nur Verschwendung. Es gilt als dekadent, frivol, ja fast ein bisschen sündig – die letzte Form von Blasphemie in einem Land, in dem jeder Zweite nicht mehr an Gott glaubt. Suspekte Völker wie

Franzosen, Italiener oder Belgier mögen verschiedene Gerichte des Geschmackes und des Genusses wegen kosten. Ein Engländer nimmt Nahrung auf, so wie er sein Auto betankt. Hauptsache, der Motor läuft und es hat nicht mehr gekostet als notwendig.

In diese bodenständige britische Küche war ich von Mrs Morris eingeführt worden. Bei ihr lebte ich damals in den Swinging Seventies zur Untermiete. In ihrem schlichten Reihenhaus in Streatham im tiefen Süden Londons waren noch vier andere sogenannte Lodgers untergebracht. Paolo war aus Venedig und belegte schon den fünften Englischkurs. Über ein minimalistisches Grundvokabular war er nie hinausgekommen. Zu den gemeinsamen Abendessen erschien er mit den hängenden Schultern eines geprügelten Hundes, der neue Schläge erwartet. Es war ihm anzusehen, wie sehr er das Essen seiner Mamma vermisste.

Mehri aus Teheran verfolgte die Vorgänge um sich herum mit wunderschönen braunen, aber leider völlig verständnislosen Augen. Steve und Anne aus dem englischen Badeort Margate hatten die wenigsten Probleme mit dem Essen. Sie waren ein Paar mit festem Trautermin und durften deshalb auch in einem Zimmer schlafen, was anderen Mietern streng untersagt war, sofern sie unterschiedlichen Geschlechts waren. Ich teilte meine Bude mit Paolo, was meinen Italienischkenntnissen guttat.

Steve studierte Kunst und wollte Maler werden; Annes Studienrichtung kannte ich nicht, ich wusste nur, dass ich in sie verknallt war. Sie erinnerte mich an Diana Rigg, die mich in der Serie »Mit Schirm, Charme und Melone« umgeworfen hatte. Dass ein ähnliches

Wesen auch in der Realität existierte, ging fast über mein Fassungsvermögen. So himmelte ich sie aus der Ferne an.

Mr und Mrs Morris hatten seit Jahren schon Studenten und Sprachschüler aus aller Welt in ihrem verwinkelten Häuschen beherbergt – mit Vollpension und unschätzbaren sprachlichen Nachhilfen. Da ich auf eine bayrisch-humanistische Schulbildung mit Latein und Griechisch als erste Fremdsprachen zurückblicken konnte, war ich auf diese Unterstützung nachhaltig angewiesen.

Und rudimentär waren meine Englisch-Kenntnisse. Einmal peinigte mich während der gesamten Zugfahrt von Victoria Station bis nach Hause eine Frage. Wie heißt eigentlich das Wörtchen »neben« auf Englisch?

Ich war noch nicht ganz durch die Tür gekommen, da stoppte ich schon Mrs Morris, bevor sie in die Küche verschwinden konnte.

»Äh, excuse me. How you say ...«

»Yes, dear.«

Ich rollte mit den Augen und ruderte mit den Händen. Mrs Morris blieb gelassen. Diese Art der fuchtelnden Gestik war sie von Continentals gewöhnt.

»Misses Morris. See here: Ze ball is on ze table. Ja? Ze ball is ander ze table. Ja? And ze ball is ... vere now? Vere is ze ball now?«

»Yes, dear, where did you put the ball? I haven't seen it.«

Sie verstand mich erst, als ich selbst die geschilderten Positionen – auf, unter und neben – am Küchentisch einnahm.

»Oh, yes, I see: next to, we say next to the table.«

Falls ich jemals wirklich mit der Königin zusammentreffen sollte und ich fähig bin, mich mit ihr auf Englisch zu unterhalten, sollten wir beide eine Gedenkminute für Mrs Morris einlegen. Falls es Ehren gibt, welche die Queen postum verleiht, dann werde ich mich für meine alte Landlady einsetzen. Sie hätte einen Orden verdient.

Mister Morris war von ganz anderem Kaliber – allein schon vom Aussehen her. Sie war klein und kugelrund, er lang und spindeldürr. Sie hatte einen Kopf voll grauer Löckchen wie ein Karakul-Lamm; seine wenigen verbliebenen Strähnen klebten mit Brylcreme an einem kantigen Schädel. Ihr Lächeln erlosch nur dann, wenn sie ihr Magengeschwür zu sehr quälte, er rang sich nur dann ein Lächeln ab, wenn ihn die Arthritis einmal für wenige Augenblicke aus ihrem Zangengriff entließ. Sie hatten einen Sohn von vierzehn Jahren, und wir alle wunderten uns, ob Christopher auf dem üblichen Weg entstanden sein konnte. Denn die Vorstellung von fleischlicher Lust, die in jenen Jahren vor der Perfektionierung künstlicher Befruchtung unabdingbar für die Zeugung von Nachwuchs war, ließ sich mit den Morrises schlecht in Einklang bringen.

Mrs Morris war das, was man eine traditionelle Hausfrau nennen würde. Sie lebte im Wesentlichen in ihrer kleinen Küche, zu der zwei Stufen vom Esszimmer hinabführten. Durch diese Küche musste man auch, wenn man das Plumpsklo in Garten aufsuchen wollte. Nur das Badezimmer im ersten Stock verfügte über ein Klosett mit Wasserspülung. Die Morrises lagen damit im nationalen Trend. Als gute Briten betrachteten sie ihr Reihenhäuschen als ihre Burg, und nirgendwo wurde dies deutlicher als bei den mittelalterlichen sanitären Einrichtungen.

Einiges hat sich bis heute erhalten. Eine verhältnismäßig schlichte Erfindung wie die Mischbatterie etwa, die es erlaubt, in einem Wasserhahn kaltes und warmes Wasser zu mischen, hat sich in Britannien noch immer nicht richtig durchgesetzt. Will man sich die Hände unter fließendem Wasser waschen, muss man sie in schnellem Wechsel zwischen siedend heiß und klirrend kalt hin und her bewegen, was sicherlich Kur-Pfarrer Kneipp erfreut hätte. Weniger erfreulich ist, dass man sich bei dieser Übung unvermeidlich die Knöchel blutig stößt, weil die Wasserhähne nur millimeterweit in das Waschbecken hineinragen.

Briten können derlei Beschwerden nicht nachempfinden: Sie wussten schon immer, dass ein Verschwender ist, wer seine Hände unter fließendem Wasser wäscht – und waren damit ihrer Zeit umweltpolitisch um ein Jahrhundert voraus. Korrekt ist, das Becken volllaufen zu lassen und dann den Reinigungsprozess zu beginnen.

Dasselbe Prinzip gilt für die Ganzkörperwäsche. Wie Julia bereits in den USA von klatschmäuligen Freundinnen gehört hatte, meiden Briten Duschen und ziehen das Bad vor. Konkret führte dies schon bald zu Terminproblemen bei Verabredungen mit ihren Schulfreundinnen.

»Daisy kann nicht kommen, sie muss um sechs ihr Baaaad nehmen«, teilte unsere Tochter eines Tages mit, wobei sie das »a« sarkastisch in die Länge dehnte.

»Und bevor sie ihr Baaad nimmt, muss sie ihren Tee essen. Die spinnen, die Engländer: Die essen Tee. Wie machen sie das? Kauen sie Teebeutel?«

Tatsächlich ist Tee die Abkürzung für eine Mahlzeit, die in Deutschland unter der Bezeichnung *Five O'Clock Tea* läuft. Mit ihr wird die Hungerperiode zwischen Lunch und Dinner überbrückt. In manchen Familien ist dieser *tea* sakrosankt. Gegen das Argument, dass jemand jetzt nicht zu sprechen sei, weil er gerade seinen Tee zu sich nimmt, sind keine Einwände möglich.

Auch das Badezimmer der Morrises hatte selbstverständlich keine Dusche. Im Fensterrahmen fehlte eine Scheibe – wie es der Gesetzgeber vorschrieb. Denn das Badewasser wurde mit einem Gasboiler erhitzt, dessen Stichflamme ja jederzeit erlöschen könnte. Deshalb musste allzeit für Frischluftzufuhr gesorgt werden, damit der Badende nicht elend am Gas erstickte. Sommers wie winters umspielte daher stets eine frische Brise den nackten Körper. An dieser Stelle sollte man vielleicht erwähnen, dass Rheuma und Arthritis Volkskrankheiten im Königreich waren.

Gegen das Duschen sprach noch ein weiterer Umstand, den ich später bei einer Freundin kennenlernen sollte. Sie lebte in der obersten Etage eines einst hochherrschaftlichen Hauses, also dort, wo früher das Personal untergebracht war. Aus dieser Zeit stammten auch die unförmigen Strom- und Gaszähler an den Wänden, die allerdings einen zusätzlichen Zweck erfüllten: Wer Wert auf Licht, Wärme und warmes Wasser legte, der musste diesen Zähler zunächst mit Münzen füttern. Da sich dieses Gerät im Hause meiner Freundin im Keller befand, wurde eine Dusche um ein Element des Abenteuers bereichert. Ich weiß nicht mehr, wie oft ich eingeseift, schamhaft und nur notdürftig mit einem dünnen Handtuch verhüllt, fluchend und die Hand voll Münzen drei Stockwerke hinabrannte, um den Zähler zu füttern, weil ohne Vorwarnung ein eisiger Strahl aus dem Duschkopf gespritzt war.

Ein wenig außergewöhnlich waren auch die Schlafarrangements bei Familie Morris: Ein Bett besaßen nur der Vater und Sohn Christopher; Mrs Morris verbrachte die Nächte aufrecht sitzend in einem Schaukelstuhl. Es hätte nur noch eine Schrotflinte quer über ihren Knien gefehlt, um das Bild von der wacheschiebenden Granny irgendwo draußen im Wilden Westen perfekt zu machen. Geflüsterte Nachfragen bei Christopher bestätigten: Auch er hatte seine Mutter nie in einem Bett gesehen.

Erstaunlicher noch war, dass sie nichts aß. Nachdem sie die dampfenden Teller aufgetragen hatte, setzte sie sich auf ihren Platz, stützte den Ellbogen auf den Tisch und betrachtete wohlgefällig, wie ihre Leute zulangten. Dazu trank sie Tee. Eigentlich trank sie immer Tee, den lieben langen Tag lang. Ich fragte mich, wie sie mit dieser Diät überleben konnte, bis ich sie einmal am Herd ertappte, wie sie sich einen Bissen aus dem Kochtopf fischte und in den Mund schob. Sie lief tiefrot an, als ob ich sie bei einem Versuch überrascht hätte, ein Geschwisterkind für ihren Christopher auf den Weg zu bringen.

Traditionell war auch Mrs Morris' Frühstück: Gleich nach dem Aufstehen musste ich einen Würgereiz unterdrücken, wenn die Küchengerüche die Treppe hoch und unter meiner Tür durchgekrochen waren. Eier und Speck gingen ja noch, aber Mrs Morris schien Bücklinge zu bevorzugen, womöglich, weil sie billiger waren. Allein: Gebratener Fisch im Morgengrauen ist nicht jedermanns Sache, ebenso wie ein Topf Porridge, der von Konsistenz, Geschmack und den Folgen für das Verdauungssystem her frappant an Moltofill erinnerte. Neben Schinkenspeck und Fisch häufte sie mitunter eine glibberige, orangefarbige Masse auf den Teller, die entfernt an den Auswurf eines Außerirdischen erinnerte. Diese *baked beans*, so versicherte sie mir, seien gut für die Nerven. Zum Glück für mein Nervenkostüm nahm Mrs Morris wenigstens Abstand von kühneren Frühstückszutaten wie Blutwurst, die auf Englisch unter dem offensichtlich bewusst irreführenden Namen *black pudding* firmiert. Auch von Schweinenierchen und Würstchen nahm sie Abstand. In letzterem Fall war schon nach dem ersten Bissen klar, dass sie nicht von einem Metzger, sondern von einem Bäcker hergestellt worden sein mussten, der zuvor den Boden der Backstube ausgefegt und den Inhalt des Kehrblechs zur Anreicherung der Wurstmasse verwendet hatte.

Ich verstehe bis heute nicht, weshalb das englische Frühstück als Beitrag zum kulinarischen Weltkulturerbe gilt. Ist diese Kampagne etwa von Kardiologen lanciert worden, die auf Provisionsbasis arbeiten? Die Masse an Kohlehydraten und ungesättigten Fetten auf dem Frühstücksteller würden einen Elefanten fällen. Aber noch immer gilt ein *Full English* als machtvoller Start in den Tag, als eine Art Raketentreibstoff, mit dem man gleichsam die Schwerkraft überwinden kann. Was ich nicht ganz verstehe, denn nach einem ausgiebigen englischen Frühstück gewinnt bei mir immer die Schwerkraft. Ich kann mich kaum aus dem Stuhl erheben.

Auf bizarre Weise ist dieses Frühstück ja die morgendliche Perversion einer kompletten Mahlzeit mit drei Gängen: Suppe – in Gestalt von *Cornflakes*, *Rice*

Crispies oder *Frosties*; ein Hauptgericht mit Fleisch oder Fisch sowie Beilagen – angeschmurgelte Tomaten, Pilze und mitunter Kartoffeln; und beendet von einem zuckersüßen Nachtisch – Toast mit Marmelade. Ein Hotel in Belfast ging noch einen Schritt weiter. Neben dem Porridge-Topf stand einladend eine Flasche Whisky. Sie war bis auf eine Neige leer; die Haferbreiesser an den Tischen fielen durch verklärtes Lächeln auf.

»Das sollte dich bis zum Abend satt halten«, gab mir Mrs Morris jeden Morgen mütterlich besorgt mit auf den Weg, wenn ich, aufgebläht und Küchendünste ausströmend, zur Bahn wankte. Sie hatte recht: Sodbrennen und Völlegefühl waren rechtzeitig zum Abendessen wieder abgeklungen.

Zum Dinner tischte sie nicht weniger reichlich auf – es musste ja vorhalten bis zum nächsten Morgen. Immer gab es Fleisch. Man konnte gut auseinanderhalten, was man aß, weil jeder Sorte eine eigene Soße zugeteilt war. Dass zu Roastbeef Meerrettich gehörte, konnte ich als Kontinentaleuropäer ja noch nachvollziehen; Apfelsoße zu Schweinekoteletts indes oder Pfefferminzgelee zum Lamm empfand ich doch als gewöhnungsbedürftig. Unverändert waren auch die Beilagen: Yorkshire Pudding und Gemüse.

Bei Yorkshire Pudding hatte ich mich zunächst auf eine Leckerei aus der Rezeptküche von Doktor Oetker gefreut – selbst als Beilage zu Lammkoteletts. Überrascht hätte es mich nicht, Vanillesoße anstelle von Kartoffelbrei vorzufinden. Als ich die Puddings dann zum ersten Mal auf dem Teller sah, stocherte ich ein wenig skeptisch in ihnen herum. Nach dem ersten Bissen erschloss sich mir, dass diese ganz schlicht aus Mehl und Wasser geformten Klößchen in Wahrheit symbolhaft für die ganze britische Küche stehen: Sie sind im Wesentlichen frei von Geschmack – verleiten also nicht zur Sünde der Völlerei. Sie kosten so gut wie nichts in der Herstellung – befriedigen also puritanisch sparsame Grundprinzipien. Und sie sättigen – erfüllen also die Grundvoraussetzung der britischen Küche.

»Sie sind dazu da, weil man mit ihnen die Bratensoße so gut aufsaugen kann«, erklärte mir Mrs Morris. »Sonst würde sie ja auf dem Teller zurückbleiben. Welche Verschwendung. Und sie füllen den Magen, so dass man nicht so viel Fleisch braucht.«

Besonderes Augenmerk richtete Mrs Morris auf die Zubereitung von Erbsen, Bohnen oder Karotten. Immer wieder lüpfte sie den Topfdeckel und kontrollierte, ob sich irgendwo noch ein Funken vitaminreichen Lebens regte. In diesem Fall setzte sie den Deckel wieder drauf. Ganz offensichtlich wurde sie von der Sorge getrieben, dass Gemüse Typhus oder Cholera hervorrufen würde, wenn man die Erreger nicht ausgiebig in siedendem Wasser abtötete.

Solche Sorgen plagten sie freilich nicht bei der Auswahl der Getränke für das Abendessen: literweise Leitungswasser, gefolgt von Töpfen voller Tee.

Ein Ding des Teufels waren auch Gewürze, einmal abgesehen von Salz. Auf jedem britischen Esstisch – daheim und im Restaurant – nahm das Salzfass einen Ehrenplatz ein. Noch vor dem ersten Bissen bestreuten alle ihre Teller ausführlich. Sie wussten, dass sie kein Risiko eingingen, das Essen zu versalzen. Besonders wagemutige Feinschmecker konnten außerdem noch auf eine Würzmischung mit dem präzisen Namen Allspice zurückgreifen. Die passte zu Fisch- und Fleischgerichten ebenso wie zu Vanillepudding.

Die Abende in der Pretoria Road folgten einem in Erz gegossenen Muster: *The same procedure as last night, Mrs Morris? The same procedure as every night, dear.*

Sobald der Tisch abgeräumt war – um 18 Uhr 25, und Mrs Morris war durchaus imstande, Langsam-Essern mit einem vorwurfsvollen »Sorry!« den Teller unter dem Mund wegzuziehen – schlurfte Mister Morris mühsam zu einem Sitzmöbel, das den irreführenden Namen *easy chair* trug: Weder war es *easy*, sich in den Sessel hinabzulassen, viel schwieriger noch, sich daraus zu erheben.

Ziemlich genau um 18 Uhr 29 köpfte er die erste von zwei Flaschen Double Diamond Beer, die er allabendlich zu sich nahm, und wurde redselig. Leider hatte er nichts zu erzählen: Er war Rentner, verbrachte die Tage vor dem Fernsehen und hatte keine Interessen. Auch sein Berufsleben war nicht sehr spritzig gewesen: Er hatte die Bücher einer Firma geführt, die Briefpapier und Umschläge herstellte.

Immerhin war er wenigstens im Krieg gewesen. Doch zum Leidwesen seiner Zuhörer wurde er nicht gerade an der aufregendsten Front eingesetzt: Er gehörte zu jenem britischen Expeditionscorps, das Island besetzte. Dort oben im Nordatlantik, buchstäblich weitab vom Schuss, blieb er bis zu seiner Ausmusterung.

Geschichtsbücher haben wenig über diese Phase isländischer Geschichte zu berichten. Dasselbe traf auch auf Mr Morris zu, nur dass er sich im Gegensatz zu Historikern nicht in Schweigen hüllte, sondern Reminiszenzen aus seiner Wehrzeit zum Besten gab. Präzise um 19 Uhr 30 griff er sich die zweite Flasche Double Diamond, setzte den Flaschenöffner an den Hals und schnappte den Kronkorken mit so viel Verve ab, dass er quer durchs Zimmer flog. Befriedigt, die Aufmerksamkeit aller Anwesenden auf sich gezogen zu haben, räusperte er sich, rückte die Brille auf der spitzen Nase zurecht und begann:

»Als ich im Krieg in Island war ...«

Spätestens zu diesem Zeitpunkt verdrückte sich Christopher ins Hinterzimmer, und Mrs Morris' Augen wurden von jenem glasigen Schimmer überzogen, der andeutete, dass sie sich in ihre eigene Welt zurückzog, in der es keine Ehemänner, Untermieter oder Yorkshire Pudding gab.

Mehri, Paolo und ich wären am liebsten auch anderswo gewesen – von mir aus auch in Island –, aber Mr Morris fixierte uns derart fest durch sein Kassengestell, dass an Ausbüchsen nicht zu denken war.

Die meisten seiner Geschichten drehten sich um Wachdienste, die er tage- und nächtelang auf dem Flughafen von Keflavik schob.

»Ich trat also um neunzehn Uhr fünfzehn zum Wachdienst an. Zu jeder vollen Stunde musste ich Meldung machen über besondere Vorkommnisse. Um Mitternacht braute ich mir eine Tasse Tee, und morgens um sieben Uhr dreißig wurde ich abgelöst.«

»Gab es denn besondere Vorkommnisse während Ihrer Wache?«, wagte einer von uns zu fragen. Mrs Morris hob für einen Augenblick erwartungsvoll die Augenlider, nur um sie wieder herunterfallen zu lassen, bevor ihr Mann antwortete.

»Und ob es die gab. Ich weiß noch, wie Sergeant Bryers einmal schon um fünf zur Ablösung kam. Stellen Sie sich vor, er hatte nicht richtig auf die Uhr gesehen und geglaubt, dass er schon zu spät dran sei. Ja, ja, der Krieg.«

Berührung mit dem Feind hatte Mr Morris nur einmal, als deutsche U-Boote den Nachschub und damit die regelmäßige Versorgung mit Spam unterbrachen. Hier muss man wissen, dass Spam zu Mr Morris' Zeiten nicht auf Computerbildschirmen landete, sondern auf Brotscheiben. In Deutschland nennt man dieses Spam Dosen- oder Frühstücksfleisch. Man könnte fast meinen, dass die westlichen Alliierten den Krieg nicht so sehr deshalb für sich entschieden, weil amerikanische Fabriken im Akkord Flugzeuge, Panzer und Maschinengewehre ausspuckten, sondern weil eine Firma in Minnesota Millionen von Schweinen einpökelte und in Dosen abpackte.

Mr Morris jedenfalls geriet noch immer aus dem Häuschen, wenn er sich an die Entbehrungen erinnerte, welche die deutsche U-Boot-Waffe ihm damals auferlegte.

»Das müssen Sie sich mal ausmalen: Sechs Wochen lang gab es kein Spam. Wenn heute immer von Kriegsverbrechen geredet wird, ist das eines, das verschwiegen wurde.«

Wir drei jungen Ausländer äußerten Bestürzung – jedenfalls beim ersten Mal, als wir die Erzählung hörten.

»Also mussten Sie und Ihre Kameraden wochenlang hungern?«, erkundigten wir uns besorgt.

»Schlimmer. Viel schlimmer. Wir mussten Fisch essen, nichts als Fisch. Die Isländer essen ja nur Fisch. Und dieser Fisch war noch nicht mal englisch!«

Auf die erzwungene sechswöchige Fischdiät in Island war es unter Umständen zurückzuführen, dass es im Haus der Morrises mit Ausnahme der gelegentlichen Frühstücksbücklinge nie Fisch gab.

Und noch etwas hatte Mr Morris in jenen langen Nächten im eisigen Nordatlantik so bewegt, dass er es noch immer bemerkens- und im Schnitt dreimal in der Woche auch berichtenswert fand: In Island waren die Tage im Winter deutlich kürzer als in England.

»Manchmal haben wir überhaupt keine Sonne gesehen, tagelang nicht.«

Dann schüttelte er nachdenklich den Kopf, und bevor ihm langsam die Augen zufielen, murmelte er:

»Unglaublich, was man alles erlebt in Übersee.«

Neun

Wieso war ich eigentlich nie im Garten der Familie Morris gewesen? Das war ein echtes Versäumnis, dachte ich mir, während ich mich verwundert umblickte. Er war schmal, aber dafür so unglaublich lang, dass man den Zaun hinten beim Bahndamm wie durch das verkehrte Ende eines Teleskops sah. Ich kniff die Augen zusammen: Dieser Garten war ein Schlaraffenland für einen gastronomisch ausgehungerten Germanen. Merkwürdige Pflanzen wuchsen hier: Sträucher, von deren Zweigen Nürnberger Rostbratwürste baumelten – so lang und dick wie ein kleiner Finger, knusprig braun und aromatischen Duft verströmend. Darüber wölbte sich die Krone eines Baumes: Vollreife Kartoffelklöße zogen die Äste so tief herunter, dass ich die Früchte bequem mit ausgestreckter Hand pflücken konnte. Doch jedes Mal, wenn ich einen Knödel berührte, explodierte er mit einem leisen, ploppenden Geräusch.

Erschreckt blickte ich an mir herab, um zu sehen, wie schlimm ich mich bekleckert hatte. Ich stellte fest, dass ich eine knöchellange Grillschürze trug und um die Hüften eine Art von Pistolenhalfter geschlungen hatte. Dort, wo normalerweise der Colt saß, ragten allerlei Bratenzangen und ein Fleischthermometer heraus. Offensichtlich erwartete man von mir ein Barbecue. Mr und Mrs Morris saßen tatsächlich erwartungsvoll an den Kopfenden eines Tapeziertisches, der die ganze Länge des schlauchförmigen Gartens einnahm. Mrs Morris war so weit entfernt, dass ich sie nur schemenhaft wahrnahm. Ab und zu winkte sie würdevoll über den Gartenzaun, hinter dem sich die Nachbarn versammelt hatten und neugierig zu uns herüberstarrten.

Zuerst dachte ich, dass sie gekommen waren, um mir, dem Deutschen, beim Grillen zuzusehen. Gut, da können sie was lernen, dachte ich und versuchte, ein paar von Fett triefende Exemplare vom Wurststrauch zu pflücken. Sie waren aber wie verschweißt mit dem Gezweig. Sosehr ich auch zog, riss und an ihnen drehte, sie lösten sich nicht. Mr Morris und seine Frau rutschten ungeduldig auf ihren Stühlen hin und her, und unter den Nachbarn hinter dem Zaun erhob sich Gemurmel. Es schien jedoch nicht mir zu gelten, sondern dem Inhalt einer Hängematte in jenen grellen psychedelischen Farben, wie man sie in den siebziger Jahren überall antraf. Irgendjemand oder irgendetwas war in der Matte eingewickelt, so dass sie wie eine unförmige bunte Wurst zwischen zwei Bäumen hing. Die Nachbarn zeigten mit dem Finger auf die Hängematte und tuschelten aufgeregt miteinander.

Zum Teufel mit den Würsten, dachte ich und riss mit aller Kraft. Die Nachbarn lachten höhnisch. Statt einer Wurst hielt ich nur eine schlaffe Pelle in der Hand. Zugleich bemerkte ich aus dem Augenwinkel, wie sich die Hängematte langsam entrollte. Nach und nach schälte sich eine Frau heraus, die mir irgendwie bekannt vorkam, obwohl ich sie hier in der kleinbürgerlichen Pretoria Road noch nie gesehen hatte.

Auch das Diadem auf ihrem grauen Lockenkopf schien im Garten der Morrises irgendwie fehl am Platze zu sein. In der Rechten hielt die Frau einen langen Schaschlikspieß, mit dem sie mich nun zu sich winkte. Ich deutete fragend mit dem Finger auf mich. Als sie nickte, ging ich zu ihr hinüber und sank wie selbstverständlich vor ihr auf die Knie.

Mir ging noch der Gedanke durch den Kopf, ob ich mich vielleicht in einen Hundehaufen gekniet hätte, da spürte ich schon, wie der Fleischspieß auf mich niederging. Er berührte erst die eine, dann die andere Schulter, und eine Stimme sagte: »Erheben Sie sich, Sir Burger.« Dann brach Elizabeth II. in keckerndes Gelächter aus.

Das Lachen schien kein Ende nehmen zu wollen, und es klang mir so vertraut, als ob ich es jeden Tag hören würde. Ich schlug die Augen auf. Natürlich kannte ich das Geräusch. Es war der Wecker, der inzwischen im Snooze-Modus verstummt war, um mir noch fünf Minuten Ruhe zu gewähren.

Draußen war es noch dunkel, und ich hatte nicht die geringste Lust aufzustehen. Ich überlegte, ob ich den Wecker zu mir herüberziehen und vollständig abschalten sollte, bevor er wieder loslegte. Das war jeden Morgen ein Risiko, denn ich wusste, dass Chico neben der Bettkante hockte und mich unverwandt anstarrte. Ich musste nur einen Muskel regen, und er würde sich aufführen, als ob er gerade Zeuge eines Lazarus-Ereignisses geworden wäre. Dann würde er um jeden Preis verhindern, dass ich wieder einschlief. Chico ist bekennender Anhänger der Philosophie, dass der Schlaf der kleine Bruder des Todes ist. Wer wach ist, der ist dem Tod wieder einmal von der Schippe gesprungen, findet er. Außerdem kann er sich – sobald er einmal wach ist – nicht selbst beschäftigen, ganz zu schweigen davon, dass er dann stante pede frühstücken und dringend im Garten sein Geschäft erledigen möchte.

Millimeterweise zog ich die Hand unter der Decke hervor und linste auf die Armbanduhr: Viertel vor sechs – eine perfide Zeit. Ich lag still und ließ mir den Traum durch den Kopf gehen, bevor er verschwand. Schon ein bisschen kurios, die Würstchensträucher und die Knödelbäume. Aber immerhin: Ich hatte von der Königin geträumt, was zweierlei bedeuten konnte. Entweder war ich schon so von meinem Plan, sie zu treffen, besessen, dass er mich nun auch noch in den Schlaf verfolgte. Oder ich hatte mich bereits mehr als erwartet meinem Gastland angenähert. Irgendwo hatte ich gelesen, dass jeder Brite irgendwann von der Königin träumt. Nicht nur ein- oder zweimal erscheint sie ihnen – im Schlaf versteht sich, nicht zur Geisterstunde; diese Träume ziehen sich durchs ganze Leben. Ich hatte aber noch nicht gehört, dass die Queen sie mit einem Kebabspieß zum Ritter schlug. Im Allgemeinen trinken die Träumer Tee mit ihr.

Weiß Gott, wie solche Umfragen zustande kommen. Ich meine, was fragt man die Leute? »Wann haben Sie zuletzt von der Königin geträumt?« Oder eher nach Träumen im Allgemeinen, worauf es aus den Britinnen und Briten nur so heraussprudelt: »Erst gestern wieder hatte ich Tee mit der Queen. Nicht in echt, versteht sich, aber im Schlaf. Es war *lovely*, sie ist ja so reizend und überhaupt nicht überheblich, also ganz bodenständig. Nur der Tee hätte ein wenig stärker sein können.« Aber erstaunlicherweise sind diese im Alltag so zugeknöpften Briten offenbar bereit, ihr innerstes Seelenleben bloßzulegen, wenn sie von einem wildfremden Menschen mit Klemmbrett und Kugelschreiber interviewt werden. Jeder dritte, um ein anderes Beispiel zu nennen, hält sich für paranoid und gibt dies auch offen zu – nicht ohne vorher ängstlich über die Schulter geblickt zu haben, vermute ich.

Ich schwang die Beine über die Bettkante, schob mit Mühe Chicos Kopf zur Seite, der seine Schnauze in meinem Schritt vergraben hatte, und tappte die Treppe hinunter. Das Frühstück musste warten. Mittwochs verschiebe ich Toast und Kaffee auf einen späteren Zeitpunkt. Letzten Endes geschieht dies aus Tierliebe. Denn mittwochs ist Reitstunde, und Fern, die Stute, die sie meist für mich bereitstellen, sieht mich jedes Mal mit derart vor Schreck geweiteten Augen an, wenn sie herangeführt wird, als ob sie in heller Panik davonpreschen wollte.

Zugegeben, ich hatte sowieso ein wenig mit dem Gewicht gemogelt, als sie mich bei der Anmeldung danach fragten. Aber auch Fern erinnert nicht unbedingt an jene Pferde, die Rennen gewinnen. Wenn ich ungalant wäre, was ich an einem frühen, grauen und kalten Morgen bin, würde ich sagen, dass ich mir Fern eher vor einem Bierwagen vorstellen kann als auf dem Rennparcours. Deshalb soll sie sich auch nicht so haben, wenn sie mich sieht. Wir sind füreinander geschaffen.

Ich hätte es nie für möglich gehalten, dass ich mich einmal auf einen Pferderücken schwingen würde. Begonnen hatte alles, als Julia in der Nebenstraße den Reitstall entdeckte. Es fing harmlos an, mit gelegentlichen Besuchen sowie mit Streicheleinheiten und Zuckerwürfeln für die Pferde. Aber schon bald kristallisierte sich heraus, dass sie reiten lernen wollte.

Ich gebe zu, dass ich den Wunsch unterstützte. Sie war noch nicht einmal das erste Mal aufs Pferd geklettert, da sah ich als stolzer Vater sie schon vor meinem geistigen Auge, wie sie bei den Olympischen Spielen 2016 aufs Siegertreppchen steigt und eine Goldmedaille im Springreiten bekommt. Ich hätte es besser wissen müssen: Schon früher hatte ich Phantasien von meiner Tochter als international bejubelter Violinistin, als Gitarre spielendem Weltstar nach Art einer Joan Baez, als zweiter Steffi Graf oder wenigstens als erster weiblicher Basketball-Legende ebenso schnell begraben müssen, wie Julia das Interesse an diesen Zeitvertreiben verlor. Immerhin besitzen wir inzwischen genügend Instrumente und Sportutensilien, um ein kleineres Orchester auszustatten oder einen Zehnkampf zu veranstalten.

Zu dieser Sammlung gesellten sich nun ihre Stiefel, Reithosen und ein Helm, als sie mir verkündete, dass a) ihr Reitlehrer zu streng und b) Pferde für ihren Geschmack viel zu hoch seien.

Das war der Zeitpunkt, als ich selbst Stunden nahm: Sieh mal her, hieß das, wenn dein alter Vater reitet, muss das doch cool sein. Natürlich erreichte ich damit nur das Gegenteil.

Um ehrlich zu sein, hatte ich auch einen Hintergedanken, der mit »Operation Queen« zu tun hatte. Schließlich ist bekannt, dass die Königin ihr Leben lang so gut wie alles praktiziert hat, was man mit Pferden tun kann: auf ihnen sitzen, auf sie wetten, sie züchten. Ein wenig Pferdeverstand würde mir also nicht schaden. Eine kleine Fachdebatte über die Vorzüge von Arbeitstrab gegenüber Mitteltrab beispielsweise würde über peinliche Pausen in der Konversation hinweghelfen, so sie sich auftun sollten.

Katja hatte dem Unternehmen Reitstunden von Anfang an skeptisch gegenübergestanden.

»Pferde sind an beiden Enden gefährlich und in der Mitte unbequem«, stellte sie fest. »Sie beißen, sie schlagen aus, und wenn du auf ihnen sitzt, holst du dir einen wunden Hintern oder einen Muskelkater.« Zu meiner ersten Stunde verabschiedete sie mich mit den Worten »Hals- und Beinbruch«. Aus ihrem Munde klang es eher wie eine freundliche Ermunterung.

Ich glaube, ich habe schon erwähnt, dass Frauen, insbesondere Ehefrauen, außergewöhnlich scharfsinnig und weitsichtig sind, wobei Letzteres nicht im Sinne von Dioptrien verstanden werden soll. Stecken gleich mehrere Frauen die Köpfe zusammen, um etwas auszuhecken, geraten Männer in helle Panik. Sie wissen: Es kann nur etwas Vernünftiges dabei herauskommen. Reitstunden, so viel kann ich im Rückblick sagen, sind nicht vernünftig, wenigstens nicht jenseits eines gewissen Alters.

Es war noch immer dunkel, als ich zum Reitstall hinüberging, aber selbst zu dieser Stunde begegnete mir bereits der erste Reitersmann auf dem Weg vom Stall in den Park für einen morgendlichen Ausritt. Wann stehen diese Leute bloß auf? Die können doch nicht alle hypernervöse Hunde haben?

Mir gefällt es, wenn das Klappern von Hufen auf dem Asphalt die Morgenstille durchbricht. Das verleiht jeder Nachbarschaft etwas Edles, Herrschaftliches. Man hört gleichsam, wie die Jagdgesellschaft sich bei Tagesanbruch versammelt, Pferde schnauben, Grüße werden ausgetauscht, Hunde bellen, der Morgennebel lichtet sich, Hörner schallen, und dann setzt sich der Trupp in Bewegung. So ähnlich klingt es bei uns jeden Morgen. Nur ohne Jagdhörner.

Die Gegend, in der wir wohnen, ist in der Tat recht nobel. Es ist kein Wunder, dass es hier einen Reitstall gibt. Ein paar Häuser weiter steht eine Villa, in der man Tschechows »Kirschgarten« spielen lassen könnte. Tatsächlich werden hier immer wieder mal Filme gedreht, einmal sogar mit Renée Zellweger. Da sie sich aber weigerte, Julia ein Autogramm zu geben, boykottiert unsere Familie seither ihre Filme.

Gegenüber erhebt sich eine Zeile von Häusern, die für Offiziere gebaut worden waren, die aus dem Krimkrieg heimkehrten, und ganz unten versteckt sich hinter hohen Mauern ein Herrenhaus, in dem einst der Fotograf Eadweard Muybridge lebte. Abgesehen davon, dass seine Eltern ein enges Verhältnis zum Buchstaben »a« gehabt haben mussten, gelangte er später zu Ruhm. Denn seine Fotos von galoppierenden Pferden entschlüsselten das erste Mal den Bewegungsablauf dieser Tiere. Zuvor hatte man nicht gewusst, dass Pferde beim Galopp in der Luft schweben, weil zeitweilig kein einziges Bein den Boden berührt. Man fragt sich, wie er das – 1878 – angestellt hat mit einer Kamera ohne Schnellauslöser oder Motor. Mir verleiht das Wissen, dass die alte Fern unter mir grundsätzlich wie ein fliegender Yogi abheben könnte, stets einen zusätzlichen Kick.

Geht man von uns aus die Straße hoch, kommt man zum Nob Hill, zum Bonzenhügel, wo fette Landhäuser im Queen-Anne-Stil (Briten geben ihrer Architektur gerne die Namen verstorbener Monarchen) rings um einen Golfplatz hocken wie Geier um ein Stück Aas.

Britische Städte zerfallen nicht in streng voneinander getrennte Gettos. Arm und Reich sind gut durchmischt, und deshalb hören wir nicht nur das Klappern von Pferdehufen auf dem Asphalt, sondern auch das Klirren von Glas in den Abendstunden. Es kommt aus der Richtung der Sozialwohnungsblocks: In einem knappen Dutzend hässlicher, gelblich weißer Betonwürfel ballen sich Alkohol-, Drogen- und Kriminalitätsprobleme. *Sink estate* nennt man solche Wohnsiedlungen, angeblich, weil, wer dort lebt, nicht mehr tiefer sinken kann.

Megan lebt dort. Sie betreibt den kleinen Zeitungsladen an der Ecke und ist daher insofern eine Rarität, als sie die letzte Engländerin im Land sein dürfte, die diese Tätigkeit ausübt. Denn das Business der Newsagents befindet sich fest in der Hand von Indern und Pakistanis, was für Zuverlässigkeit, Service und Warenangebot Wunder bewirkt hat. Ich habe Megan nie irgendwo anders gesehen als hinter ihrem Tresen. Noch nicht einmal ihr kläffender Terrier Fiona scheint ein Bedürfnis nach der Straße zu verspüren. Beide leben nach dem Prinzip, dass es besser – und vor allem weniger anstrengend – ist, die Welt zu sich kommen zu lassen, als sie selbst irgendwo draußen zu suchen. Megan kennt jeden, weiß alles und redet gern – was sie zu einem unverzichtbaren Bestandteil meiner Fokusgruppe macht, mit deren Hilfe ich den Puls der britischen Gesellschaft zu fühlen versuche.

Als Erstes spult sie immer den aktuellen Polizeibericht aus der engsten Nachbarschaft ab. »Gestern Nacht waren die Bullen wieder da, fünf Kerle haben sie hoppgenommen, genau unter meinem Fenster. Die hatten ihre Messer gecheckt und waren drauf und dran, jemanden abzustechen«, berichtete sie das letzte Mal. »Habe alles wunderbar sehen können.« Sie zog ein Handy aus der Trainingshose. »Und im Bild habe ich es auch. Die Polizei braucht ja Beweise.«

»Sag mal, hast du keine Angst, diese Typen zu verpfeifen? Ich meine, du lebst ja auch dort. Was hindert die daran, dir aufzulauern und ein Messer zwischen die Rippen zu rammen?«

»Nö, sie wissen ja nicht sicher, dass ich es bin. Ich rufe die Bullen doch anonym an.«

Sie tippte sich mit dem Finger an die Stirn.

»Ich bin doch nicht völlig vom Hocker gefallen. Außerdem habe ich ein Herz: Letztes Weihnachten habe ich einen Typen gesehen, wie er ein Päckchen Crack verkauft hat. Und? Habe ich ihn verraten? Doch nicht am Weihnachtstag. Ich hab die Polizei erst am nächsten Tag angerufen. Man kann den Jungs doch nicht Weihnachten verderben.«

Ein Herz von Gold hat Megan, und ein Herz auch für die Königin. Daheim auf ihrer Anrichte stehen, wie sie mir einmal verriet, Teetassen zum Andenken an jedes royale Ereignis der letzten fünf Jahrzehnte: von der Krönung der Queen bis zur Hochzeit von Charles und Camilla. Die Krönungstasse wird nur zu Weihnachten herausgeholt, aus der zweiten säuft Fiona. Megan kann Camilla nicht leiden, und Fiona schätzt als reinrassig britische Hundedame English Breakfast Tea.

Fröstelnd vertrat ich mir im Hof des Reitstalls die Beine. Meine ausgebeulte Trainingshose schützte nicht gegen die Kälte, und der geborgte Helm saß mir wie jedes Mal zu eng auf dem Kopf. An den Gummistiefeln klebte noch der Dreck vom letzten Parkspaziergang, und rasiert war ich auch noch nicht. Man konnte es der Frau, die neben mir auf ihr Pferd wartete, nicht übelnehmen, wenn sie mich ansah wie einen Stallburschen, der Maulaffen feilbot anstatt die Ställe auszumisten. Jung war sie nicht, aber dafür das, was man formidabel nennt: knapp einen Kopf größer als ich, grobknochig und mit einem Gebiss, das wie für einen Reitstall geschaffen schien. Eine Mischung aus Margaret Thatcher ohne deren weiblichen Charme und einer mit Anabolika vollgepumpten Miss Marple. Die Unbekannte trug eine grünlich braune Tweedjacke mit Lederflecken auf den Ellbogen. Ihre Reithosen umspannten Schenkel und Hinterteil so knapp wie eine Wurstpelle, und ihre Stiefel waren so blank, dass sich Strohballen und Pferdehufe darin hätten widerspiegeln können, wenn die Sonne geschienen hätte.

Obwohl ich in meinem Outfit vor Scham in den umliegenden Pferdeäpfeln hätte versinken können, wünschte ich ihr einen guten Morgen.

Sie fuhr herum, als ob ich ihr mit einer Reitgerte einen Streich übergezogen hätte.

»What«, blaffte sie mich an.

»Good morning, lovely day today«, wiederholte ich ein wenig lauter.

Sie musterte mich streng.

»Wo kommen Sie denn her?«

Es war gut, dass unsere Pferde noch nicht in Hörweite waren, anderenfalls wären sie in Panik geraten. Viele Engländerinnen sind mit einer Falsettstimme gesegnet, die Glas zerspringen lässt. Auch meine Gesprächspartnerin klang, als ob man einer Katze auf den Schwanz getreten wäre. In ihren Worten schwang zudem jene Mischung aus Erstaunen und Abscheu mit, zu der nur Angehörige der britischen Oberklasse fähig sind. Das Erstaunen ist dabei prinzipiell gegen die eigene Person gerichtet und bedeutet übersetzt: Warum lasse ich mich eigentlich dazu herab, mit dir zu reden?

»Ich bin aus Deutschland.«

»Oh, na, das ist in Ordnung.«

»Wie bitte?«

»Es sind all diese Polen, die ich nicht ertragen kann.«

»Aha, ich verstehe. Aber was, bitte schön, stimmt denn nicht mit den Polen?«

»Es gibt einfach zu viele davon, nicht wahr. Und sie sind alle hier.«

Ich wurde vor einer Fortsetzung des Gespräches durch die Ankunft ihrer Stute bewahrt. Mit beneidenswerter Leichtigkeit, gemessen an ihrem Körperumfang, schwang sich die Polen-Feindin in den Sattel und trabte davon, was mir die Gelegenheit gab, vergleichende Studien menschlicher und equestrischer Anatomie anzustellen.

Ich fragte Cilla, meine Reitlehrerin, wer die Dame war. Sie drückte die Nasenspitze mit dem Zeigefinger nach oben und lachte.

»Ein bisschen hochnäsig, was? Das ist Felicity Smythe-Stockington. Lebt oben auf dem Bonzenhügel. Mehr Geld als Verstand. Ihr Mann war Lord-Richter, und glaube mir, der hat dieselben Ansichten wie seine Frau. Aber tief drinnen ist sie herzensgut. Sie mag Pferde.« Cilla genügte das für ein abschließendes Urteil über ihren Charakter.

Mir schauderte bei dem Gedanken an die armen Sünder, die vor Richter Smythe-Stockington auf der Anklagebank saßen und die moralischen Belehrungen seiner Lordschaft über sich ergehen lassen mussten, bevor er sie ins Gefängnis schickte. Ich hätte jedenfalls kein Pole sein wollen, dessen Fall vor ihm verhandelt wird.

Wer in England Felicity heißt, arbeitet entweder in einem Transvestiten-Club oder gehört zur Oberklasse. Streng genommen gibt es ja keine Klassen mehr im Vereinigten Königreich. Wenn man sich umhört, erfährt man, dass sie spätestens abgeschafft wurden, als New Labour unter Tony Blair 1997 die Macht eroberte und alle Gegensätze in einer einzigen großen Spaßparty ertränkte. Blair, so sagt man, führte die Sozialisten so weit in die politische Mitte, dass die Konservative Partei bald so aussah, als ob sie ihre Arbeits- und Sozialpolitik bei Kaiser Nero abgeschrieben hätte.

Andere sehen in Margaret Thatcher die Totengräberin der Klassengesellschaft, weil sie jedermann die Möglichkeit eröffnete, sich zu bereichern. Was zählte, war das Scheckbuch – und nicht der Stammbaum. Oder war es doch die vorhergehende Labour-Regierung, welche Klassengegensätze wegfeilte, als sie den Gewerkschaften gestattete, mit Dauerstreiks gleiches Elend für alle zu schaffen?

Manche würden sogar so weit gehen, dass schon der Vorfall von Runnymede im Jahre 1215 das Ende der Klassengesellschaft einleitete. Damals zitierte eine Bande von Hochadligen König John auf ein Inselchen in der Themse und zwang ihn zur Unterschrift unter die Magna Charta. Mit diesem Schriftstück dankte er zwar nicht ab, aber mit Gottesgnadentum und Absolutheitsanspruch der Krone war es fortan vorbei.

»Ja, geschieht ihm recht«, werden die Barone sich gegenseitig schulterklopfend versichert haben, als sie das Pergament zusammenrollten und heim auf ihre Burgen ritten, um ihre Bauern weiter auszubeuten und zu unterdrücken. »König John ist viel zu überheblich geworden, Zeit, ihn aufs rechte Maß zurechtzustutzen, bevor er uns geknechtete proletarische Barone noch weiter piesackt.«

»Ganz richtig. Gut gesprochen, Lord Percival. Aber ich glaube doch, dass wir uns die Sache mit dem Recht der ersten Nacht schriftlich hätten geben lassen sollen. Ihr wisst schon: Alle, die mehr als zweihundert Stück Vieh und mehr als dreihundert Bauern besitzen, haben ein verbrieftes Zugriffsrecht. Auch bei Schafen.«

»Klassen? Gibt es die überhaupt noch?«, fragte ich Cilla deshalb ein wenig verwundert. »Du weißt ja: Blair und New Labour, Thatcher und die Streiks, die Magna Charta.«

»Ja, ja, und Oliver Cromwell hat den König geköpft, diese Argumente kenne ich.«

Cilla machte eine wegwerfende Handbewegung.

»Aber es ist nur die Mittelklasse, die diese Argumente vorträgt. Kein Arbeiter und kein Adliger mit einem Rest von Selbstachtung würde verleugnen, dass wir in dieser Gesellschaft alle brav in unseren jeweiligen Schubladen sitzen.«

Wenn Cilla nicht gerade versucht, übergewichtigen Männern mittleren Alters beizubringen, wie man ein Pferd startet, wendet und abbremst, studiert sie Philosophie und Englische Literatur in Oxford. Es ist eine Familientradition: Vater und Großvater waren auch schon dort. Cilla hat einen älteren Bruder, und der wird einmal den adeligen Titel der Familie erben.

Es dauerte mehrere Reitstunden, bevor ich dies alles herausgefunden hatte, denn Briten der alten Schule finden jede Form des Selbstlobes als angeberisch krass und degoutant. Erwähnt ein Gesprächspartner, dass er Kenntnisse in Erster Hilfe hat, kann man davon ausgehen, mit einem Spitzenchirurgen zu sprechen.

»Die Mittelklasse erkennst du leicht an ihren Haltungsschäden«, griff Cilla den Faden wieder auf. »Ein Auge haben sie starr auf den Abgrund Unterklasse gerichtet, immer in nackter Panik, dass ein Fehltritt ausreicht, um sie dorthin abrutschen zu lassen. Und zugleich katzbuckeln und schielen sie nach oben, in der Hoffnung, dass sie einmal aufsteigen können in die Oberklasse.«

Ein mokantes Lächeln huschte über ihre Lippen.

»Keine Chance, dass das passiert. Weder das eine, noch das andere. Denn keine Klasse will die Mittelklasse haben. Die ist wirklich komisch.«

»Willst du etwa sagen, dass Arbeiter- und Oberklasse einander ähnlich sind?«

»Genau. Hör dir doch nur mal an, wie sie sprechen. Echte Arbeiter verschlucken die Vokale, die Snobs verschlucken die Konsonanten, und keiner formuliert einen vollständigen Satz. Wenn Prinz Charles spricht, meinst du, dass er einen Sprachfehler hat, weil er so stottert. Gehört alles zur Inszenierung. Der Unterschied ist nur: Die Unterklasse kennt die Grammatik wirklich nicht, die Oberklasse will nur nicht mit ihren Grammatikkenntnissen angeben. Das tut nur die Mittelklasse. Die spricht Englisch so, wie ihr Ausländer es in der Schule lernt. Grauenvoll.«

Eigentlich hätte ich schon lange zu Hause sein müssen, aber dieses Gespräch versprach spannend zu werden.

»Du kannst ganz einfach erkennen, auf welchem gesellschaftlichen Level einer sitzt«, fuhr Cilla fort. »Sprich die Leute so leise an, dass sie dich nicht genau verstehen. Und dann warte ab.«

»Auf was?«

»Den Mittelklässler erkennst du sofort daran, dass er sich umdreht und fragt: ›Pardon?‹ Jemand aus der Unterklasse wird die Augenbrauen hochziehen und ein kurzes ›Oi‹ ausstoßen. Und einer mit Oberklassenherkunft wird dich anfahren mit einem ›Was? Ich verstehe kein Wort.‹«

»Das ist aber sehr grob und unhöflich.«

»Vielleicht unhöflich, aber dafür höfisch. Die Königin würde nie ein Pardon über die Lippen bringen, eher schon ein Oi. Du musst verstehen, als das Bürgertum anfing, ein paar Brocken des Französischen aufzuschnappen, das bei Hofe gesprochen wurde, konnte man dort gewisse Wörter nicht mehr in den Mund nehmen, die aus dem Französischen kamen.«

»Zum Beispiel?«

»Toilette zum Beispiel. Wer dich nach der Toilette fragt, hat vielleicht ein Bedürfnis, aber keinen Stil. Vor ein paar Jahren mussten meine Eltern unser Haus im Sommer für zahlende Gäste öffnen – die Steuer hätte uns sonst aufgefressen. Und mein Vater und meine Mutter sind sich doch tatsächlich darüber in die Haare geraten, wie sie die entsprechenden Einrichtungen für die Besucher beschriften sollten. Daddy war ganz strikt: Das Wort *toilet* wollte er in seinem Haus nicht dulden. Das senke den Wert, behauptete er allen Ernstes. Er bestand auf *lavatory*, aber Mummy hielt dagegen, dass die Mittelklasse das wahrscheinlich nicht verstehen und deshalb in die Blumenbeete pinkeln würde.«

»Und wie ist der Streit ausgegangen?«

»Sie haben sich auf *washroom* geeinigt. Ist zwar ein Amerikanismus, aber besser als Toilette. Und da wir schon beim Thema sind: Falls du jemals in ein Herrenhaus zum Essen eingeladen wirst ...« Cilla hielt kurz inne, musterte mich und überlegte, ob ein solches Ereignis wahrscheinlich sei. »Also, mal rein theoretisch angenommen, du bist in einem Manor House zum Dinner, dann sprich nie von der Serviette, wenn du nicht gleich unten durch sein willst.«

»Aber eine Serviette ist eine Serviette, auch auf Deutsch.«

»Nein, wenn du dazugehören willst, dann ist es ein *napkin*. Und wenn wir schon beim Essen sind: Frage nie, wirklich nie, nach einem Dessert. Das ist auch so ein Frenchie-Ausdruck. Unakzeptabel. Es heißt Pudding – auch wenn es ein Fruchtsalat ist.«

»Gut zu wissen«, sagte ich und dachte mit Grauen daran, wie oft ich in der Vergangenheit knietief in Fettnäpfchen getreten sein musste. Ich hatte mir sogar mühsam den Unterschied in der Aussprache zwischen *desert*, der Wüste, und *dessert*, dem Nachtisch, antrainiert. *Pudding* wäre einfacher gewesen.

»Kennst du den Unterschied zwischen Engländern und Franzosen?«, fragte Cilla, während sie mich zum Ausgang begleitete.

Ich schüttelte den Kopf.

»Die Franzosen wollen niemanden über sich haben. Die Engländer wollen jemanden unter sich haben. Der

Franzose blickt dauernd ängstlich nach oben, der Engländer blickt mit Genugtuung nach unten.«

»Super, ist dir das gerade eingefallen?«

»Nein, leider nicht von mir. Alexis de Tocqueville. Aber er hatte recht: Engländer stört es nicht, zu jemandem aufschauen zu müssen, solange sie zugleich jemanden haben, auf den sie herabblicken können. Das hat vielleicht auch mit unserer Bequemlichkeit zu tun. Die Amerikaner kennen den Ausdruck ›sich abrackern, dass es einem genauso gutgeht wie den Jones von nebenan‹. Für uns ist das viel zu anstrengend. Es ist viel einfacher zu akzeptieren, dass es einen Earl of Jones gibt, dem es halt bessergeht.«

Mit der Stiefelspitze kickte Cilla einen Pferdeapfel zur Seite.

»Warum, glaubst du, leisten wir uns noch immer eine Monarchie und ein Oberhaus mit Lords und Ladys?«, fragte sie mich. Ich hob ratlos die Hände in die Höhe.

»Ganz einfach: Weil wir Briten nichts dagegen haben, wenn man auf uns herunterpinkelt – vorausgesetzt, der Strahl kommt aus genügend großer Höhe.«

Tief in Gedanken versunken, humpelte ich nach Hause. Als ich in unseren Hof einbog, sah ich Euan, unseren allzeit trendigen, börsenmakelnden Nachbarn, schon von weitem, wie er sich anscheinend tief über die Motorhaube seines Range Rovers beugte. Das konnte eigentlich nicht sein, denn er verstand von Automotoren genauso wenig wie ich. Bei näherem Hinsehen erkannte ich, dass er seine brandneue Jogging-Kluft trug und den Kotflügel für Dehnübungen nutzte. Die Nikes an seinen Füßen sahen aus, als ob sie von dem legendären italienischen Automobil-Designer Pininfarina entworfen worden wären und einen versteckten Düsenantrieb in der Ferse hätten. Obwohl es noch immer empfindlich frisch war, trug Euan kurze Hosen und ein T-Shirt. Damit verhielt er sich nur landestypisch. Briten kleiden sich nie warm. Dies ist der Punkt, der das Land in Katjas Augen geradezu jugendgefährdend werden lässt. Kinder und Teenager hassen es, von warmen Kleidern eingezwängt zu sein, Russen aber packen ihren Nachwuchs in möglichst viele Schichten Stoff und Fell, selbst wenn die Sonne scheint und leichtsinnige Westeuropäer die Shorts aus dem Schrank ziehen. Dass Julia in London jeden Tag leichtbekleidete Erwachsene auf der Straße sieht, hält sie für ein verwerflich schlechtes Beispiel.

De facto aber haben die Bewohner dieser Inseln nur das imitiert, was der Kohlweißling im Ruhrpott oder das Chamäleon auf dem Schottenrock tun: Sie haben sich an ihre Umwelt angepasst. An manchen Tagen wechselt das Wetter derart rapide von Regen zu schneidendem Wind zu warmem Sonnenschein und dann wieder zurück zu Schauern, dass es nur eine Wahl gibt. Entweder schleppt man einen Koffer voller Mäntel, Pullover, T-Shirts, Mützen und Regenhauben mit sich herum, oder man härtet sich ab und trägt bei jeder Witterung dasselbe. Die zweite Variante ist praktischer und nicht zuletzt auch billiger.

Zum hellen Entsetzen meiner Frau werden schon Kinder mit vollem Wissen und Billigung ihrer Erziehungsberechtigten entsprechend gestählt. Die Uniformen der wenigsten Schulen beispielsweise schließen einen warmen Wintermantel oder auch nur einen Trenchcoat gegen Regen mit ein. Wer aber schon als

Schüler auch bei Minusgraden nur mit Blazer, Bluse und Popelinhose losgeschickt wurde, der braucht auch als Erwachsener selten mehr als einen Anzug oder ein Kostüm.

So vertieft war Euan in seine Streck- und Dehnübungen, dass er mich nicht kommen hörte. »Na, Euan«, sagte ich – bewusst halblaut, damit er mich nicht verstehen konnte. Mal sehen, ob Cilla recht hatte. »Gewinnen wir den Kampf gegen die Wampe?«, fragte ich, noch ein wenig leiser.

Stöhnend richtete er sich auf und sah mich an.

»Pardon?«

Wieder eine Frage beantwortet. Die Klasse ist offensichtlich wirklich keine Frage des Einkommens oder des Vermögens. Es geht doch nichts über angewandtes Wissen.

»Heute will ich rund um den ganzen Park joggen«, verkündete Euan. Stolz streckte er mir den linken Arm entgegen. Dort, wo normalerweise seine Rolex Yachtmaster II saß, prangte ein quadratischer Bildschirm annähernd von der Größe einer Tafel Ritter Sport. Ich kannte Euan und seine kindliche Begeisterung für jegliches neue technische Spielzeug. Mit ihm als Nachbarn konnte man sich die Lektüre von »How To Spend It« ersparen. Diese Beilage der *Financial Times* ist die Bibel aller Besserverdiener und gibt ihnen detaillierte Tipps, wofür sie ihr Geld ausgeben können.

Euan scheint der Publikation im Allgemeinen um ein, zwei Wochen zuvorzukommen: Wenn die *Financial Times* darüber schreibt, hat er es schon wieder abgelegt. Schon vor Wochen war ein edelstählernes Monstrum mit dem Namen Vario Cooling 400 Series angeliefert worden: eine Kreuzung aus Kühlschrank und Humidor, in dem sowohl Rot- als auch Weißweine so gelagert werden können, dass Temperatur, Luftfeuchtigkeit, Barometerstand und Lichtverhältnisse perfekt passen. Auch von dem maßgeschneiderten Stockschirm, den Euan mir letzte Woche an einem ungewöhnlich trockenen Tag stolz präsentierte, hatte ich noch nirgendwo gehört. Offensichtlich wird er aus demselben Stoff gefertigt wie der Maßanzug, den man dazu trägt. Der Griff ist aus gebeizter irischer Esche.

»Misst das Ding den Blutdruck?«, riet ich. »Oder ist das eine neue Uhr? Wo ist deine Rolex?«

»Keine Uhr, viel besser. Das ist das kleinste Satellitennavigationssystem, das auf dem Markt ist.«

»Toll. Und wozu ist es gut?«

»Ideal für Forscher. Du bist in der Arktis unterwegs, in der Sahara oder mit einer Yacht mitten im Atlantik, und du willst wissen, wo du bist – hey, presto! Keine unhandlichen Geräte, du bist immer mit einem Satelliten verbunden. Hier, schau!«

Euan drückte sachte einen Knopf, und der Bildschirm erwachte zum Leben. Klar waren unsere Straße zu erkennen, der Parkeingang und die Wege in Richmond Park.

»Nicht schlecht«, gab ich zu. »Da kannst du dich im Park wenigstens nicht verlaufen.«

Er lachte verlegen, nickte verkniffen und trabte los. Bevor er nach rechts abbog, warf er einen prüfenden Blick auf sein GPS.

Zehn

Zu Hause war die Stimmung fiebrig. Katja lief nervös zwischen Garten und Küche hin und her und war bereits bei ihrer fünften Zigarette. In einer halben Stunde hatte sie ihre Fahrstunde, und Autofahren machte sie grundsätzlich nervös, ganz zu schweigen von Brian, ihrem Fahrlehrer. Als er zum ersten Mal vor der Tür stand, glaubten wir beide, dass er nicht mit einem Opel Corsa, sondern mit einer Zeitmaschine angereist war, die er in den frühen siebziger Jahren bestiegen hatte. Koteletten, die von seinen ungewaschenen Haaren hinunter bis zum Kieferansatz krochen, rahmten sein rundes Gesicht ein. Im rechten Winkel dazu spross ein buschiger Schnurrbart zwischen Oberlippe und fleischiger Nase. Von weitem und ohne Brille sah er aus wie ein Einfahrt-verboten-Schild.

Seine Jeans und die speckige Lederjacke waren ihm zu eng, aber offenbar lieb und teuer; er schien keine anderen Kleidungsstücke zu besitzen. In der Hand hielt er eine Kladde, auf der ein dicker, nikotingelber Zeigefinger eine Liste hinabrutschte:

»Ketcha? Oi, Ketcha!« Aus Brians Mund klang Katjas Name wie »getcha« – »ich krieg dich schon«, und auch dies ließ die Sympathien meiner Ehefrau für ihren Fahrlehrer nicht unbedingt wachsen. »Okay, Darling, lass uns loslegen, wollen wir?«

Katja war ein Schauer über den Rücken gelaufen, und mit Schaudern sah sie fortan jeder neuen Stunde entgegen. Brian gehörte einer alten pädagogischen Schule an und glaubte nicht an Erfolg durch Aufmunterung. Er war stattdessen überzeugt, dass gerade bei weiblichen Schülern eine Mischung aus Sarkasmus und plumper Anmache zum gewünschten Erfolg führen würde. Denn Brian hielt sich zu allem Überfluss für unwiderstehlich, vor allem wenn er, die brennende Rothmans in der rechten Hand und den linken Ellbogen auf den Fensterrahmen gelehnt, die Richtung vorgab: »Rechts habe ich gesagt, Darling, rechts. Ich weiß ja, dass meine Anwesenheit Frauen verwirrt, aber zwischen rechts und links solltest du schon noch unterscheiden können.«

Es war abzusehen, dass der Fahrunterricht jederzeit abgebrochen werden konnte, was bedauerlich war. Denn grundsätzlich steht Katja Kraftfahrzeugen positiv gegenüber; sie hält sie allerdings technisch für nicht restlos ausgereift. Im Prinzip, so sagt sie, hätten sie sich nicht verändert, seit der alte Herr Benz vor mehr als hundert Jahren mit seiner neumodischen Vorrichtung die Hühner auf schwäbischen Landstraßen erschreckte.

Sie hat die Hoffnung noch nicht vollständig aufgegeben, dass zu ihren Lebzeiten ferngesteuerte Automobile auf den Markt kommen. Entsprechende Veröffentlichungen in der Presse verfolgt sie mit gesteigerter Aufmerksamkeit. Bis es so weit ist, begnügt sie sich mit der halbautomatischen Lösung: mit mir.

Im Prinzip kann sie fahren, und sie hat auch einen

Führerschein. Sie braucht nur etwas mehr Platz für sich und für ihr Automobil. Am wohlsten würde sie sich auf der Landebahn des Spaceshuttles fühlen, vorausgesetzt, die Piste wurde zuvor von allen anderen Verkehrsteilnehmern, einschließlich der Raumfähre, geräumt.

In Amerika traute sie sich denn auch zu fahren. Nicht, dass die NASA ihr die Landebahn zur Verfügung gestellt hätte; aber die meisten Straßen in den Staaten haben ohnehin ähnliche Ausmaße.

Vom englischen Straßennetz kann man das nicht sagen, und bei unseren ersten Ausfahrten stieß sie regelmäßig kleine spitze Schreie aus, wenn Radfahrer, Doppeldeckerbusse oder auch nur Hauswände unangenehm nahe an der Beifahrerseite vorbeihuschten.

Ich muss ja zugeben, dass auch mir die Verkehrsadern anfangs reichlich verstopft vorkamen. Wir hatten recht schnell ein Auto gekauft. Zum einen, weil Julias Schule ziemlich weit entfernt war, zum anderen, weil wir es aus Amerika gewohnt waren, dass erst ein Auto eine Familie komplett machte. Sehr schnell schloss ich dann Freundschaft mit dem Inhaber einer Lackiererei in der Nachbarschaft, der mich alsbald zu seinem besten Kunden hätte küren können. Mein Wagen, so schien es, war zu breit und geriet häufig in engen Kontakt mit Baumaschinen, gusseisernen Müllbehältern und Schuttcontainern.

Anfangs hatten wir uns zudem über die Radkappen gewundert, die überall im Rinnstein lagen und von vorbeifahrenden Autos aufgewirbelt wurden wie zerquetschte Frisbees. Das war, bevor mir in der Queens Road ein Bus entgegenkam, dessen Fahrer offensichtlich erst vor kurzem aus Litauen zugewandert war und der kurzzeitig vergessen hatte, auf welcher Straßenseite er sich halten sollte. Jedenfalls schien es, als ob er mir mittig entgegendonnern würde, und als ich mich so weit wie möglich an den linken Rinnsteinrand schmiegte, hörte ich ein kratzendes, kreischendes Geräusch, gefolgt von einem Scheppern. Anschließend erfuhr ich von Sonderangeboten für Radkappen: fünf für den Preis eines Vierer-Satzes. Der Händler empfahl mir nachdrücklich, zuzugreifen.

Dass man in Großbritannien auf der, wie sie es ausdrückte, falschen Seite fuhr, empfand Katja als zusätzlichen und rein persönlichen Affront. Welche Seite falsch und welche richtig ist, das kann man freilich von zwei Seiten sehen. Mein Kumpel Len jedenfalls hatte mir kürzlich auseinandergesetzt, dass selbstverständlich wir auf dem Kontinent auf der falschen Seite Auto fahren.

»Ist doch logisch, dass man links fahren muss, wenn das Lenkrad rechts ist«, stellte er fest und schüttelte den Kopf ob so viel europäischer Begriffsstutzigkeit.

Ich gab zu bedenken, dass man mit der Straßenseite auch die Position des Steuers wechseln könnte, ja, dass die meisten europäischen Staaten diesen kühnen Schritt schon vor längerem vollzogen hätten.

»Blödsinn. Jedes vernünftige Land fährt links: wir, Irland, Indien, Pakistan, Südafrika, Zypern.«

»Logisch, das sind alles eure Kolonien. Ihr habt sie gezwungen.«

»Und was ist mit Japan?! Ihr seid es, die gezwungen worden sind. Von den Franzosen, wie üblich.«

Dass die Franzosen den Rechtsverkehr eingeführt haben sollten, war mir neu.

»Boney ist schuld«, schnappte er.

»Boney? Boney M?«

Ich kenne Leute, die Frank Farian noch heute nicht für »Brown Girl In The Ring« und »Hakuna Matata« vergeben haben. Aber der Rechtsverkehr? Wir fuhren doch schon auf der rechten Seite, bevor es seine Popgruppe gab.

»Boney, wie in Bonaparte«, erklärte Len geduldig, als er mein ausdrucksloses Gesicht sah. »Napoleon ist an allem schuld, aber das wusstest du ja schon.«

So wie Len es erklärte, fuhren in friedlichen vornapoleonischen Zeiten alle Menschen auf der Welt mit ihren Kutschen, Karren und Karossen einheitlich und ohne Streit auf der linken Straßenseite. Streng genommen fuhren sie in Wirklichkeit in der Mitte der Straße, und wenn sich zwei Wagen begegneten, entbrannte sehr schnell ein Streit, wer Vorfahrt hatte. Also im Prinzip nicht viel anders als an Straßenkreuzungen ohne klare Beschilderung.

Genau solche Streitigkeiten aber waren es, welche Napoleon – so logisch und *avec de raison,* wie es nur ein Franzose sein kann – den Seitenwechsel dekretieren ließen. Denn er bemerkte, dass zwei rechtshändige Kutscher bei diesen Gelegenheiten häufig mit ihren Peitschen aufeinander eindroschen, wenn sie sich begegneten.

»Nur deshalb fahrt ihr drüben auf dem Kontinent auf der falschen Seite«, schloss Len zufrieden seine Erzählung. »Weil man eure zänkischen Kutscher trennen musste.«

»Aber das war doch eigentlich eine gute Idee«, wandte ich ein. »Jetzt müssen schon zwei linkshändige Kutscher aufeinandertreffen, damit es Zoff geben kann. Die Wahrscheinlichkeit dafür ist gering.«

»Na ja, vielleicht bei euch heißspornigen Continentals. Wir sind höflich, zurückhaltend, wohlerzogen. Vorbildhafte Fahrer. Uns braucht man nicht zu trennen.«

Ein wenig von dieser Abgeklärtheit hätte sicher auch Katja gutgetan, die immer nervöser zwischen Küche und Haustür hin und her tigerte. »Vergiss nicht, mit Julia zum Arzt zu gehen«, rief sie mir zu, bevor sie mit quietschenden Reifen vom Hof fuhr. Aus dem Beifahrerfenster ragte Brians fleischige Hand mit einer brennenden Zigarette.

Wir hatten es immer hinausgeschoben, uns beim zuständigen Arzt anzumelden. Dass wir schneller ein Auto vor der Tür hatten, als eine der in England obligatorischen Gesundheitskarten zu beantragen, deutete entweder auf eine spezielle Prioritätensetzung hin oder auf eine robuste Gesundheit. Doch als Julias Schule einen allgemeinen Gesundheitscheck verlangte, ließ sich der Schritt nicht länger hinauszögern, Bekanntschaft mit dem britischen Gesundheitssystem zu machen.

Seit meinen Tagen bei Familie Morris haben die Briten von vielen liebgewonnenen Vorstellungen von ihrer eigenen Überlegenheit Abschied genommen: Anzüge sind mittlerweile nicht mehr nur aus schwerem Tweed geschneidert, sondern mitunter aus körperschmeichelnden italienischen Seidenstoffen; ihre Autos kaufen Briten, die es sich leisten können, in Deutschland (genau genommen bleibt ihnen sowieso keine Wahl, da vornehmlich Deutsche alle britischen Autofirmen aufgekauft haben). Und was Atomkraftwerke betrifft, so lassen sie sich hier klugerweise vom alten Erzfeind auf der gegenüberliegenden Seite des Kanals beraten. Franzosen versorgen die Insel ohnehin mit Elektrizität, und niemand fragt mehr, welche Nationalität der Strom hat.

Eine Errungenschaft freilich gibt es, die Briten nicht nur gegen jede Kritik verteidigen, sondern die sie für eine Sternstunde der Zivilisation halten, für die womöglich größte Errungenschaft der Weltgeschichte, Brot in Scheiben eingeschlossen: den staatlichen Gesundheitsdienst, kurz NHS genannt.

Glaubt man den rührseligen Erzählungen, dann ist der NHS eine wohltätig-barmherzige Einrichtung, neben der Mutter Teresa und ihr karitativer Orden zu einer Bande kaltherziger Halsabschneider pervertiert.

»Egal was Ihnen fehlt, Sie werden kostenlos behandelt – ob es ein Schnupfen ist oder eine Herztransplantation. Man geht ins Krankenhaus, lässt sich operieren und spaziert wieder hinaus, und niemand fragt nach der Kreditkartennummer oder einem Scheck. Nicht wie in Amerika, wo du krepierst, wenn du arm bist.«

Peter, der Blockwart und passionierte Briefschreiber in unserem Hof, wurde richtig animiert, als er mir die Vorzüge des NHS anpries. Ich hatte ihn eigentlich nur gefragt, ob er mir einen praktischen Arzt in der Nachbarschaft empfehlen könne. Stattdessen erhielt ich einen historisch-politischen Abriss britischer Gesundheitspolitik des vergangenen halben Jahrhunderts. Was Peter freilich zu erwähnen vergaß: Mitunter bringt man aus dem staatlichen Krankenhaus als Souvenir besonders resistente Bakterien und Krankheiten mit, die einen umgehend wieder in die Klinik zurückkatapultieren. Der sogenannte *superbug* gedeiht besonders gut, wo nicht geputzt wird.

Daran musste ich denken, als wir das Wartezimmer

von Doktor Mylecharaine betraten. Der Teppichboden war mit Flecken von interessanter Farbe gesprenkelt, und als ich mir den Stuhl heranzog, blieben die Finger an der Sitzfläche kleben. Als ob man das Wachstum der Bakterienkulturen beschleunigen wollte, war das Zimmer auf Labortemperatur geheizt. Jeder freie Stuhl war besetzt, Patienten lehnten an den Wänden oder hatten sich auf dem Boden niedergelassen. Es roch süßsäuerlich nach Schweiß, ungelüfteten Kleidungsstücken und Desinfektionsmittel.

»Meine Freundin Sakiko hat mir erzählt, dass Japaner eine Atemmaske tragen, wenn sie nicht genau wissen, ob Gift in der Luft ist«, sagte Julia.

Sie ist ein aufmerksames Mädchen. Ich wünschte nur, dass sie wenigstens mit mir deutsch sprechen würde und nicht immer sofort und überall englisch. Es würde schon reichen, wenn sie leiser reden würde. Sie selbst bemerkte es selbstverständlich nicht, dass uns nun das ganze Wartezimmer wegen ihrer Bemerkung vorwurfsvoll anstarrte. Außerdem hatte sie eine Unterhaltung unterbrochen, der ich mit einer morbiden Mischung aus Entsetzen und Interesse gefolgt war.

»Das ist ja furchtbar, Darling, was machst du denn jetzt?«, hatte sich eine ältere Frau bei ihrer Sitznachbarin erkundigt.

»Ich hoffe, dass der Doktor mich wieder ins Krankenhaus überweist, damit ich endlich meine Operation kriege. Zweimal habe ich schon auf dem OP-Tisch gelegen, und zweimal haben sie mich wieder nach Hause geschickt. Ich sage dir, ich bin mir vorgekommen wie jemand, der schon auf dem elektrischen Stuhl angeschnallt ist, und dann kommt der Gnadenerlass des Gouverneurs.«

»Aber warum haben sie dich nicht operiert?«

»Du wirst es nicht glauben: Der Chirurg konnte seine Instrumente nicht finden. Ich wusste nicht, ob ich lachen oder weinen sollte. Da stand dieser Mann und blickte sich um, als ob er seine Autoschlüssel suchen würde. Einundzwanzigstes Jahrhundert? Von wegen. Später haben sie mir gesagt, dass die Skalpelle vom Reinigungsdienst nicht zurückgebracht worden seien.«

Als wir endlich aufgerufen wurden, stellte ich erstaunt fest, dass sich noch ein Patient im Sprechzimmer befand. Der Mann hatte sich wenigstens nicht frei gemacht, sondern trug ein blaues Hemd mit gelber Krawatte zu einem braunen Anzug. Merkwürdig fand ich, dass er hinter dem Schreibtisch saß, der eigentlich dem Arzt vorbehalten sein sollte. Der war nirgendwo zu sehen.

»Oh, verzeihen Sie«, sagte ich, »wir warten draußen, bis Sie fertig sind.«

»Was meinen Sie? Sie sind doch der nächste Patient, oder?«

»Sie meinen, Sie sind Doktor Mylecharaine?«

Ich hoffte, dass ich die Aussprache einigermaßen richtig hinbekommen hatte. Mit keltischen Namen ist das immer ein Lotteriespiel. Ein Dutzend Buchstaben schrumpfen auf eine Silbe zusammen.

»Maigrein«, korrigierte er mich, »wie Migräne.«

»Sorry, Doktor Maigrein.«

»Mister Maigrein.«

Das konnte ja heiter werden. Erst kein weißer Arztkittel, und jetzt auch noch kein Doktor. Vielleicht war der Mann ja doch ein Patient, wenn auch nicht mit einem körperlichen, sondern geistigen Gebrechen. Der

Verdacht erhärtete sich, als sich herausstellte, dass ihm nicht nur die Berufskleidung und der Titel fehlten, sondern auch ein Stethoskop, ein Maßband und eine Buchstabentafel zur Ermittlung der Sehfähigkeit.

Entsprechend schwierig gestaltete sich Julias Untersuchung.

»Also, sehen wir mal«, wandte er sich an mich. »Sie scheinen in etwa so groß zu sein wie Ihre Tochter. Stellen Sie sich bitte Rücken an Rücken – ja, habe ich mir gedacht. Höchstens ein Inch Unterschied. Wie groß sind Sie? Ah, gut, dann haben wir die Größe Ihrer Tochter.«

Amüsiert blickten Julia und ich einander an. Mister Mylecharaine verschwand in seiner speckigen Aktentasche und holte die »Daily Mail« hervor.

»Du kannst doch lesen?«, fragte er Julia.

Sie zog nur die Augenbrauen hoch. Sie findet Erwachsene sowieso merkwürdig, aber sie schaffen es jedes Mal aufs Neue, sich zu steigern.

»Gut, gut, natürlich. Stell dich doch bitte an die Tür.«

Er ging um den Tisch herum und maß sechs Schritte ab. Dann hielt er die Schlagzeile hoch.

»So, und jetzt lies mir vor, was du sehen kannst.«

»Das Schwein hat mir meine Unschuld geraubt, ich schneide ihm …«

Ich sprang auf und stellte mich vor meine Tochter.

»Ich glaube, das reicht dem Doktor, er weiß, dass du gut sehen kannst«, protestierte ich und machte dem Arzt Zeichen, die Zeitung beiseitezulegen.

»Ja, da scheint ja alles in Ordnung zu sein«, meinte er und füllte ein Formular aus. »Ihre Tochter ist topfit. Willkommen in unserer Praxis; wenn Ihnen etwas fehlt, dann wissen Sie jetzt, wohin Sie kommen müssen.«

Einige Fragen hatte ich aber noch.

»Sie sind also praktischer Arzt?«

»Ja, GP, ein General Practicioner.«

»Und wenn meine Frau einen Gynäkologen braucht, wo findet sie einen guten Arzt?«

»Sie kommt selbstverständlich auch zu mir.«

»Ach so. Und ein Kardiologe? Wissen Sie, bei mir sind es der Blutdruck und das Herz.«

»Machen Sie sich keine Gedanken. Das regele auch ich.« Er blickte suchend auf dem Tisch umher und öffnete eine Schublade. »Wenn ich mein Blutdruckmessgerät gefunden habe. Lassen Sie sich draußen einen Termin geben.«

»Alles klar. Nur noch eine Frage: Können Sie uns einen guten Kinderarzt empfehlen?«

»Sitzt vor Ihnen. Ich habe Ihre Tochter gerade untersucht, sie kann immer zu mir kommen.«

Bevor ich etwas erwidern konnte, beugte sich Julia zu mir herüber und flüsterte mir ins Ohr:

»Sag ihm, dass wir auch einen Hund haben.«

Ich ignorierte die Bemerkung und äußerte stattdessen meine Anerkennung über die vielfältigen Fähigkeiten eines Allgemeinarztes in Großbritannien. Ich bemühte mich, nicht zu viel Sarkasmus in meine Stimme zu legen. Die Vorsicht erwies sich als unnötig.

»Vielen Dank für Ihr Vertrauen. Aber Sie haben wahrscheinlich schon gehört, dass das britische Gesundheitssystem das beste der Welt ist. Sie können von Glück sagen, dass Sie hier leben.«

In Mister Mylecharaines Stimme schwang keine Spur von Ironie mit.

Julia tippte sich selbst dann noch an die Stirn, nachdem wir die Praxis verlassen hatten und ich sie in der Schule abgeliefert hatte. Besonders vorsichtig überquerte ich die Straße und hielt Ausschau nach einem Opel Corsa: Katja war noch mit Brian unterwegs, und sie wagten sich nicht in die weitere Umgebung von Kingston, sondern blieben meist auf immer denselben Routen in der engeren Nachbarschaft.

Vor der Haustür begegnete mir der Briefträger, der mir einen Packen Post aushändigte. Seufzend sah ich ihn durch: die übliche Mischung aus Rechnungen und Kreditkartenangeboten. Wie kommt es, dass sich jede schriftliche Korrespondenz auf Geld verengt hat? Die einen wollen es früher, die anderen später. Ich wollte den ganzen Stapel schon zur Seite legen, doch dann fiel mein Blick auf einen Absender. Royal Parks. Die Königin! Die Königin hatte geantwortet auf meinen Brief, den morschen Baum betreffend.

Gut, es war nicht die Königin selbst, die mir geschrieben hatte, sondern ein gewisser B. D. Conway. Oder eine gewisse B. D. Conway. B wie Barbara oder B wie Bernard? Es ist unaufmerksam, wenn Menschen ihr Geschlecht hinter einem Initial verbergen. Wem sollte ich denn antworten, wenn ich nicht wusste, ob ich eine Miss oder einen Mister vor mir hatte.

Doch B. D. Conway schien gar keine Antwort zu erwarten. Das ganze Schreiben umfasste nicht mehr als vier Zeilen, und mit keiner Silbe verriet B. D. Conway, wie die Queen auf meinen Brief reagiert hatte. Er/sie teilte mir nur mit, dass »der in Frage stehende Baum« inspiziert werden würde, sobald ein Baumdoktor auf seinem turnusmäßigen Rundgang vorbeikomme. Er/sie sei zuversichtlich, schrieb B. D. Conway, mir noch im Laufe des Jahres einen Zwischenbescheid zukommen lassen zu können.

Katja wäre nicht glücklich über diese Antwort. Mein unmittelbares Problem würde darin bestehen, sie davon abzuhalten, im Dunkel der Nacht mit einer Kettensäge hinüber in den Park zu schleichen und selbst Hand an den Baum zu legen. Nur die Aussicht, dass sie ihn bei dieser Gelegenheit wirklich auf unser Grundstück herabkrachen lassen könnte, würde sie davon abhalten.

Auch ich müsste mir für die Queen etwas anderes ausdenken. B. D. Conway würde mir keine Türen zu ihr öffnen. Eigentlich grob fahrlässig von der alten Dame, den Damokles-Baum weiter über dem Kopf eines ihrer Untertanen schweben zu lassen. Zugegeben, wir waren zwar keine richtigen Untertanen, aber ein bisschen mehr Fürsorge hätten wir eigentlich doch erwartet.

Ein wenig desillusioniert klickte ich meine E-Mail an. Auch hier nur der übliche Schrott: Penisvergrößerungen, Kreditangebote, der Hauptgewinn in der Lotterie eines Landes, von dessen Existenz ich noch nie gehört hatte, und zwei Schreiben aus Nigeria: »Dear Mister, ich habe die traurige Pflicht, Ihnen mitteilen zu müssen, dass Ihr Verwandter, Mister Olusegwo Wolfgang, bei einem Flugzeugabsturz in der Provinz Majomajo ums Leben gekommen ist. Er hinterlässt ein Bankkonto mit einem Guthaben in Höhe von fünfundzwanzig Millionen Dollar, und meine Nachforschungen haben ergeben, dass Sie der letzte lebende Nachfahr sind, Mister. Sobald Sie mir Ihre Kontodetails, Sozialversicherungsnummer, Adresse und Konfektionsgröße mitgeteilt haben, überweise ich Ihnen die Summe –

abzüglich einer nominellen Bearbeitungsgebühr für meine Mühen.«

Nicht zum ersten Mal fragte ich mich, ob es tatsächlich Leute gab, die auf diesen Trick hereinfielen.

Ganz unten fand ich dann doch noch zwei ernstzunehmende E-Mails. Die erste war ein Rundschreiben Mäuers an die Korrespondenten: »Im Licht der jüngsten Katastrophe ist es nun wirklich allerhöchste Zeit, unsere Nachrufliste zu aktualisieren«, donnerte er. Augusto Pinochet war gestorben – ein Ereignis, das bei einem Mann von dreiundneunzig Jahren grundsätzlich vorhersehbar hätte sein können. Aber die Redaktion war von der Nachricht überrascht worden und hatte ohne Würdigung dagestanden. Nur schien mir Würdigung für einen Mann wie den chilenischen Ex-Diktator vielleicht der falsche Ausdruck zu sein. Zudem hatte Pinochet auch die Frechheit besessen, zu einer denkbar schlechten Stunde abzutreten – kurz vor Redaktionsschluss.

»Es ist unabdingbar, dass wir bis spätestens nächsten Monat alle notwendigen Nachrufe vorliegen haben. Entnehmen Sie der Liste im Attachment, für welche Personen Sie zuständig sind«, beendete Mäuer seinen Ukas.

Ich konnte mir nicht helfen, aber ein wenig klang das, als ob ein Mafia-Boss seine Killerkommandos losgeschickt hätte. Ich öffnete den Anhang und fuhr mit dem Cursor die Liste entlang: Ja, da war es. Neben meinem Namen standen zwei Einträge: Königin Elizabeth und Margaret Thatcher.

Ein Monat? Das war nie zu schaffen. Mein Blick fiel auf den Absender der letzten ungeöffneten Mail in der Inbox: *royal.gsi.gov.uk*. Das war der Palast, Buckingham Palace. Niemand anders in Großbritannien darf den Aufgeber »royal« verwenden, noch nicht einmal die königliche Post.

Mit zitternden Fingern öffnete ich die Mail.

»In Erwiderung Ihrer Anfrage, einer Investitur durch Ihre Majestät die Königin beizuwohnen, wäre ich Ihnen sehr verbunden, wenn Sie mich in den nächsten Tagen unter dieser Nummer im Buckingham Palace anrufen könnten.« Gezeichnet: Meryl Osborne, Ihrer Majestät Presseabteilung.

Meryl. Meryl Osborne. Sie hatte ich total vergessen. Ein Anruf in den nächsten Tagen? Was heißt hier Tage, Meryl, Liebling, Engel. Ich griff zum Telefon und wählte ihre Nummer.

Elf

Angesichts meiner bisher im Großen und Ganzen eher erfolglos verlaufenen Kontaktversuche mit der Familie Windsor hatte ich mir keine gesteigerten Hoffnungen gemacht, dass ausgerechnet mein Antrag, einmal zuzusehen, wie die Queen Orden verleiht, angenommen werden würde. Es war schon so lange her, dass ich den Brief mit dieser Bitte an den Palast abgeschickt hatte, dass ich die ganze Sache beinahe schon vergessen hatte. Doch nun erschien plötzlich Meryl wie ein Erzengel und verkündete die frohe Kunde.

Beim Namen Meryl denkt man unwillkürlich zunächst einmal an Meryl Streep: kühl und kultiviert, mit einer Stimme, die zu gleichen Teilen sexy, samtig und sinnlich ist. Meryl Osborne hatte eine andere Stimme. Nach Hollywood-Material klang sie nicht, noch nicht einmal ein bisschen verführerisch. Wennschon Film, so dachte ich, während ich den Hörer vom Ohr weghielt, könnte sie bestenfalls eine Anstellung als Synchronsprecherin finden – im »Texas Chain Saw Massacre« beispielsweise.

Zuerst hatte ich vermutet, dass sie mit Felicity Smythe-Stockington verwandt sein müsste. Denn Meryls Stimme war genauso penetrant und laut näselnd wie das Organ, mit dem Felicity die Pferde scheu machte.

Bei Meryl gesellte sich zusätzlich eine gewisse schrille Schärfe hinzu, nach Art gewisser tropischer Vogelarten, deren Schrei einen ganzen Dschungel zum Verstummen bringen kann. Weniger ein Instrument zur Kommunikation als vielmehr zur Peinigung.

Doch obwohl ich jedes Mal zusammenzuckte, wenn Meryl den Mund öffnete, war ich glücklich, ihre Stimme zu hören. Schließlich sprach diese Stimme nicht nur aus dem Buckingham-Palast, in gewisser Weise sprach sie auch für den ganzen königlichen Hof. Sie mochte sich zwar nicht im unmittelbaren Dunstkreis der Königin aufhalten; aber Meryls Büro lag nicht irgendwo in London, sondern tatsächlich – wie sie mir auf eine meiner ersten Fragen versichert hatte – hinter den von Abgasen geschwärzten Mauern jenes Schlosses, das Millionen von Touristen jeden Tag durch die schmiedeeisernen Gitter hindurch anstarren: Buckingham Palace. Und diese Frau, deren Stimme sich anhörte wie der Paarungsschrei eines Dickschnabelsittichs, sollte mir – wenn alles gutging – Zugang zu diesem Gebäude verschaffen.

Meryl ist ein keltischer Name, die kesser klingende Kurzform der altbackenen Muriel. Muriel heißen Ziegen oder ältliche britische Bestseller-Autorinnen, und obwohl ich Miss Osborne noch nie gesehen hatte, konnte ich mir einigermaßen vorstellen, wie sie aussah: nicht schillernd wie ein Papagei, sondern klein, mausgrau, mit spitzer Nase und ein wenig vertrocknet, wie eine Zeitung, die an einem Sonnentag auf einer Parkbank zurückgelassen wurde.

Meryl arbeitete zwar im Palast, aber das beantwortete noch nicht die Frage, ob sie eine Bürgerliche war oder einer alten britischen Familie entstammte.

Der Vorname ließ keine Rückschlüsse zu. Ja, hätte sie Daphne geheißen oder Hyacinth, dann hätte das vielleicht auf eine adelige Herkunft hinweisen können. Potentiell fesselnder war ihr Nachname: Als eine Osborne könnte sie alles sein – sowohl die Tochter eines Grafen aus Buckinghamshire oder die illegitime Brut eines Dachdeckers aus Essex. Osbornes findet man in allen Lebensbereichen in der angelsächsischen Welt: Es gibt einen prominenten Spitzenpolitiker dieses Namens, der sich bürgerlich geriert, um zu vertuschen, dass er der Sohn eines Barons mit Anspruch auf einen Titel und ein Herrenhaus ist.

Dieser Osborne ist noch nicht einmal weitläufig mit einem anderen Osborne verwandt, der im amerikanischen Bundesstaat Iowa Schweine züchtete (was dort nicht ungewöhnlich ist) und der nur deshalb zu einem gewissen Ruhm gelangte, weil er sechzig Jahre lang nonstop Schluckauf hatte. Dank ihm ist der Osborne-Hiccup in die Medizinliteratur eingegangen. Und dann gibt es natürlich noch Ozzy Osbourne.

Wahrscheinlich gehört dies zum berühmten britischen Understatement, wie es vor allem die Oberklasse pflegt: Auf den ersten Blick soll nichts die Herkunft verraten. Deshalb kleiden sich britische Adlige auch gerne schäbig. Man kann dem Grafen kein schöneres Kompliment machen, als ihn mit seinem Gärtner zu verwechseln. Die Unterschiede zum gemeinen Fußvolk fallen erst nach Dienstschluss auf: Dann machen sich Gärtner, Chauffeure oder Köche stadtfein, während Lords, Barone oder Herzöge noch immer in abgerissenen Lumpen umherschlurfen.

Diese Mimikry setzt sich bei der Wohnungseinrichtung fort. Ein Angehöriger der Oberklasse scheint seine Möbelstücke blind auf dem Sperrmüll zusammengeklaubt zu haben. Tatsächlich handelt es sich um Erbstücke von unschätzbarem Wert – Teetisch und Kommode entstammen der Werkstatt des Edelschreiners Chippendale, und den fadenscheinigen Läufer vor dem Kamin hat der Urgroßvater eigenhändig aus Persien mitgebracht. Kein Einbrecher würde sich an Teppichen und Mobiliar vergreifen; gleichwohl sind sie bei Lloyds für eine sechsstellige Summe versichert. Mehr sein als scheinen – preußische Tugenden haben ausgerechnet in den sogenannten besseren Kreisen Großbritanniens überlebt.

Deshalb versteckt sich diese Klasse auch hinter Allerweltsnamen. Wenn in Deutschland von Salm-Salm die Rede ist, wissen die meisten, dass damit kein stotternder Fischhändler seine Ware anpreist, sondern dass ein tausend Jahre altes Grafengeschlecht gemeint ist. Und jeder Österreicher schnalzt bei der Erwähnung von Esterhazy nicht nur deshalb mit der Zunge, weil er für sein Lebtag gern süßen Palatschinken isst, sondern eben auch in Erinnerung an eine glänzende ungarische Adelsfamilie dieses Namens, die unter anderem einen gewissen Musiker namens Joseph Haydn in Lohn und Brot hielt.

Und in Großbritannien? Russells und Spencers, um nur zwei Beispiele zu nennen, füllen seitenlang Telefonbücher. Die meisten Träger dieser Namen sind mehr oder weniger gutbürgerlich. Aber der Philosoph Bertrand Russell war ein echter Earl, und die Kindergärtnerin Diana Spencer entspross einem der ältesten Geschlechter Englands. Die Fernsehschauspielerin Barbara Windsor (Typus Kodderschnauze mit herzensgutem Gemüt) stammt aus dem Londoner East End und ist mit Elizabeth Windsor weder verwandt noch verschwägert.

Vielleicht war diese Undurchschaubarkeit ein Grund, weshalb Winston Churchill auf Titel pfiff. Als eine dankbare Nation ihn nach dem Krieg zum Duke of London erheben wollte, lehnte er dankend ab. Er entstammte ohnehin schon dem Herzogsgeschlecht derer von Marlborough. Wahrscheinlich dachte er sich: Besser den Namen einer Zigarette tragen als den einer Kondommarke.

»Sie wollen also einer Investitur beiwohnen, wollen Sie nicht?«, fragte Meryl ein wenig hochnäsig. »Man bekommt ja so viele Anfragen, dass man mitunter gar nicht weiß, wem man den Zuschlag geben soll.«

Aha, keine Dachdeckertochter, gehobene Mittelklasse, mindestens. Womöglich sogar Oberklasse. Vertreter niederer Stände wie ich selbst beispielsweise würden schlicht »ich« sagen, wenn sie von sich selbst sprechen. Das mag logisch erscheinen, aber in besseren britischen Kreisen sieht man das anders. Hier wird das unpersönliche »man« verwendet, denn wer von sich selbst in der ersten Person Singular spricht, stellt sich eitel in den Mittelpunkt. Er könnte gleich mit dem Finger auf sich zeigen und verkünden: Ich bin unerzogen und vulgär. Auch die Königin würde ja nie sagen: »Das gefällt mir nicht«, sondern: »Man ist nicht amüsiert.«

»Nun, lassen Sie uns sehen. Ihre Majestät nimmt übermorgen wieder Ehrungen vor.« Ich hörte das Klappern einer Computertastatur. »Ich glaube, wir könnten Sie bei dieser Gelegenheit unterbringen.«

»Für einen Ritterschlag?«

»Natürlich nicht, wo denken Sie hin. Als Zuschauer

können wir Sie unterbringen. Auf einer hinteren Bank. Dort, wo die Presse sitzt.«

Ach ja, ich mache immer wieder denselben Fehler. Wann werde ich lernen, dass Ironie missverstanden wird?

Ich stotterte eine Entschuldigung und beschränkte mich für die weitere Dauer des Gespräches auf zustimmende murmelnde Geräusche.

Ungestört setzte mir Meryl nun auseinander, was ich erwarten durfte und – viel wichtiger – wie ich mich zu benehmen hatte. Bis zu zwanzigmal im Jahr führt die Königin im Buckingham-Palast eine sogenannte Investitur durch, das heißt, sie verleiht Orden und Medaillen. Das tut zwar auch der deutsche Bundespräsident, aber der wird alle paar Jahre ausgewechselt, während die Königin schon immer da war. Manchmal lässt sie sich von ihrem Sohn Charles vertreten. Dann sind die Geehrten meist enttäuscht, denn sie hätten auch lieber die Queen gehabt. Wirkliche Pechvögel kriegen ihren Orden von einem sogenannten Lord Lieutenant im Rathaus ihrer Heimatgemeinde angepinnt.

Was die Königin – und Charles, wenn er im Dienst ist – dem Bundespräsidenten allerdings wirklich voraushaben: Sie verteilen nicht nur Medaillen – sie können Bürgerliche zu Rittern schlagen. An der Prozedur hat sich seit König Artus' Tagen nichts geändert. Man sinkt vor dem Monarchen auf das rechte Knie (im Falle kriegsversehrter Afghanistan-Veteranen oder eindeutig übergewichtiger Ritter in spe sind Ausnahmen statthaft) und wartet, bis sich ein Schwert auf die Schultern herabsenkt – erst auf die rechte, dann auf die linke, und zwischendrin zischt ein Lufthauch über

den Scheitel. Ein bisschen erinnert es an einen Frisör-
besuch, jedenfalls aus der Distanz betrachtet.

Wenn man dann, sei es aus Gründen der ins Stocken
geratenen Blutzirkulation oder des Schwindelgefühls
wegen der Ehre, ein wenig wackelig und benommen
wieder auf beiden Beinen steht, darf man sich Sir
oder Lord auf die Visitenkarten drucken lassen und
in guten Restaurants die besten Tische reservieren.
Vor allem Amerikaner sind von britischen Adligen begeistert. In den USA kann es einem Lord widerfahren,
dass sich das Mädchen in der Avis-Filiale an einem ge-
stelzten Knicks vor ihm versucht und der Taxifahrer
in Brooklyn bei der Anrede zwischen Euer Hoheit und
Euer Ehren schwankt.

Theoretisch kann jeder Brite Lord oder Lady
werden. In der Praxis freilich hilft es, wenn man für
Großbritannien olympisches Gold oder pralle Export-
aufträge herangeholt hat. Aber auch hier gibt es Unterschiede: Im Prinzip ist es zwar egal, ob man für
Königin und Vaterland Preiselbeergelee nach Kanada
verkauft oder Challenger-Panzer nach Saudi-Arabien.
Panzer ebnen den Weg an die Spitze der britischen Gesellschaft aber schneller als Marmelade. Wer nur als
Soldat mit einem Panzer durch Afghanistan rumpelt
oder als Sozialhelfer Marmelade nur vom Frühstücks-
toast kennt, muss sich sowieso mit minderen Ehren
begnügen.

Ganz unten auf der Ehrenliste rangieren die Royal
Victorian Medals und die Medaille der Freiwilligenre-
serve. Erstere verleiht die Königin an verdiente Stu-
benzofen oder Schlossgärtner, die andere an jeden
Soldaten, der mindestens zehn Jahre lang gedient hat.
Er muss noch nicht einmal einen Schuss abgefeuert

haben. So mancher Kölner Karnevalsverein legt strengere Kriterien für seine Orden an.

Weiter oben folgen die sogenannten Ordensgemeinschaften: der Orden des Britischen Empire, der Orden von St. Michael und St. Georg, der Orden von Bath und – gleichsam der Olymp der Ehre – The Most Noble Order of the Garter, der Hosenbandorden.

Bei Letzterem dürfte es sich um den exklusivsten Club der Welt handeln: Neben dem jeweils herrschenden Monarchen und seinem designierten Nachfolger ist die Mitgliedschaft auf vierundzwanzig Personen beschränkt. Derzeit gehören unter anderem Margaret Thatcher, diverse Banker und ein Senffabrikant zu diesem erlauchten Kreis.

Auch Ausländer können zu Rittern geschlagen werden, doch leider dürfen sie sich nicht Lord Karl-Heinz oder Lady Sabine nennen, was hübsch klingen würde. Sie müssen sich mit der undurchschaubaren Buchstabenkombination begnügen, die jeder Geehrte an seinen Nachnamen anhängt: OBE, MBE, CBE oder BEM – Offizier, Mitglied oder Kommandeur des Britischen Empire. Letzteres steht schlicht für die British Empire Medal. Beim Scrabble würden solche Kombinationen kaum Punkte bringen, aber beim Visitenkartenaustausch erweisen sie sich als perfekter Eisbrecher für den Start einer Konversation. Briten wissen sofort, wen sie vor sich haben. Ausländer vermuten einen Druckfehler oder die Typenbezeichnung eines Sportwagens. In jedem Fall ist für Gesprächsstoff gesorgt.

Für die drei höchsten Abkürzungen CMG, KCMG und GCMG gibt es sogar eine spöttische Übersetzung, die verdeutlicht, wie sich die Träger dieser Ehren fühlen: Der Commander of St. Michael and St. George steht bescheiden für die Aufforderung »Call Me God« (Sag einfach Gott zu mir), der Knight Commander bedeutet »Kindly Call Me God« (Sagen Sie doch freundlicherweise Gott zu mir), und der Träger des Grand Cross GCMG konstatiert kühl »God Calls Me God« (Gott nennt mich Gott).

Zuweilen wäre die Geschichte möglicherweise anders verlaufen, wenn ausländische Ritter sich offen zu ihrem Titel hätten bekennen können: Vielleicht hätte ja etwas vom Verhalten eines englischen Gentleman auf Sir Benito Mussolini und Sir Nicolaie Ceauşescu abgefärbt. Beide waren in London geadelt worden, Letzterer sogar von der Queen. Andererseits: Wer wollte von Sir Helmut Kohl oder Sir Ronald Reagan regiert werden? Und Lady Teresa beschwört ganz andere Assoziationen herauf als Mutter Teresa.

Katja und ich hatten schon einmal diskutiert, ob uns ein Titel zu Gesicht stünde. Bei ihr obsiegten rasch wieder antimonarchistische Reflexe. Unser Gespräch driftete dann bald in die Niederungen des Klassenkampfes ab.

»Du bist und bleibst ein hoffnungsloser Bourgeois«, meinte sie.

»Und du bist eine Rotgardistin bis ins Mark.«

»Ausbeuter des Welt-Proletariats!«

»Stalinistin.«

»Speichelleckender Lakai des Yankee-Imperialismus.«

»Roter Terror.«

Wir sahen uns an und grinsten. Mitunter benahmen wir uns wie zwei kaiserlich japanische Soldaten, die nach vier Jahrzehnten im philippinischen Dschungel noch immer einen Krieg auskämpften, der schon längst vorbei war.

»Na komm schon«, versuchte ich sie zu besänftigen. »Wer braucht denn schon einen Titel. Für mich bist du meine Königin, und ich bin doch immer noch dein Märchenprinz.«

Katja lächelte versöhnlich.

»Das bist du, mein Schatz«, flötete sie. »Und du wirst es immer bleiben, sorge dich nicht. Du weißt doch, dass ich keine großen Ansprüche stelle.«

Ähnlich geringe Erwartungen schien auch Meryl Osborne an mich zu stellen. Ich war schließlich auf dem Kontinent und in einer Republik groß geworden. Ohne detaillierte Verhaltensmaßregeln würde nicht nur ich mich im royalen Umfeld bis auf die Knochen blamieren. Das ließe sich ja noch ertragen. Aber ich würde den ganzen Hofstaat in Peinlichkeiten stürzen.

Entsprechend langatmig diktierte mir Meryl in den Block, wie ich mich zu benehmen hätte. Sie vergaß nichts: Wann ich mich einzufinden hatte (»Es wäre ratsam, absolut pünktlich zu sein, die Königin wird nicht auf Sie warten«), was ich mitbringen und was ich zu Hause lassen sollte (»Ein Stift und ein Notizblock sind in Ordnung. Fotoapparate und Kameras sieht man im Palast nicht so gern«) und nicht zuletzt, wie ich mich kleiden sollte.

»Ich hoffe, Sie verstehen mich nicht falsch, wenn ich Ihnen das so deutlich auseinandersetze. Ich nehme an, dass Sie als Deutscher solche Belehrungen eigentlich nicht brauchen.«

In ihrer Stimme klangen deutlich Zweifel an. »Nun, wie soll ich es sagen: Jeans und ein T-Shirt wären für diesen Anlass unangebracht.«

»Okay, ich kann mir ja so einen grauen Frack mit Zylinder mieten.«

Ich hätte schwören können, dass ich es buchstäblich hörte, wie Miss Osborne in der Pause, die auf meine Bemerkung folgte, mit den Augen rollte.

»Sie meinen einen Morning Coat. Nein, den trägt man nur zum Pferderennen in Ascot. Ich kann doch davon ausgehen, dass Sie über einen Anzug in gedeckter Farbe sowie über ein weißes Hemd und eine Krawatte verfügen?«

»Ja, ja, mehr als eines«, versicherte ich kleinlaut.

»Gut, dann sehen wir uns übermorgen. Ich erwarte Sie vor dem Palast.«

Ich platzierte das Telefon wider vorsichtig in seine Halterung, atmete tief durch und riss die rechte Faust in die Luft: Geschafft! Ich würde die Königin sehen, und vielleicht würde auch sie auf mich aufmerksam werden. Wie ich das allerdings mit einem gedeckten Anzug auf einer der hinteren Bänke bewerkstelligen sollte, musste ich mir noch zurechtlegen. Das Mindeste wäre, einen Hofschranzen anzuquatschen und so eine Verbindung herzustellen, die letzten Endes zu einem Gespräch mit der Queen führen würde.

Ich rief Hermann an, um ihm die gute Nachricht mitzuteilen. Er war es gewesen, der mir auf Grundlage seiner enzyklopädischen Englanderfahrung erst empfohlen hatte, an einer Ordensverleihung teilzunehmen.

»Glückwunsch«, sagte er. »Vergiss nicht, einen starken Kaffee zu trinken, damit du nicht einschläfst.«

»Spielverderber! Wieso sollte ich einschlafen? Das ist doch spannend.«

»Du wirst schon sehen. Eine Stunde dauert die Veranstaltung, und ich kann dir verraten: Für mich war es eine der längsten Stunden meines Lebens.«

Das war leicht für ihn zu sagen. Jemand, der wahrscheinlich schon live berichtet hatte, als die erste Elizabeth ihre Rivalin Maria Stuart enthaupten ließ, konnte nur Langeweile empfinden, wenn die zweite Elizabeth mit einem Degen an irgendeiner später geborenen Mary Stewart herumpikte.

»Bevor ich's vergesse: Vergiss um Himmels willen nicht, deine Stromrechnung mitzunehmen«

»Wohin? In den Palast?«

»Ja, beim ersten Mal hatte ich sie vergessen und bin nicht reingekommen. Alles hatte ich dabei: Pass, Presseausweis, aber keine Stromrechnung. Sie haben mich wieder nach Hause geschickt.«

Als mir Hermann zum ersten Mal die Bedeutung der britischen Stromrechnung (ersatzweise tut es auch die Gas- oder Telefonrechnung) erklärte, hatte ich noch nachsichtig gelächelt. Inzwischen war mir die Überheblichkeit vergangen. In anderen Ländern mag man der Stromrechnung lediglich entnehmen, wie viel Elektrizität ein Haushalt im Monat verbraucht hat. In Großbritannien aber ersetzt sie den Reisepass oder den Personalausweis.

Ähnlich wie ihre amerikanischen Vettern sträuben sich Briten hartnäckig gegen die Einführung von Kennkarten. Nur orientalische Despoten, so die gängige Meinung, zwingen ihren geknechteten Bürgern Ausweise auf. Der Orient indes befindet sich, wie der lateinische Name sagt, im Osten, und der beginnt für Briten jenseits des Kanals, an der französischen Küste und nicht auf der Inselseite. Geographie lügt nicht.

Auf unserer Seite des Kanals genügte denn lange Zeit auch ein Ausweis der örtlichen Leihbücherei oder die Jahreskarte fürs Schwimmbad, um die Identität nachzuweisen. Doch terroristische Gefahren erlaubten derlei Schlendrian nicht länger. Nun schlug die große Stunde der bescheidenen Rechnung: Da auf ihr nicht nur der Familienname des Stromverbrauchers erwähnt ist, sondern auch seine Adresse, avancierte sie zum Ausweisersatz.

Katja war lange Zeit nicht wohl bei dem Gedanken gewesen, dass sie von Menschen umgeben war, die niemand irgendwo ordentlich registriert hatte. Als Russin war sie in einer echten orientalischen Despotie groß geworden und wusste aus dieser Erfahrung, dass erst ein Mindestmaß an Papieren und Dokumenten einen Menschen zum Menschen macht. Auch ich als Deutscher war letztlich in dem Bewusstsein erzogen worden, dass Vater Staat schon wissen sollte, wo sich seine Kinder gerade aufhalten, wohin sie gehen, wie sie ihr Geld verdienen und was sie ganz allgemein im Schilde führen.

Wie gesagt, Katja traute dem britischen System nicht restlos. Skeptisch reagierte sie auch, als sie erfuhr, dass das Vereinigte Königreich noch nicht einmal eine Meldepflicht kannte. Jeder Brite kann umziehen, wohin er will, und er kann es so oft tun, wie er Lust und Geld dafür hat, ohne jemandem Rechenschaft schuldig zu sein. Am wenigsten dem Staat. Gestern Portsmouth, morgen Aberdeen – der Staat hat im Grunde genommen keine Ahnung, wo sich seine Bürger herumtreiben.

»Das klingt zu gut, um wahr zu sein«, meinte Katja. »Irgendwo muss es einen Haken geben.«

Ihre Skepsis bestätigte sich rasch, als wir mit dem 85er-Bus hinunter nach Kingston fuhren.

Wir saßen da, die Augen glasig ins Nirgendwo gerichtet. Unser Blick blieb an einem Plakat hängen, das neben der Treppe angebracht war, die ins obere Deck hinaufführte.

»Lächle, du bist im Bild«, stand da neben einem fröhlichen Smiley-Face. »Sie werden IN DIESEM AUGENBLICK von einer Kamera aufgezeichnet, mit welcher dieser Bus ausgestattet ist.«

Katja und ich sahen uns an und blickten anschließend verstohlen an die Decke, um zu sehen, wo die Kamera versteckt sein könnte. Schließlich deutete Katja abermals auf das Plakat.

»Hier, lies zu Ende. Wir sollen uns keine Sorgen machen.«

Tatsächlich, da stand es gelb auf schwarz: »Lehnen Sie sich entspannt zurück und lächeln Sie.«

Inzwischen haben wir festgestellt, dass nicht nur der 85er-Bus videoüberwacht ist, sondern dass das ganze Land flächendeckend von Kameras überzogen ist. Von unserem Haus bis zu unserem Bahnhof habe ich acht Stück gezählt. Auf dem Bahnsteig starren sechs weitere Linsen auf die Fahrgäste herab. Kameras in den Zügen halten fest, wer in der Nase bohrt oder sich am Bauch kratzt.

»Die brauchen keine Abmeldung und Anmeldung«, sagte Katja. »Der Typ, der von Portsmouth wegzieht, wird gefilmt, wie er in den Zug einsteigt, wie er dem Schaffner den Fahrschein hinstreckt, wie oft er aufs Klo muss und was er sich aus dem Speisewagen holt. Und bei der Ankunft in Aberdeen warten schon wieder Kameras auf ihn.«

Einige Kameras haben inzwischen sprechen gelernt. Mussten sich Polizisten bislang darauf beschränken, in ihrem Kontrollzentrum schweigend und ohnmächtig dem Geschehen in vielen Kilometern Entfernung zuzusehen, so können sie sich jetzt aktiv einschalten. Dies belebt einen grundsätzlich eher langweiligen Arbeitstag und eröffnet neue Möglichkeiten des Schabernacks, etwa wenn man einen Passanten ungesehen anfahren kann: »Hey, Sie, heben Sie die Chips-Tüte auf und werfen Sie sie in den Mülleimer.« Ein wenig fühlt sich da der Dorfpolizist wie ein CIA-Agent, der von Langley aus per Joystick in Afghanistan mit der Drohne auf Taliban-Jagd geht.

Ob es auch im Buckingham-Palast Kameras gibt? Von außen sind genügend von ihnen zu sehen. Sie lugen über die Mauerkronen und bestreichen ferngesteuert das ihnen jeweils zugeteilte Areal. Aber die Kameras hatten auch nicht verhindern können, dass ein arbeitsloser irischer Familienvater Anfang der achtziger Jahre gleich zweimal ungehindert zu nachtschlafender Zeit in den Palast einsteigen konnte. Beim ersten Mal war Michael Fagan eine Stunde lang durch die dunklen Korridore getappt, hatte sich ein paar Gemälde angesehen, sich einige Minuten lang auf dem Thron ausgeruht und eine halbe Flasche kalifornischen Chardonnay getrunken, die er in der Poststelle des Palace entdeckt hatte. Beim zweiten Mal fand er das Schlafzimmer der Königin. Zutraulich setzte er sich auf die Bettkante und verwickelte Elizabeth in ein Gespräch über Gott und die Welt. Ein Teufelskerl, dachte ich mir. Der stieg einfach durch ein angelehntes Fenster, und wie quäle ich mich ab?

Während meines Gesprächs mit Meryl war Chico herangerobbt und hatte seine Schnauze mit einem herzerweichenden Seufzen auf meinem Oberschenkel geparkt. Da unser Hund zum Sabbern neigt, war der Jeansstoff recht schnell durchnässt. Dies ist Chicos Methode, daran zu erinnern, dass es Zeit für seinen Spaziergang ist.

Len sah mich schon von weitem kommen und winkte mir hektisch zu. Er konnte mir nicht entgegengehen, weil Bates in die meditative Betrachtung eines Löwenzahns vertieft war. Wie üblich trabte Chico kurz zu ihm hinüber, musterte ihn mit einem oberflächlichen Schnuppern und schlug sich dann in die Büsche. Ich warte auf den Tag, an dem er den bewegungslosen Bates mit einem Laternenpfahl verwechseln und das Bein an seinem Bein heben würde.

»Übermorgen sehe ich die Queen«, sagte ich und ging grußlos auf Len zu. »Im Buckingham-Palast. Kannst du dir das vorstellen?«

Len war nicht so beeindruckt, wie ich es erhofft hatte.

»Na, da wirst du aber ganz schön beliebt sein«, meinte er sarkastisch. »Wegen euch Krauts kann die Queen seit Tagen ihre Fenster nicht mehr öffnen.«

Ich musste Len wohl sehr fragend angesehen haben.

»Riech doch selber«, rief er ungeduldig. »Oder ist deine Nase verstopft?«

Ich schnupperte. Tatsächlich, ein leichtes Aroma von Landwirtschaft lag in der Luft, ungewöhnlich für eine Millionenstadt.

»Vielleicht haben die Rehe hier mehr gekackt als üblich«, gab ich zu bedenken.

»Das wünschst du dir wohl. Ihr seid das, ihr verursacht diesen Gestank.«

»Wer wir? Chico und ich?«

»Nein, ihr Deutschen. Liest du denn keine Zeitung? Eure Bauern kippen Gülle auf die Felder.«

»Ja, das machen sie zu dieser Jahreszeit immer. In meiner Jugend hieß es, dass der Geruch die Lungen kräftigt. Aber was hat das mit euch zu tun?«

»Was das mit uns zu tun hat? Riech doch selber. Der Ostwind treibt den Mief zu uns herüber. Von Kent bis Wiltshire hält man sich die Nase zu. Lass die Queen lieber nicht wissen, dass du aus derselben Ecke kommst wie der Gestank.«

Ich wusste, wenn Len erst einmal in Fahrt war, dann konnte ihn nichts bremsen, und ich konnte mir schon vorstellen, wohin die Reise ging: nach Brüssel.

»Man könnte es sich nicht schöner ausdenken. Die Bürokraten in Brüssel – das liegt übrigens auch im Osten, hast du das schon bemerkt? – jetzt haben sie es sich in den Kopf gesetzt, unsere gute, traditionelle Küche zu ruinieren. Wahrscheinlich, damit sie diesen glibberigen, unappetitlichen französischen Fraß umso besser einschmuggeln können.«

Ich verkniff mir ein Urteil über die relativen Vor- und Nachteile der französischen und britischen Küche und wartete ab.

»Shepherd's Pie, oh, ich erinnere mich noch, wie meine Mum die gemacht hat.«

Len rollte verzückt die Augen und fuhr sich mit der Zunge über die Lippen.

»Dazu braucht man vor allem gutes Hackfleisch, und das Fleisch dafür muss gut abgehangen sein. Mindestens eine Woche lang. So halten es jedenfalls britische Metzger. Eine Woche, im Idealfall noch länger, erst dann kommt es in den Wolf.«

Len führte Daumen, Zeige- und Mittelfinger zusammen und berührte mit einem Schmatzen seine geschürzten Lippen. Zumindest manche französische Gesten sind offensichtlich erfolgreich auf die Insel geschmuggelt worden.

»Und was haben diese Hornochsen in Brüssel beschlossen? Das Fleisch muss sofort verarbeitet werden. Altes Fleisch kann tödlich sein, sagen sie. Nonsens! Kein Fleisch, das wir einmal gekocht haben, könnte für irgendjemanden noch eine Gefahr darstellen.«

Da könntest du recht haben, Len, dachte ich mir. Nach traditioneller englischer Kochkunst bleibt kein Erreger am Leben, wenn er erst mal im Kochtopf ist.

»Aber ihr da drüben fresst offensichtlich rohes Fleisch, rohes Hackfleisch. Wie die Wilden.«

Len schüttelte es bei diesem Gedanken, als ob man ihn gezwungen hätte, verwestes Aas zu kosten.

»Stimmt das? Esst ihr wirklich rohes Fleisch?«

»O ja, Steak Tatar. Mit einem Ei, Zwiebeln und reichlich Pfeffer. Lecker.«

»Steak? Tataren? Langsam verstehe ich, warum wir euch Hunnen nennen. Aber wenn das so weitergeht, dann vertreibt die EU jeden Spaß und jedes Vergnügen. England wird zu einem freudlosen, puritanischen Ort, der abwechselnd von Radfahrern regiert wird, die ihren eigenen Tofu stricken, und von belgischen Beamten, die kleinen Jungs in die Hose greifen. Alles aus dem Osten, mark my words.«

Zwölf

Zumindest in einem Punkt hatte Len ja recht. Ausgeprägt schlechtes Wetter kriecht wirklich von der anderen Seite des Kanals herüber und bleibt dann auch meistens hartnäckig über dem Südosten der Insel hängen. Dicke Wolken, hartnäckiger Regen, eisige Ostwinde – alles kommt vom Kontinent. Natürlich ist es nicht so, dass Westwinde besseres Wetter heranwehen würden. Grundsätzlich gilt, dass noch niemand Großbritannien wegen des Klimas als Urlaubsort ausgesucht hat. Es ist grundsätzlich feucht und zugig. Bei diesen meteorologischen Gegebenheiten fragt man sich manchmal, was die ersten Menschen, die je den Fuß auf die heutigen Britischen Inseln setzten, überhaupt zum Verbleib bewogen hat.

Aufzeichnungen sind zwar nicht überliefert, aber es dürfte sicher ein außergewöhnlich milder Sommertag gewesen sein, als sie sich zum ersten Mal umschauten.

»Sehr angenehmes Wetter hier, nicht zu warm und nicht zu kalt, schön lau und unaufregend, findest du nicht, Darling?«

»Ja, Lieber, da hast du recht. Aber vielleicht könntest du jetzt meine Haare loslassen und aufhören, mich hinter dir herzuschleifen, damit ich aufstehen und den Vogelgesang genießen kann.«

»Aber sicher, Liebes. Wenn wir hier wohnen, wirst du auch bestimmt nicht das dicke Bärenfell brauchen, mit dem du mir immer in den Ohren liegst. Ein leichter Wolf dürfte vollständig ausreichen.«

»Du bist und bleibst ein Geizkragen. Außerdem verstehst du nichts von Mode: Ein Bärenfell trägt man doch nicht gegen die Kälte. Und außerdem hat Wilma in der Höhle nebenan auch eins.«

So ging der erste Sommer ins Land, der – wie gesagt – das gewesen sein muss, was man später einen Jahrhundertsommer nennen würde, weil er einmal in jedem Jahrzehnt vorkommt. Doch als der Herbst hereinbrach, waren die Neuankömmlinge zu einer radikalen Neubewertung der klimatischen Umstände gezwungen: Es regnete, es war trüb, nasskalt und grau, und die salopp vom Herrn der Schöpfung beiseitegewischten Bemerkungen der Gattin, den Bärenpelz betreffend, erwiesen sich nun doch als zutreffend. Es war, nebenbei bemerkt, der Beginn einer evolutionsgeschichtlichen Entwicklung, die bis heute anhält. Sie besagt, dass Ehefrauen zwar nicht immer recht haben mögen, aber dass sie am Ende recht behalten.

Doch während die Tage immer kürzer, kälter und grässlicher wurden, war die Landverbindung zum Kontinent abgebrochen, und die neuen Briten saßen auf einer Insel fest. Dieser geologische Kataklysmus hatte jedoch nicht nur Nachteile. Langfristig schlug er sich in der Erfindung des Trenchcoats, des Stockschirms und des Shetlandpullovers nieder. Von diesen Errungenschaften profitierte auch der Rest der Welt.

Ich teilte meine Überlegungen Len mit, der sofort Feuer und Flamme war.

»Richtig, absolut richtig. Du weißt ja, dass wir die

größten Erfinder sind. Alles, was in der Geschichte der Menschheit irgendwie von Bedeutung ist, wurde von einem Mann in einer Garage in Britannien erfunden.«

»Garage?«

»Oder in einem Gartenhäuschen. Egal wo. Was die Menschheit braucht, das bekommt sie von uns.«

»Len, jetzt mach mal halblang. Was ist denn mit dem Auto? Gottlieb Daimler? Mercedes?«

»Ausnahmen gibt es, zugestanden. Ihr Deutsche habt das Auto erfunden, die Italiener den elektrischen Strom und die Franzosen den Rechtsverkehr und Käse, der so weich ist, dass er vom Toast rinnt, wenn man die Scheibe schief hält. Aber wann immer die Welt die Notwendigkeit eines originellen Gedankens verspürte, hat sie sich vertrauensvoll an uns gewandt. Und wir haben sie nie enttäuscht.«

Ich wollte Len schon an die beiden berühmten sowjetischen Erfinder aus dem alten regimekritischen Witz erinnern: Professor Petrow und Professor Pawlow. Professor Petrow hat vom Rad bis zur Kernspaltung alles erfunden, und doch ist Pawlow der größere Erfinder. Denn er hat den Professor Petrow erfunden.

Ich war mir aber nicht sicher, ob Len diesen Kalauer richtig aufnehmen würde, zumal er sich gerade anschickte, Professor Petrows Erfindungen für die britische Nation zu requirieren. Seine Augen nahmen einen versunkenen, fast inbrünstigen Ausdruck an, als er die Liste herunterzubeten begann:

»Penicillin, die Dampfmaschine, das Fernsehen, das Telefon, den Regenschirm, die Nähmaschine, Toastbrot, Viagra, den Brotaufstrich Marmite, Orangenmarmelade, den Teebeutel, Polyester und das Internet.«

»Lass das nur nicht Al Gore hören. Nach allem, was ich weiß, glaubt er, das Internet erfunden zu haben.«

»Die Amerikaner? Die haben uns den Computer gestohlen und euch Deutschen die Raketentechnik. Und ihr kanntet euch auch nur deshalb so gut mit Raketen aus, weil wir euch mit unseren Spitfires Feuer unterm Arsch gemacht haben. Sich selbst überlassen, könnten die Amis noch nicht einmal einen Bleistift bauen.«

»Den ihr wahrscheinlich auch erfunden habt.«

»Klar!«

Len blickte auf die Uhr.

»Ich hätte noch Zeit für einen schnellen Drink. Willst du mit in den Pub?«

Ich zögerte. Ich gebe es zu: Pubs sind mein Ding nicht, und deshalb lebe ich vielleicht nicht im richtigen Land. Denn die Kneipe ist die Radnabe allen gesellschaftlichen Lebens in Großbritannien. Hier trifft man sich, wenn man feiert, wenn man trauert, wenn man sich langweilt, wenn man einen draufmachen will oder einfach nur, um vor dem Regen zu flüchten.

Damals in den siebziger Jahren, als ich das erste Mal in London lebte, da war ich auch noch durch die Kneipen gezogen. Allein schon, um Mister Morris' öden Kriegserinnerungen zu entkommen, verdrückte ich mich – so oft es nur möglich war – in den *Mitre*, unseren Pub an der Ecke. Warum die Mitra, also die Mütze katholischer Bischöfe, ausgerechnet im antikatholischen England ein derart beliebter Kneipenname ist, habe ich nie herausfinden können. Noch häufiger trifft man *King's* oder *Queen's Heads* an – ganz so, als ob sich vor dem Tresen eine republikanische Gesinnung Bahn bräche, die jeden Engländer danach gelüsten lässt, seinen Monarchen das Haupt vom Rumpf zu trennen.

Doch wenn man sich nicht so viel aus Bier, Gin and Tonic oder Whisky macht, verlieren Pubs schnell ihren Reiz. Hinzu kommt, dass man mit Freunden ins Pub geht, bei denen schnell unpopulär wird, wer nur Wasser trinkt und nüchtern bleibt. Mir war zudem nicht verborgen geblieben, dass ich mein Glas immer schneller ausgetrunken hatte als meine Zechkumpane. Das war kein Kunststück. Während man Bitter und Lager in Pint-Gläser abzapft, werden Säfte und Wasser in Fläschchen ausgeschenkt, die ein wenig an jene Flakons erinnern, die man in der Drogerie als Proben gratis bekommt.

Auch Julia steht englischen Kneipen grundsätzlich ablehnend gegenüber. Sie hat nicht vergessen, dass sie bei unserem ersten Versuch, als Familie in einem Pub etwas zu essen, hochkant hinausgeworfen wurde. Das Etablissement sah zwar mehr wie eine schicke Wein-Bar aus, aber gleichwohl galten die prüden Alkohol-bestimmungen. Sie besagen, dass Minderjährige keinen Zutritt haben. Sie müssen folglich draußen auf der Straße bechern, zu Hause oder auf dem Schulhof. Warum diese Lösung besser sein soll, konnte noch niemand schlüssig erklären. Auch Katja kann ohne Pubs leben. Sie bevorzugt ohnehin bayerische Biergärten.

Eigentlich war es Chico gewesen, der mich in die Kneipe gezerrt hatte. Auf einem unserer ersten Spaziergänge durch die Nachbarschaft war er wie vom Blitz getroffen vor einem Haus stehen geblieben und hatte sich keinen Zoll vor- oder zurückbewegt. Ich sah an der Fassade hoch und las *Park Tavern*. Chico ließ mir keine Wahl, als hineinzugehen. Egal, was passieren würde, ich konnte mich immer auf den Hund hinausreden.

Nach dem ersten Augenschein handelte es sich um ein durchschnittliches Pub: ein Tresen, ein paar Hocker mit rotwangigen Trinkern, ein bräunlicher Teppichboden, der Gallonen an Bier und anderen, weniger appetitlichen Flüssigkeiten absorbiert hatte und deshalb die Konsistenz eines Moosbodens angenommen hatte. Stockfleckige Stiche von Londoner Sehenswürdigkeiten und eine Dartscheibe neben der Klotür vervollständigten das Bild. Außergewöhnlich am *Park Tavern* war, dass die dralle Bedienung beim Anblick von Chico in eine Dose griff und eine Handvoll Hundekekse hervorzog, noch bevor sie mich gefragt hatte, was ich trinken wollte. Ungefragt stellte sie ihm dann auch noch einen Teller mit Wasser hin.

Chico hat nie verraten, woher er wusste, dass man hier ein Herz für Hunde hat. Gut denkbar, dass er und seine vierbeinigen Freunde im Park miteinander Informationen austauschen. Es würde mich nicht überraschen, wenn er mehr über unsere Nachbarschaft wüsste, als ich je in Erfahrung bringen werde.

Als Len und ich das *Park Tavern* betraten, war der Laden schon ziemlich voll. Ich bestellte die erste Runde – ein dunkles Bitter für ihn, ein Mineralwasser mit Eis und Zitrone für mich. Im Gegensatz zu uns konnten Bates und Chico sich bequem ausstrecken. Wir standen, wie es sich in einem Pub gehört. Ich habe nie verstanden, warum es gemütlich sein soll, im Stehen zu trinken, wenn man sich dazu doch gemütlich hinlümmeln und die Ellbogen auf der Tischplatte aufstützen könnte.

Aber die im Grunde ihrer Seele puritanischen Briten, so scheint es, trinken nicht zum Vergnügen, sondern sie verfolgen ein Ziel: möglichst schnell möglichst rasch betrunken zu werden. »Sie sind es gewohnt, zu trinken, bis sie sich übergeben«, schrieb ein gewisser William of Malmesbury schon vor knapp tausend Jahren. Er würde sich auch heute noch an jedem Samstagabend in jeder beliebigen britischen Stadt wie zu Hause fühlen.

Wenn Briten trinken, sieht das für die nüchterne nicht-britische Umwelt nicht immer schön aus, wie jeder Kontinentaleuropäer bestätigen kann, der gemeinsam mit Engländern Urlaub in Magaluf macht oder sie im Anschluss an ein Fußballspiel in der heimischen Fußgängerzone beobachtet. Dennoch haben die englische Politik und die englische Mittelklasse – die sich lieber klammheimlich daheim zuschüttet als in der Öffentlichkeit – die Hoffnung nicht aufgegeben, vermeintlich gesittete europäische Trinkgewohnheiten durchzusetzen.

»Die Konservativen sind echt vernünftig«, meinte Len unvermittelt. Sorgfältig nippte er am randvollen Glas, bevor er fortfuhr. »Die haben vorgeschlagen, dass wir unseren Kindern schon zu Hause Alkohol in kleinen Mengen geben sollen.«

»Ich glaube nicht, dass die Kinder damit einverstanden sind«, warf ich ein. »Sie trinken jetzt doch schon große Mengen.«

»Ich rede von ganz kleinen Kindern. Ein Schlückchen Bier zum Nachmittagstee, ein Gläschen Rotwein zum Dinner. Wer so aufwächst, der kann später mit dem Alkohol umgehen.«

Len machte eine Pause, offenbar kostete ihn der nächste Satz eine gewisse Überwindung.

»So wie die Franzosen«, presste er schließlich hervor.

Unter Briten hält sich hartnäckig der Mythos, dass

es in Frankreich, Italien oder Spanien kein Alkoholproblem gäbe. Entspannt und unnachahmlich leger säßen Erwachsene und Kinder in eleganten Cafés unter Palmen und nippten an Aperitifen oder Champagnerkelchen. Niemand will zur Kenntnis nehmen, dass diese Vorstellung genauso realitätsfremd ist wie die Erwartung, dass britische Fischer, Stahlarbeiter oder Möbelpacker in Grimsby, Dundee oder Warrington nach Dienstschluss an einem kalten, feuchten Novemberabend in einem von Heizstrahlern notdürftig erwärmten Straßencafé Martinis schlürfen werden.

Ungeduldig drehte ich mein leeres Glas in den Händen und wartete, bis Len endlich mit seinem Bier fertig war. Die nächste Runde musste er spendieren. Wer sich vor dem Ritual drückt, Runden für den gesamten Trinkerkreis auszugeben, wird schnell gesellschaftlich geächtet. Schlimmer noch: Er wird nicht mehr mit in den Pub genommen.

»Du solltest wirklich etwas Anständiges trinken«, meinte Len schließlich, bevor er sich anschickte, sich durch drei Reihen von Männerleibern einen Pfad zum Tresen zu bahnen. »Selbst wenn dir die Königin morgen euren Schweinegestank verzeiht, bin ich mir nicht sicher, wie sie dazu steht, dass du nicht trinkst.«

»Warum denn das?«, fragte ich.

»Na, ist doch klar, weil die Queen selber ganz gern pichelt. Ein G and T, ein Port and Brandy. Das weiß doch jeder. Und ihre Frau Mama war sowieso von früh bis spät blau«, schloss Len respektlos.

»Da ist es ja gut, dass die Investitur am Vormittag ist. Nicht auszudenken, wenn ihr beim Ritterschlag die Hand mit dem Schwert ausrutschen würde«, rief ich ihm nach.

Er drehte sich um und reckte den ledrigen Hals, so dass er über die Köpfe der Umstehenden hinwegsehen konnte.

»Sei dir da mal nicht so sicher. Ich habe gehört, dass die Queen immer noch Lampenfieber hat. Und ihre Nerven beruhigt sie auf erprobte Art. Hast du denn noch nie davon gehört, dass man sein Frühstücks-Porridge mit Scotch aufpeppen kann?«

Dreizehn

Wenn sie es sich aussuchen könnte, würde Elizabeth Windsor wahrscheinlich nicht in den Buckingham-Palast ziehen. Charme hat der Schuppen zwar, und die Lage soll, wie uns Immobilienmakler immer wieder erinnern, ausschlaggebender sein als die Zahl der Schlaf- und Badezimmer. Von Letzteren hat sie in Buck House, wie das gemeine Volk die hochherrschaftliche Residenz nennt, genug, und was die Lage angeht, so ist sie wenigstens zentral. Also das, was in Immobilienanzeigen »verkehrsgünstig gelegen« heißt. Dann weiß man gleich, dass vorne die Stadtautobahn vorbeiführt, hinten die Schnellzugstrecke, und dass sich die Piloten der Jumbo-Jets beim Anflug auf den Airport an deinem Schornstein orientieren.

Also eigentlich genau wie beim Buckingham Palace: Alle 57 Sekunden gleitet eine Maschine im Landeanflug auf Heathrow drüber hinweg, zwei Straßenzüge weiter rumpeln die Züge in die Victoria Station, und rings um die von Abgasen geschwärzten Mauern tobt der Verkehr.

Buckingham Palace mag zwar ein Schloss sein, aber im Prinzip ist er ein getreues Abbild eines durchschnittlichen britischen Hauses. Kein Reihenhaus, gewiss, sondern frei stehend, also das, was man *detached* nennt. Aber die Parallelen sind schon unheimlich. Wie bei vielen Briten ist der Vorgarten nicht bepflanzt, sondern gepflastert. So erspart man sich lästige Gartenarbeit und schafft obendrein wertvolle Parkplätze. Was den Palast angeht, so marschiert es sich für die Wachposten mit den Bärenfellmützen auf Asphalt vermutlich angenehmer als auf regenweichem Rasen. Und wenn der Premierminister mit dem Dienst-Jaguar zur Audienz anrollt, würde er doch jedes Mal das Gras aufwühlen.

Sehr viel mehr Aufmerksamkeit widmen die Briten dem Garten hinter dem Haus, wo sie unter sich sein können, weil niemand hineinblicken kann. Das gilt für die Königin genauso. Im Gegensatz zu ihren Landsleuten wird sie vermutlich nicht selbst auf die Knie niedergehen und jäten, die Rosenbüsche beschneiden oder im Schweiße ihres Angesichts den Rasen mähen. Auch in einem Garten-Center hat man die Monarchin noch nicht gesehen, es sei denn, sie lüde sich inkognito Humuspakete und Blumentöpfe auf die Einkaufskarre. Das Interesse ihres Mannes Philip an der Botanik ist eher oberflächlich. »Schönes Farnkraut haben Sie da«, lobte er einmal auf der Chelsea Garden Show eine Pflanze. »Das ist eigentlich kein Farn«, widersprach der stolze Gärtner. »Das ist ein Macrozamia moorei.« Worauf ihn der Herzog von Edinburgh hochrot anschrie: »Ich brauche keine Belehrungen«, und davonstapfte. Briten mögen keine Besserwisser, vor allem dann nicht, wenn sie das, was sie wissen, wirklich besser wissen.

Die Arbeit in Elizabeths Garten erledigt ein Heer von Gärtnern. Sie selbst ergeht sich nur in ihrem Garten, aber genauso wie ihre Landsleute sieht sie es nicht gern, wenn jemand sie dabei bespitzelt. Deshalb umschließt eine ebenso hohe wie hässliche Mauer den Palastpark. Einer der wenigen Privilegierten, die der Königin über den Zaun schauen können, ist ausgerechnet der Botschafter der Irischen Republik. Von seiner Dienstwohnung aus hat er einen Logenplatz mit Blick über das gesamte Areal.

Wenn Briten etwas noch mehr lieben als Gartenarbeit, dann sind es bauliche Veränderungen in und an den eigenen vier Wänden. Die Tinte unter dem Kaufvertrag ist noch nicht trocken, da wird schon abgerissen, angebaut oder aufgestockt. Buckingham Palace ist auf dieselbe Weise entstanden. Als Königin Victoria als erste Monarchin hier einzog, übernahm sie – wie dies so oft vorkommt – von den Vorbesitzern eine veritable Bruchbude. Die Räume waren dunkel, schmutzig und vor allem kalt. Denn da die Kamine verstopft waren, zog der Rauch nicht ab, sondern kroch erstickend durch die Hof- und Staatsgemächer. Also heizte man überhaupt nicht. Das hatte den Vorteil, total im Trend der Zeit zu liegen: Was dich nicht umbringt, macht dich hart – nach diesem Motto raffte sich Britannien unter Victoria sein Empire zusammen.

Auch die junge Königin ließ umgehend die Bauarbeiter kommen, doch den richtigen professionellen Schwung brachte erst ihr Ehemann Prinz Albert aus Deutschland mit. Er war ein Pedant und ein Perfektionist und impfte den Briten jene Hassliebe ein, die sie diesen schrecklich effizienten Germanen bis heute entgegenbringen. Da dem jungen Paar Nachwuchs ins Haus stand, wurde der Palast bald zu klein. Ein neuer Flügel wurde hochgezogen, und ein wie verloren vor der Fassade herumstehender kitschiger Torbogen, der keinen rechten Zweck erfüllte, wurde ausgelagert. Heute steht Marble Arch am Anfang der Oxford Street. Einen richtigen Zweck erfüllt er auch hier nicht. Der übergewichtige Lebemann Edward VII., Victorias Sohn, kümmerte sich mehr um die Innen- als die Außenarchitektur. Leider besaß er mehr Geld als Geschmack, was die Windsors noch immer auszeichnet und was man dem Interieur bis heute anmerkt. Aber niemand wagte es, die von ihm ausgewählten Tapeten und Vorhänge auszuwechseln. Immer war da jemand, der sagte: »Aber die hat doch noch Onkel Eddie selber ausgesucht.«

Nicht viel mehr Geschmack (und obendrein – es waren die kargen Jahre des Ersten Weltkrieges – auch weniger Geld) hatte König Georg V. Dennoch ließ er die heutige Front mit gelblichem Portlandstein verkleiden. Das verlieh dem Gebäude Aussehen und Charme einer preußischen Strafvollzugsanstalt, nur eben mit Balkon. Doch Georg bestand auf einem nüchtern-schlichten Hintergrund, damit sich das neue Denkmal für Großmama Victoria umso besser davon abhob. Dieses Denkmal sieht aus, als ob die Ghostbusters-Truppe im Suff versucht hätte, aus Ektoplasma eine Hochzeitstorte aufzutürmen. Im Gegensatz zu Marble Arch erfüllt die Skulptur jedoch eine wichtige Aufgabe: Bei königlichen Hochzeiten, Krönungen oder Weltmeisterschaftssiegen der englischen Fußballnationalmannschaft (im Schnitt also einmal alle sechzig Jahre) wird sie von behänden Briten erklettert, die von dort aus einen besseren Blick auf den Palast und auf die royale Familie erhaschen, die in diesen Jubelstunden auf dem Balkon antreten und huldvoll in die Menge winken muss.

Wenn die Queen vorne aus dem Fenster sieht, dann verstellt ihr die geronnene Tortenskulptur aus Marmor und Messing den Blick auf den St. James Park. Außerdem stehen dort Tag für Tag Hunderte von Touristen, die zu ihr hinüberstarren, albern vor dem Gitterzaun posieren, Grimassen schneiden, mit den Händen deuten, und die Finger keinen Augenblick vom Kamera-Auslöser nehmen. Es könnte ja sein, dass sich hinter einer der Gardinen etwas bewegt, das sie dann als die Königin identifizieren. Alles in allem: Es gibt keinen guten Grund, weshalb die Königin auf den tristen Vorhof blicken sollte. Sie tut es auch nur, wenn ein Fest sie dazu zwingt, dem Volk vom Balkon der vorderen Fassadenfront aus zuzuwinken.

Jetzt gaffte die Meute vor Buck House nicht nur die Fassade, sondern auch mich an. Das heißt, die Leute tuschelten und deuteten zu mir herüber. Nicht, dass ich es gesehen hätte, aber ich konnte es fühlen. Ich stand abseits der Menge, gleich neben jenem Tor, das den Weg freigibt durch das schmiedeeiserne Gitter mit den Krönchen und den Wappen in das Innere des Palastareals. Ostentativ wendete ich dem neugierigen Pöbel den Rücken zu und tat so, als ob ich jeden Tag hier ein und aus ginge. Ich wusste ja von meinen eigenen Besuchen als Tourist, dass diese Einfahrt letztlich interessanter ist als die Fassade des Palastes mit ihren leeren Fenstern, hinter denen doch nie jemand auftaucht. Am wenigsten die Queen oder irgendein Angehöriger ihrer engeren Familie.

Doch an diesem Tor konnte man vielleicht wirklich einen Blick auf Prominenz erhaschen: Ist das der Premierminister? Oder Prinz Harry in einem durchsichtigen Inkognito, wie er versucht, sich nach einer stürmischen durchzechten Nacht in einem Nobelclub unerkannt zurückzuschleichen in den Palast? Und wer sind die Leute, deren Gesichter man nie gesehen hat? Lords und Ladys? Ausländischer Hochadel? Amy Winehouse? Ein deutscher Zeitungskorrespondent?

Ich wusste also ziemlich genau, welche Gedanken durch die Köpfe von Australiern, Amerikanern und anderen Touristen dort drüben gingen. Sie musterten mich genau. Wird er hineingehen? Wer ist das denn? Müssten wir ihn kennen? Der coole Eindruck, den ich zu erzeugen trachtete, wurde unglücklicherweise von dem Polizisten leicht beeinträchtigt, der mir den Zutritt verweigerte. Ich war zielstrebig auf ihn zugeschritten, hatte meinen Namen genannt und ihm – vielleicht ein wenig zu gönnerhaft – eröffnet, dass eine enge Mitarbeiterin der Königin mich erwarten würde. Aber dies hatte offensichtlich keinen tiefen Eindruck bei ihm hinterlassen. Stattdessen blickte er streng von oben auf mich herab (was angesichts meiner Körpergröße für die wenigsten Menschen ein Problem darstellt) und sah seufzend auf seine Uhr. Dann teilte er mir mit jener unnachahmlich eisigen britischen Höflichkeit, die wirkungsvoller ist als jede Beleidigung, mit: »Dieses Haus läuft wie ein Uhrwerk.« Um mir verstocktem Ausländer zu verdeutlichen, welches Haus er im Sinn hatte, deutete er mit dem Daumen über die Schulter hinüber zum Palast.

Dieser Erklärung hätte es freilich nicht bedurft, und mir war auch ohne nähere Erläuterung klar, was er mit dem Uhrwerk meinte. Ich war zu früh gekommen und deshalb unpünktlich. So betrachtet bin ich nie pünktlich, denn ich komme immer zu früh. Ich gehöre zu jenen Menschen, die klammheimlich glücklich und dankbar sind für verschärfte und zeitintensive Sicherheitskontrollen an Flughäfen. Sie zwingen auch Trödler dazu, früher aufzubrechen – zumindest theoretisch. Und ein Pünktlichkeitsfanatiker wie ich stürzt sich mit Wollust in die Chance, die sie bieten. Vorbei die Zeiten, da ich mich mit lahmen Ausreden für meine Ungeduld rechtfertigen musste. Mit Hinweis auf Straßensperren, Röntgenchecks und Leibesvisitationen kann ich nun unbelästigt so früh von zu Hause aufbrechen, dass ich – wenigstens bei Kurzstreckenflügen – mein Reiseziel genauso gut mit dem Fahrrad erreichen könnte. Wenn es möglich wäre, würde ich die Nacht vor dem Abflug im Terminal campieren. Auch zu Gesprächsterminen erscheine ich grundsätzlich so früh, dass ich genügend Zeit habe, die Straßen der näheren und mitunter auch weiteren Umgebung im Verlauf eines ausgiebigen Spazierganges auszukundschaften. Mitunter hat mir dies, zumal im chronisch misstrauischen Amerika nach den Terroranschlägen vom September 2001, schräge Blicke von Polizisten und anderem Sicherheitspersonal eingetragen, die mich ganz offenkundig verdächtigten, ein Verbrechen zu planen und zu diesem Zweck die Gegend auszubaldowern.

Für Katja ist meine Pünktlichkeit ein steter Born des Zwistes und des Verdrusses. So würde sie es formulieren. Ich bin natürlich überzeugt davon, dass es ihre nonchalante Einstellung zu Uhrzeit und Terminabsprachen ist, die für böses Blut sorgt. Katja gehört zu jenen Leuten, für die Armbanduhren in erster Linie Schmuckstücke sind. Dass sie die Zeit anzeigen, mag ein Bonus sein, ist aber nicht unbedingt nötig. Sie ist überzeugt, dass Flugzeuge auf der Startbahn gestoppt werden, damit sie noch an Bord gehen kann. Sie glaubt, dass Zuschauer im Theater gerne noch einmal aufstehen, wenn der Vorhang sich schon gehoben hat, damit späte Nachzügler an Füßen und Knien vorbei zu ihren Sitzen stolpern können.

Es gehört zu den bislang noch nicht erforschten Besonderheiten ehelichen Lebens, dass sich Gegensätze anziehen – Langschläfer und Frühaufsteher, Trödler und Dynamiker, Strandurlauber und Bergwanderer. Anfangs findet man das interessant, doch im Laufe vieler Ehejahre klingt die Attraktivität der Widersprüche vernehmlich ab.

Ich jedenfalls finde, dass Pünktlichkeit die Höflichkeit der Könige ist, was ich auch Katja gesagt hatte, als ich mich im Morgengrauen von ihr verabschiedete vor meiner Fahrt in den Palast. Sie setzte dieses gewisse Ehefrauenlächeln auf, das unter gebildeten Althumanisten als sibyllinisch bezeichnet wird. Ich ließ mich nicht irritieren: Für mich war es selbstverständlich, dass ich mich bei der Königin nicht verspäten würde. Schon gar nicht bei der Königin.

Nun aber stand ich doch ein wenig dämlich herum. Der Ausdruck »Bestellt und nicht abgeholt« schien hervorragend zu passen. Noch fünfundvierzig Minuten bis zur vereinbarten Stunde, zu der Meryl mich abholen würde. Ich sah, wie die Touristen zu mir herüberschauten, und glaubte sogar, das eine oder andere spöttische Grinsen zu entdecken. Wartet nur, das Lachen wird euch noch vergehen. Am liebsten hätte ich mich in ein Café verdrückt, aber so verkehrsgünstig Buckingham Palace gelegen ist, so dünn sind Tee- und Kaffeestuben in seiner Nachbarschaft gesät. Und zu weit wollte ich mich nicht entfernen. Ich wollte ja – siehe oben – nicht zu spät kommen.

Zu allem Überfluss begann es nun auch noch auf die typisch britische – also penetrante – Weise zu nieseln. Es war jener Regen, der fein wie Elfenhaar vom Himmel zu schweben scheint und dann doch alle schützenden Textilschichten durchdringt. Zum Glück hatte ich einen Schirm mitgenommen. Einen schwarzen Stockschirm, um es genau zu sagen. Er war Teil meiner Maske als englischer Gentleman, die ich für diesen Tag angelegt hatte. Als höchst willkommenes zusätzliches Detail hatte ich unterwegs eine papierene Mohnblume erworben und mir ans Revers meines einzigen guten dunklen Anzuges geheftet. Dabei hatte ich mir zwar den Daumen zerstochen, aber immerhin unterschied ich mich nun in nichts von echten Einheimischen. Anfang November schmücken sich alle Briten mit einer Mohnblume. Die Poppys erinnern an den Waffenstillstand, der den Ersten Weltkrieg beendete. Remembrance Day, der 11. November, wird mit einer feierlichen Kranzniederlegung durch die Queen am Denkmal des Unbekannten Soldaten begangen. Auch sie trägt selbstverständlich einen roten Klatschmohn am Kostüm. Ein Brite, der in diesen Tagen auf dieses Accessoire verzichtet, könnte sich gleich ein Schild mit der Aufschrift umhängen: »Ich bin ein gleichgültiger Zyniker, ein feiger Drückeberger, der auf die glorreiche Vergangenheit seines wunderbaren Landes und seiner Helden pfeift.« Oder etwas Ähnliches.

Ich spannte meinen Schirm auf und versuchte, so würdevoll wie möglich auf und ab zu gehen. Es war schließlich nicht das erste Mal, dass ich ein weltberühmtes Machtzentrum betreten würde. Ich hatte im Kreml mit Michail Gorbatschow gespeist. Gut, wir hatten uns nicht gesehen bei dieser Gelegenheit, und ich kann auch nicht sagen, ob er beim Kaviar ein zweites Mal zugegriffen hat. Der Katharinensaal ist so groß, dass man darin eine Hallenfußballmeisterschaft ausrichten könnte, und mein Tisch stand eher am Rand, genau genommen gleich neben der Flügeltür, durch welche die Kellner hin- und hereilten. Michail Sergejewitsch saß ganz woanders, und zu den wenigen Deutschen, die er an seinen Tisch gebeten hatte, zählte ein gewisser Helmut Kohl. An meinem Tisch servierten die Kellner auf dem Rückweg in die Küche, was sich einerseits nachteilig auf die Temperatur der Speisen auswirkte und andererseits den Eindruck verstärkte, dass sie nur ein paar Brosamen abluden, die sie nicht wegwerfen wollten.

Ins Weiße Haus hatte ich es nie geschafft. Das war nur Julia gelungen, weil sie bei den Pfadfindern war. Eine Mutter aus ihrem Fähnlein hatte die Senatorin des Heimatstaates um einen Ausflug gebeten. Gemessen an den sicherheitsrelevanten Recherchen, die der Visite vorangingen, kehrte meine Tochter ziemlich unbeeindruckt von ihrem Ausflug zurück.

»Hast du denn den Präsidenten gesehen?«, hatte ich sie gefragt.

»Kann schon sein, wie sieht er denn aus?«

Ich versuchte mich an einer Beschreibung von George W. Bush, gab es jedoch rasch auf, als ich sah, wie ihre Augen jenen glasigen Ausdruck annahmen, der Eltern zeigt, dass sich ihr Nachwuchs gerade mental in eine andere Galaxie verabschiedet.

»Egal, wie er aussieht. Eure Lehrerin hätte ihn euch sicher gezeigt, wenn er da gewesen wäre.«

»Ach ja, hat sie. Da war ein Mann im Anzug. Er hat zu uns rübergewunken.«

»Gewinkt, Julia, gewinkt. Nicht gewunken.« Wenn man im englischsprachigen Ausland gutes Deutsch aufrechterhalten will, könnte man ebenso gut versuchen, mit einem Tennisschläger auf dem Meer einen heranrollenden Atlantikbrecher zu stoppen.

Sie rollte die Augen. »Whatever. He waved.«

»Na, ist das nicht toll. Liebling«, rief ich meiner Frau zu, »unsere Tochter hat den Präsidenten getroffen.«

»Hoffentlich hat sie ihm gesteckt, was ich von ihm halte«, tönte es aus der Küche zurück.

»Ja«, quengelte Julia, »aber Spot und Barney habe ich nicht gesehen.«

»Spot und Barney? Sind das Schulfreunde von dir?«

Julia schaute mich an, als ob sie es nicht fassen könnte, dass jemand mit derart geringen Kenntnissen der amerikanischen Polit-Szene US-Korrespondent einer großen deutschen Tageszeitung sein konnte.

»Spot und Barney sind die Hunde vom Präsidenten.«

Julia hatte wahrscheinlich recht. Man muss nur seine Prioritäten richtig setzen. Vielleicht wäre auch das amerikanische Volk mit Spot und Barney besser gefahren als mit George Dabbelju.

Wenn man kein süßes kleines Mädchen in einer Pfadfinder-Uniform ist, findet man es schwierig, sich dem Weißen Haus auch nur anzunähern. Sogar Telefongespräche verstricken sich sehr schnell in einem undurchdringlichen Geflecht von automatischen Ansagen. Menschen aus Fleisch und Blut hört man nie.

Ich versprach mir daher nicht viel davon, als ich zum

ersten Mal in London in der Downing Street anrief, um eine Verabredung mit einem Mitarbeiter des Premierministers auszumachen. Wie erwartet, meldete sich tatsächlich ein Tonband mit einer weiblichen, leicht gelangweilten Stimme mit einem Anflug von Londoner Akzent. Ich wollte schon auflegen, als mein Gehirn mit Verzögerung die Ansage registrierte: »Falls Ihnen jemand gesagt haben sollte, dass Sie diese Nummer anrufen sollen, dann legen Sie bitte gleich wieder auf. Sie sind auf einen üblen Scherz hereingefallen. Haben Sie jedoch einen stichhaltigen Grund für diesen Anruf, dann bleiben Sie bitte in der Leitung.«

Ich überlegte kurz und kam zu dem Schluss, dass auf mich der zweite Teil der Ansage zutraf. Kurz darauf meldete sich die Vermittlung, hörte aufmerksam zu und verband mich auf direktem Wege mit meinem Gesprächspartner. Er kannte nicht nur den Namen meiner Zeitung, nein, er gab sogar zu, sie manchmal zu lesen. Mehr Briten, als man denkt, so hatte ich bereits herausgefunden, sprechen oder verstehen zumindest mehr als leidlich gut Deutsch, wollen es aber nicht zugeben.

Schnell wurden wir uns einig, und der Mann in der Downing Street schlug vor, dass wir uns auf einen Kaffee treffen könnten.

Ich traute meinen Ohren nicht. In Amerika würde man ohne eingehende Sicherheitsuntersuchung durch den CIA noch nicht einmal den dritten Untergärtner treffen können.

»Aber sicher doch, ja, wunderbar«, sagte ich. »Bis Freitag dann. Momentchen, hallo, sind Sie noch dran? Wo treffe ich Sie denn? Denken Sie an einen bestimmten Starbucks?«

»Starbucks? Was reden Sie da von Starbucks?«

In die Stimme des Vertrauten des Premierministers schlich sich jener Ton, den Briten annehmen, wenn ihnen dämmert, dass sie offenkundig einen folgenschweren Fehler begangen haben, sich auf dieses Gespräch einzulassen. Schwer von Begriff, dieser Ausländer, soll das heißen, und jetzt habe ich ihn am Hals und weiß nicht, wie ich ihn einigermaßen höflich abwimmeln kann. In meinem Fall kam erschwerend hinzu, dass ich in seinen Augen offenbar total amerikanisiert war. Starbucks! Warum nicht gleich bei einem McDonald's.

Er räusperte sich.

»Ähem, Sie kennen doch die Downing Street?«

Ich konnte es aus dem Ton seiner Frage heraushören: Er wäre nicht überrascht gewesen, wenn ich jetzt nein gesagt hätte. Das hätte ihn wahrscheinlich sogar zufriedengestellt, schließlich schmeichelt es jedem Menschen, wenn er sich bestätigt sieht.

»Ja, natürlich, haha, sicher, sicher«, stammelte ich, »die kennt doch jedes Kind.«

»Na also, dann ist ja alles klar.«

»Aber ich kann doch nicht einfach so hereinspazieren und an der Tür klingeln, DER TÜR – groß geschrieben. Wenn Sie verstehen, was ich meine.«

Er seufzte. Er verstand. Er hatte diese Bemerkung nicht zum ersten Mal gehört. »Ja, ja, diese Tür, schwarz mit einer goldglänzenden Zehn drauf. Ist nicht zu verfehlen. Eine Klingel gibt es übrigens nicht. Sie müssen schon klopfen. Sonst kommen Sie ja nicht herein.«

Ich seufzte. Der Besuch in der Downing Street war verlaufen wie ein Traum. Die Tür – groß geschrieben – tat sich auf, mein Gesprächspartner erwartete mich und führte mich die Freitreppe hinauf, vorbei an den Porträts aller Premierminister. Im ersten Stock hielt er an, öffnete eine Tür einen Spaltbreit und deutete hinein.

»Das ist Tonys Büro. Aber er ist heute nicht da. Ich schlage vor, dass wir unseren Kaffee im kleinen Salon nehmen, wo Mrs Churchill immer am liebsten saß. Oder hätten Sie lieber eine Tasse Tee?«

Man hätte mir lauwarmes Spülwasser in einer Porzellantasse servieren können, ich hätte es wahrscheinlich nicht einmal bemerkt.

Ich seufzte abermals, so tief, dass der Polizist misstrauisch herüberäugte. Buckingham Palace erwies sich offenbar als härtere Nuss. Ich sah auf die Uhr. Schon fünf Minuten über der vereinbarten Zeit. Das Uhrwerk, von dem der Bobby gesprochen hatte, ging offenbar ein klein wenig nach.

»Oh, hallo, Sie müssen der deutsche Journalist sein.«

Ich schrak zusammen, als ob mir jemand eine Injektionsnadel in die Muskeln gerammt hätte. Unverkennbar, diese Stimme. Meryl sah genauso aus, wie ich sie mir vorgestellt hatte. An ihr war alles grau, das Kostüm, die Schuhe, die Augen, die Haare. Wie eine kleine graue Labormaus sah sie aus, und ihre Nase ragte vibrierend in die Höhe, als ob sie Unheil witterte. Ihr strenger Mittelscheitel befand sich auf einer Höhe mit meinem Brustbein. Vielleicht kompensierte sie mit ihrer Stimme ihren kleinen Wuchs. Wenn man Chico bellen hört, stellt man sich auch einen beeindruckenderen Hund vor.

»Wie schön, dass Sie die Zeit gefunden haben, hierherzukommen.«

Die Zeit gefunden. Du machst mir Spaß. Meine eigene Hochzeit hätte ich für diesen Termin verschoben.

Sie musterte mich kurz, und es schien, als ob sie im Geiste eine Strichliste abhakte: Anzug, Hemd, Krawatte, leidlich gut rasiert, keine Weste. Die Königin, so hatte ich irgendwo gelesen, hasst es, wenn Männer in ihrer Gegenwart Westen tragen. Sie soll dann echt kratzbürstig werden. Keinen Fuß kriegt man mehr bei ihr auf den Boden. Einmal mit Weste, immer in Ungnade, und die Queen soll ein bemerkenswert gutes Gedächtnis besitzen.

Meryl nickte dem Polizisten zu und bedeutete mir, ihr zu folgen. Ich konnte buchstäblich das Raunen hören, das durch die Touristenmeute wehte wie eine Herbstbö. »Schau doch mal, der Typ da. Ja, der so dumm rumgestanden hat mit seinem dämlichen Schirm. Siehst du, jetzt geht er doch hinein.« »Hab ich dir doch gleich gesagt, der ist etwas Besonderes, warum glaubst du mir nicht.«

Ich reckte mich in die Höhe, und Meryl schien neben mir noch mehr zusammenzuschrumpfen. Your Majesty, here I come.

Wir schritten durch einen Torbogen und gelangten in einen Innenhof, der auch nicht hübscher war als die Kiesfläche mit den Bärenmützenwachen, die man von außen sieht. Außerdem war er mit Autos vollgeparkt, was unterstrich, dass es Vorteile haben kann, Königin zu sein oder für sie zu arbeiten. Legale Parkplätze in diesem Teil Londons sind kaum unter zehn Pfund die Stunde zu haben. Nicht dass sie das Geld brauchte, aber die Königin könnte ein gutes Sümmchen dazuverdienen, wenn sie hier Stellplätze vermieten würde.

Der Hof war vollgeparkt mit Mazdas und Astras.

Kein Rolls-Royce, kein Bentley. Aber an diesem Tag wurden ja gewöhnliche Sterbliche hereingelassen, die ihren Orden erhielten. Wenn sie später einmal ihren Enkelkindern von diesem Tag erzählen, werden sie nicht nur von der Königin sprechen, sondern bestimmt auch erwähnen, dass sie im Zentrum von London parken durften.

Zielstrebig steuerte ich auf die Freitreppe mit dem roten Läufer zu. Aber Meryl zupfte an meinem Jackenärmel und dirigierte mich zu einer schmalen Tür, die man bestenfalls als Lieferanteneingang bezeichnen konnte. Es beruhigte mich nur, dass offensichtlich auch die Ordensempfänger durch diese Pforte eintreten mussten. Meryl rannte windhundflink vor mir her. Ich wäre viel lieber würdig langsam, dem Orte angemessen, durch die Flure und über die Treppen geschritten. So aber musste ich höllisch aufpassen, dass ich nicht die Wachen umrannte, die mit blanken Säbeln in der Rechten die Treppenläufer säumten.

Aus dem Augenwinkel sah ich, wie die Gruppe der Ordensempfänger für den großen Augenblick präpariert wurde. Sie sahen merkwürdig blass und nervös aus. Hätte man nicht gewusst, dass sie ihre Monarchin treffen würden, man hätte glauben können, sie bereiteten sich darauf vor, aufs Schafott geführt zu werden.

Wie Kindergartenkinder nahmen sie in Reih und Glied Aufstellung; es hätte nicht viel gefehlt, und sie hätten paarweise Händchen gehalten. Zofen zupften an den Damen und Herren herum und brachten kleine Häkchen an Kleider und Sakkobrüste an. An ihnen konnte die Königin die Orden anhängen, ohne mit einer Sicherheitsnadel herumfummeln zu müssen und sich womöglich so wie ich mit meiner Mohnblume in den Daumen zu stechen. Eine Stunde sollte die Veranstaltung dauern, einhundertzwanzig Leute mussten gehrt werden, da konnte man sich keine Sekunde Verzögerung leisten.

In einem Nebenraum sah ich, wie zwei Männer – übergewichtig der eine, drahtig der andere – aufs rechte Knie sanken und sich wieder erhoben. Der Dicke musste die Übung wiederholen. Die Augen traten aus den Höhlen, das Gesicht schwoll rot an. Man wusste nicht, ob vor Anstrengung oder vor Stolz. Die Hofbeamten freilich wollten nur sicherstellen, dass der künftige Ritter nicht wie ein gestrandeter Wal vor der Königin auf dem Boden liegen bleiben würde. Hier sah man jede nur denkbare Panne voraus; wahrscheinlich hatte man alles schon einmal erlebt.

Als wir endlich im Thronsaal angelangt waren, reichte mich Meryl an einen uniformierten Herrn weiter, dessen Beine in engen Schaftstiefeln steckten, aus deren Fersen schimmernde Sporen wuchsen. Ich wollte ihn eigentlich fragen, wozu diese Sporen dienten, denn es war nirgendwo ein Pferd zu sehen, aber er schob mich geschäftsmäßig in die letzte Reihe, auf den letzten Platz, unmittelbar neben dem Eingang. Dies sollte sich später als vernünftig erweisen.

»Verhalten Sie sich bitte der Würde des Anlasses angemessen. Sobald die Königin den Raum betreten hat, sollten Sie alle Gespräche einstellen.«

Da schien keine Gefahr zu bestehen. Die Sitznachbarin zu meiner Rechten und die Herren in der Reihe vor mir hatten offenkundig kein Interesse an einer Konversation und rückten sogar ein wenig von mir ab. Im Fall der Dame rechts begrüßte ich dies sogar. Sie hatte sich ein wenig stärker als nötig parfümiert, wogegen grundsätzlich nichts sprach. Kritisch wurde die Sache, weil sie sich mit Chanel Nummer fünf eingestäubt hatte. Ich bin beileibe kein Experte für wohlriechende Essenzen und könnte 4711 Kölnisch Wasser nicht von Victoria Beckhams neuester Parfum-Kreation unterscheiden. Chanel Nummer fünf freilich rieche ich überall heraus, denn sein Duft löst einen ununterdrückbaren Juckreiz bei mir aus. Er beginnt seltsamerweise im Rachen und wandert dann unaufhaltsam in die Nasenflügel hoch, wo er sich in einem explosionsartigen Niesen entlädt.

Ich selbst finde mein Niesen ja nicht so schlimm und glaube, dass Katja übertreibt, wenn sie sagt, dass Vögel tot vom Himmel fallen, wenn sie mich hören. Aber ich muss zugeben, dass mir ein vornehm gedämpftes Niesen noch nie gelungen ist. Für mich ist der Akt ein elementarer Befreiungsschlag, vergleichbar vielleicht mit dem Urknall zu Beginn des Universums. Je weiter sich die Chanel-Frau von mir entfernte, desto besser.

Plötzlich erstarb das Gemurmel im Saal. Durch die Flügeltür trat eine kleine Frau in einem aprikosenfarbenen Kostüm. Über ihrem linken Arm hing eine Handtasche, in der leicht der Wocheneinkauf einer alleinstehenden Rentnerin Platz gefunden hätte.

Ich kniff die Augen zusammen, wie um mich zu erinnern, dass ich nicht träumte. Da war sie also wirklich: Ihre Majestät, Elizabeth die Zweite, von Gottes Gnaden Königin des Vereinigten Königreiches von Großbritannien und Nordirland und ihrer anderen Reiche und Territorien, Oberhaupt des Commonwealth, Verteidiger des Glaubens.

Irgendwie war es wie mit Meryl: Auch die Königin sah genauso aus, wie ich sie mir vorgestellt hatte und wie sie im Fernsehen rüberkam. Ich meine, manchmal, wenn man berühmte Personen zum ersten Mal in der Realität sieht, kommen sie einem anders vor. Größer oder kleiner, netter oder abstoßender. Wie Menschen aus Fleisch und Blut eben und nicht wie bewegte elektronische Bilder.

Aber diese Elizabeth war wie eine alte Bekannte. Die perfekt frisierten und gefönten Haare, die bequemen Schuhe, die ihre Füße unverhältnismäßig groß erscheinen ließen, und das stets ein wenig mürrisch dreinblickende Gesicht – alles stimmte. »Wer hat euch denn hier hereingelassen?«, schienen diese Augen zu fragen, als ihr Blick an den Gästen vorbeistreifte, die sich von ihren Sitzen erhoben hatten. Für einen kurzen, viel zu kurzen Moment verharrte dieser Blick auf mir. Jedenfalls kam es mir so vor, als ob sie stutzen und sich fragen würde, wer dieser leidlich gut rasierte Herr mit der Mohnblume am Revers denn sein könnte.

Elizabeth durchquerte den Saal und stellte sich neben einen hochlehnigen Stuhl, den man im Notfall auch als Thron hätte hernehmen können. Sie nahm aber nicht Platz, sondern legte nur ihre Handtasche darauf ab. Ich fragte mich, warum die Frau im eigenen Haus mit einer Tasche herumlief. Zwangsläufig führte dies zur zweiten Frage, was diese Tasche barg. Haus- und Autoschlüssel? Handy? Tictacs? Hundekekse? Oder ein Klappzepter und eine Reservekrone, als eine Art von königlichem Schweizermesser für Notfälle?

Die Königin musterte uns misstrauisch wie eine Schuldirektorin, die genau weiß, dass die vor ihr angetretene Klasse einen Streich ausheckt, und die nun herauszufinden versucht, welche Richtung der Schabernack nehmen wird. Die Pause dehnte sich. Sollte das Uhrwerk stehengeblieben sein? »Ladies and Gentlemen«, sagte sie schließlich und räusperte sich unköniglich laut, als sie einsah, dass wir nicht freiwillig wieder verschwinden würden. »Please be seated.«

Mit einem Rauschen sank der Saal auf die harten Stühle. Dann legte die Queen los.

Sehr schnell wurde klar: Wenn Buckingham Palace wie ein Uhrwerk funktioniert, dann ist die Königin seine Unruh. Eine Kassiererin im Supermarkt hätte die Ware nicht zügiger über den Scanner ziehen können, wie die Queen Orden an Anzugbrüste und Chiffonblusen pinnte. Und erst die Ritterschläge! Die alte Dame da unten schwang das Schwert ihres Vaters so souverän links und rechts um die Häupter der vor ihr knienden künftigen Ritter wie Sweeney Todd sein Rasiermesser. Potentiell hätte dies genauso tödliche Konsequenzen haben können wie die mörderischen Absichten des blutrünstigen Barbiers aus der Fleet Street. Denn während die Queen unten Metall verteilte, spielten die Grenadier Guards oben auf der Musik-Empore zünftig auf: Rock und Pop, Oldies und Evergreens, Walzer und Musicals – allesamt Melodien, die auch weniger musisch veranlagten Menschen sofort in die Glieder fahren würden. Zum Glück sagt man den Windsors im Allgemeinen und Elizabeth Windsor im Besonderen keine musische Ader nach. Deshalb ließ sich die Queen nicht aus ihrem Takt bringen. Ansonsten hätte aus der Investitur leicht eine Mensur werden können.

Unbehelligt von der Musik ackerte sich die Queen durch die Samtschatullen mit den Orden. Es war ja auch kein Wunder: Routine macht den Meister, auch beim Ritterschlag. Ich hatte auf der Website von Buckingham Palace nachgelesen, dass Elizabeth ihren ersten Ritter zu einer Zeit schlug, als ich noch gar nicht auf der Welt war – und das ist, so viel steht fest, schon ziemlich lange her. Seitdem hat sie 387 772 Auszeichnungen verliehen. Nein, 387 773, denn soeben war ein grauhaariger Herr rückwärts von ihr weggetaumelt, so wie es sich gehört: Der Königin dreht man nicht den Rücken zu. Er hatte seinen MBE für Verdienste bei der Bekämpfung der Legasthenie in der Grafschaft Antrim in Nordirland bekommen. Es ging weiter wie beim Brezelbacken: Vortreten, Diener / Knicks, Orden empfangen, Handschlag, Wortwechsel. 387 774, 387 775, 387 776. Mit ausdruckslosen Gesichtern hielten zwei nepalesische Gurkhas Wacht hinter der kleinen Königin. Der Meister des königlichen Haushaltes reichte ihr die Ordensschatullen, als seien es Ziegelsteine auf einer Baustelle, und der Lordkämmerer hakte die Liste ab. Alt, jung, groß, klein, Mann, Frau, verschüchtert, keck – das Uhrwerk lief, die Uhr tickte. Als gewissenhafter Journalist stoppte ich die Zeit: Exakt 27 Sekunden konnte sich jeder Einzelne im Angesicht Ihrer Majestät sonnen. So lange dauerte der gesamte Vorgang, wobei es anscheinend egal war, ob Verdienste um die Schweinezucht, den Reitsport oder in der Kundenbetreuung ausgezeichnet wurden. In einem derart schnellen Takt landen noch nicht einmal die Flugzeuge in Heathrow.

Verstohlen zog ich meinen Block aus der Sakkotasche und begann mir Notizen zu machen. Schließlich war ich nicht zum Vergnügen hier, sondern um aus erster Hand Material für meinen Nachruf zu sammeln. Wenn du mich jetzt sehen könntest, Mäuer! Ha, das hättest du dir nicht gedacht!

Mir schien, als ob jeder im Raum meine Absichten erkannte, und ein wenig kam ich mir vor wie der Bestattungsunternehmer von Tombstone City, der vor einem Shoot-out beiden Revolverhelden schon mal vorsorglich die Sargmaße abnimmt. Pietätlos, richtig, aber in meinem Beruf muss man sich zuweilen über moralische Bedenken hinwegsetzen, und so schrieb ich weiter.

387 792, 387 793 – wenn sie nicht anschließend ein Video ihres Ehrentages kaufen dürften, würden sich manche der Geehrten vermutlich ins eigene Fleisch kneifen, um sich zu vergewissern, dass sie das Ganze nicht nur geträumt hatten.

Die Kapelle der Grenadier Guards war unterdessen zu einem Medley von Melodien aus Musicals von Andrew Lloyd-Webber übergegangen, angeblich ein Favorit der Königin: Evita, Cats, Phantom der Oper. Irgendwo hatte ich gelesen, dass das Orchester sich bemüht, die Musik jeweils auf die Person des Geehrten abzustimmen. Für Shirley Bassey intonierte man seinerzeit »Hey big spender«, für Julie Andrews »Edelweiß«. Was spielt man für den Finanzbeamten, der für dreißig zuverlässige Dienstjahre mit einer Medaille abgefrühstückt wird? Money, money, money?

Die Musiker intonierten »Jesus Christ Superstar«. Aha, wahrscheinlich ein Geistlicher, der als Nächstes seinen Orden bekommen würde. Unten verlas der Lordkämmerer mit Stentorstimme den nächsten Namen: »Reginald Waverley, für Verdienste um Bienenvölker in Nordwales«. Hmm, der Hummelflug von Rimski-Korsakow hätte wahrscheinlich besser gepasst. Aus dem Augenwinkel nahm ich eine Bewegung wahr. Die Frau zu meiner Rechten war immer näher zu mir herangerutscht, offensichtlich, weil man von dieser Warte aus einen besseren Blick auf die Königin und den nun vor ihr stehenden Mister Waverley hatte. Jetzt erhob sie sich halb von ihrem Sitz und winkte hinunter. Aha, wahrscheinlich Mrs Waverley, dachte ich noch – dann traf mich die Chanel-Wolke mit der Wucht eines Prallsackes.

In diesem Augenblick kapitulierte mein Großhirn und trat die Kontrolle an das vegetative Nervenzentrum ab. Mein Körper wandelte sich zu einem Regenwurm, der sich instinktiv vor einem Rotkehlchenschnabel wegkrümmt. Scharf atmete ich ein und hielt die Luft an, derweil sich die Muskeln in Brust und Bauch schlagartig zusammenzogen. Der Juckreiz in der Kehle schoss hoch in die Nase, dann wurde mir auf einer animalischen Ebene bewusst, wie sich das Gaumensegel blähte und die Verbindung zwischen Nase und Rachen abschloss. Dann kam die Detonation.

Einmal.

Zweimal.

Dreimal.

Langsam kam ich wieder zu mir. Dann traf die Wolke mich erneut.

Viermal.

Ich wischte mir die Tränen aus den Augen und öffnete meinen Mund wie ein Fisch, um meine Ohren wieder freizubekommen, die durch den Niesanfall blockiert zu sein schienen. Denn ich konnte weder die Musik noch die Stimme des Kämmerers hören. Dann erst bemerkte ich, dass es nicht an meinen Ohren lag. Im Saal war es mucksmäuschenstill geworden. Hunderte von Augenpaaren starrten mich an. Sogar der Kapellmeister blickte mit schlapp in der Rechten hängendem

Taktstock von der Empore herab. Schlagartig klappte ich meinen Mund zu. »Was für ein Flegel«, hörte ich es von irgendwoher leise zischeln. »Keine Manieren.«

Auch die Königin hatte innegehalten. Reginald Waverley stand noch immer ordenslos und verlegen vor ihr. Niemand hatte ihn auf diese Situation vorbereitet. Die Queen hatte ihre Brille abgenommen und musterte mich ungeduldig mit kritisch zusammengekniffenen Augen.

»Wenn Sie vielleicht langsam zu einem Ende kommen würden«, ließ sie sich schließlich vernehmen. »Wir haben hier noch viel zu tun.«

Sie sprach nicht laut, aber jedes einzelne Wort war glockenklar zu verstehen. Tolle Akustik hier in diesem Saal.

Wie aus dem Parkett gewachsen stand plötzlich der uniformierte Sporenmann neben mir. »Hier entlang, bitte«, fauchte er und deutete zum Ausgang. Benommen tappte ich hinter ihm her ins Freie.

»Entschuldigen Sie«, sagte ich, als wir im Hof angekommen waren. »Aber Sie hätten nicht vielleicht ein Taschentuch für mich?«

Vierzehn

Felicity Smythe-Stockington ritt nicht nur aus, sie hielt sich auch, wie mir meine Reitlehrerin Cilla schon verraten hatte, Hunde. Nicht irgendwelche Hunde, sondern Corgis. Von Felicitys Physiognomie und Nationalcharakter her hätte eine Bulldogge vielleicht besser zu ihr gepasst, doch für sie als Angehörige der Oberklasse waren Corgis auch keine schlechte Wahl, gelten sie doch gleichsam als Rolls-Royce der Hundewelt, weil die Königin einen ganzen Wurf von ihnen besitzt.

Mindestens vier sind es zu jedem Zeitpunkt, dazu kommt auch der eine oder andere sogenannte Dorgi. Dabei handelt es sich um abenteuerliche Kreuzungen aus Corgis und Dackeln. Dutzende ihrer kleinen Lieblinge sind im Park von Schloss Sandringham begraben – wann immer möglich unter jenen Bäumen, an denen sie zu Lebzeiten am liebsten ihre kurzen Beinchen hoben. Da soll niemand der Queen Gefühlskälte nachsagen.

Warum Elizabeth Corgis anderen Rassen vorzieht, hat sie meines Wissens nie verraten. Wörtlich übersetzt bedeutet der walisische Name so viel wie Zwerghund. Elizabeths Sohn Charles wiederum ist Prinz von Wales, und es ist bekannt, dass seine Mutter seine intellektuellen Fähigkeiten eher geringschätzt. Eine Verbindung zwischen diesen beiden Walisern herzustellen wäre aber falsch, schließlich sind die Corgis Elizabeths beste, wenn nicht sogar einzigen Freunde. Dies gilt für ihren Sohn nicht unbedingt ebenso uneingeschränkt.

Der Hofstaat hasst die bissigen Viecher, denen jede Frechheit nachgesehen wird. Sie erhalten ausgewogene Mahlzeiten mit reichlich Fleisch und Gemüse, schlafen in bequemen Betten, und wenn sie etwas angestellt haben, wird die Schuld einem zufällig gerade anwesenden Hofbediensteten zugeschoben. Das ist durchaus vergleichbar mit der Dynamik, die im Familiendreieck zwischen Katja, Chico und mir existiert. Auf den Punkt gebracht bedeutet dies, dass Chico im Park zwar viel hermacht mit seiner Männerfreundschaft zu mir; zu Hause aber steckt er sich hinter sein Frauchen. Im Gegenzug erhält der Hund von Katja mehr Narrenfreiheit als ich. In einem Punkt indes geht meine Frau nicht so weit wie die Queen – glaube und hoffe ich jedenfalls: Wenn Elizabeth verreist, zeichnet sie mit eigener Hand detaillierte Landkarten, auf welchen Wegen ihre Lieblinge ausgeführt werden sollen.

Eigentlich hatte ich ja gehofft, Len zu treffen, um ihm von meinem Abenteuer im Palast zu berichten. Genau betrachtet war er der Einzige, der mich und meinen Plan ernst nahm oder sich zumindest diesen Anschein gab. Außerdem wollte ich mit ihm in seiner Funktion als Ex-Heizer eine Information besprechen, die ich bekommen hatte: Demnach ist die Queen angeblich ein verkappter Dampflok-Fan. So weit geht ihre Leidenschaft, dass sie sich ab und zu inkognito mit geblümtem Hermès-Tuch und übergroßer Brille aus dem Palast schleicht, um im Vergnügungspark eines befreundeten Adligen ins Führerhäuschen einer Schmalspurlokomotive zu klettern und die ahnungslosen Gäste im Kreis herumzukutschieren. Ich wusste zwar aus seinen Erzählungen, dass Len in seiner aktiven Heizerzeit Frauen auf der Lok grundsätzlich ebenso ablehnend betrachtete wie der Kapitän eines Dreimasters. Umso lieber hätte ich erfahren, ob er für seine Monarchin eine Ausnahme machen würde.

Len war aber nirgendwo zu sehen. Gut möglich, dass Bates an diesem Tag schon auf dem Weg in den Park an irgendeiner Laterne in Trance versunken war. Dafür erspähte ich Felicity, wie sie ebenso streng wie angestrengt ins Unterholz starrte, als ob sie dort ein Versteck illegaler Polen vermutete. Dann brachen jedoch keine Osteuropäer aus dem Unterholz hervor, sondern zwei kurzbeinige Fellbüschel, die kläffend und mit hängender Zunge in Richtung einer Rehherde davonhechelten, die friedlich auf einer Lichtung äste. Interessant, dachte ich, dass nicht nur russische und französische Präsidenten einen Napoleon-Komplex besitzen, sondern auch Hunde. Die beiden Minikläffer glaubten im Ernst, dass sie einen Hirsch reißen könnten.

Aber sie kamen nicht weit.

»Tiddly! Winks! Hierher! Auf der Stelle!«

Felicity Smythe-Stockingtons Stimme dröhnte über den Park wie ein Nebelhorn. Die Rehe spitzten nervös die Ohren und entschlossen sich vorsichtshalber zur Flucht. Es war klar, wen sie mehr fürchteten. Sicherlich nicht die Corgis.

Tiddly und Winks machten kehrt und trotteten enttäuscht zu ihrem Frauchen zurück. Eigentlich hatte ich keine Lust zu einer neuen Konversation mit der furchteinflößenden Felicity. Aber ich hatte die Rechnung ohne Chico gemacht.

Bislang hatte er erfolglos Eichhörnchen gejagt. Erwischt hat er noch nie eines. Sie flüchten immer rechtzeitig auf einen Baum, worauf er sich auf die Hinterbeine setzt und erwartungsvoll zwischen dem Geäst und mir hin und her blickt. Ich liebe meinen Hund, aber bisher habe ich ihm nicht den Gefallen getan, auf einen Baum zu klettern und ihm ein Eichhörnchen zu fangen. Aber er gibt die Hoffnung nicht auf.

Amerikanische Wissenschaftler haben ja nachgewiesen, dass jeder Hund genetisch darauf programmiert ist, Menschen als sein Personal zu benutzen. Die Forscher brachten jeweils einem frischen Wurf junger Wölfe und junger Hunde bei, dass sich in ihrem Zwinger immer dann eine Klappe öffnete und Futter freigab, wenn sie an einem Strick zogen. Hunde wie Wölfe kapierten rasch. Doch dann vernagelten die Forscher die Klappe. Während die Wölfe weiter wie besessen an der Schnur zogen, suchten die Welpen Blickkontakt zu den Menschen. Also los jetzt, besagte ihr Blick, macht schon die verdammte Klappe auf.

Weil auch Chico weiß, welch untergeordneten Platz ich in seinem Universum einnehme, schlenderte er, ohne sich weiter um mich zu kümmern, zu den Corgis hinüber. Ich hatte mich schon früher häufig über die Wahl seiner Freunde gewundert. Zielstrebig scheint er sich jene Hunde auszusuchen, die mir instinktiv unsympathisch sind. Katja, mit der ich einmal darüber sprach, sah es praktisch: »Das ist eine gute Übung für dich. Oder glaubst du, es wird anders sein, wenn Julia erst einmal Boyfriends anschleppt?«

Die drei Hunde jedenfalls schienen sich viel zu

sagen zu haben; die Nasen waren wie festgeklebt an den jeweiligen Hinterteilen. Es war zu spät, wortlos weiterzugehen. Die Gassi-Etikette im Park verlangt von den Besitzern Smalltalk, sobald sich ihre Hunde erst einmal in ein Gespräch vertieft haben.

»Man hat sich doch schon gesehen, hat man nicht?«, fragte Felicity und kniff kurzsichtig die Augen zusammen. Tpyisch, dachte ich mir, sie ist auch zu eitel für eine Brille. »Sie sind kein Pole, sondern Deutscher, nicht wahr?«

Es klang nur marginal freundlicher, als wenn ich Pole gewesen wäre. Gut denkbar, dass sie in der Zwischenzeit ihre grundsätzlich positivere Meinung über Deutsche revidiert hatte. Auch Mrs Smythe-Stockington dürfte die Zeitungsberichte über die Gestankwolke gelesen haben, die deutsche Schweine über England geweht hatten.

Ich lächelte verkniffen und nickte, doch bevor ich den Mund aufmachen konnte, fügte sie hinzu:

»Als Deutscher wird Sie das interessieren. Ich fahre nach Deutschland. Zum ersten Mal in meinem Leben.«

Ich hatte nicht den Eindruck, dass sie diese Reise mit hochgespannten Erwartungen antreten würde, entschied mich aber, freundlich und neutral zu bleiben.

»Das ist aber schön. Und wohin genau, wenn ich fragen darf?«

»Wie? Wohin? Nach Deutschland, hab ich doch schon gesagt.«

»Na ja, Deutschland ist ein großes Land. Vor allem seit der Wiedervereinigung.« Diese Bemerkung konnte ich mir beim besten Willen nicht verkneifen. »Fahren

Sie in die Berge, an die See oder in eine Stadt? Berlin? München? Vielleicht Hamburg? Hamburg ist schön, da würden Sie sich wie zu Hause fühlen. Die Hanseaten halten ihre Stadt für den östlichsten Vorort von London, wussten Sie das?«

Sie stöhnte auf.

»Woher soll ich denn wissen, wohin ich fahre?«

Es klang eher wie: »Wieso nehmen Sie eigentlich an, dass mich das interessieren sollte?«

»Mein Mann organisiert das. Man zieht ja eigentlich ohnehin Frankreich als Reiseland vor, nicht wahr. Was freilich nicht bedeutet, dass man damit gleich alles an Frankreich billigt. Immer wieder haben wir hier in diesem Land mit Blut und Geld für unsere Allianz mit den Franzosen gezahlt«, belehrte sie mich und reckte einen fleischigen Zeigefinger in die Höhe. »Und was war der Dank? Was haben wir als Gegenleistung erhalten?« Sie legte eine Kunstpause ein, ohne allerdings wirklich eine Antwort zu erwarten. »Recht wenig, abgesehen von stinkendem Käse und, okay, billigem Sauvignon.«

Schade, dass Len nicht hier ist, dachte ich mir. Er hätte sich über alle Klassengegensätze hinweg blendend mit Felicity verstanden. Genau betrachtet wäre sie sogar als Frau sein Typ. Andererseits: Welche Frau war nicht Lens Typ?

»Verstehen Sie mich nicht falsch: Ich bin nicht gegen Frankreich. Ich kenne Frankreich, o ja. Vor die Wahl gestellt, würde ich lieber in einem alten Bauernhaus in der Gascogne leben als auf einer Ranch in Wyoming.«

Sie sprach »Ranch« mit englischem Akzent und einem langen, offenen »a« aus. Es dauerte einen Augenblick, bevor ich kapierte, was sie meinte.

»Und ich spreche auch Französisch, so lala. Die Sprache klingt gar nicht so schlecht, wenn man sich erst einmal überwunden hat. Besser als Deutsch. Deutsch kommt mir immer vor wie Hundegebell, finden Sie nicht. Und im Grunde genommen ist Französisch kinderleicht. Wenn man es erst einmal heraushat, dann bemerkt man, dass Französisch eigentlich so wie Englisch ist. Nur eben mit dieser grässlich falschen Aussprache.«

Es wäre interessant zu erfahren, ob sie schon einmal einem Franzosen diese eigenwillige Deutung der beiden Sprachen erläutert hatte. Aber wenn wir hier schon so nett plauderten, konnte ich sie doch eigentlich nach dem Klassensystem befragen. So viele Oberklassenbekanntschaften hatte ich schließlich nicht, und vielleicht würde sie ein wenig von ihrer angeborenen Reserviertheit verlieren, wenn ich ihr von meinem Treffen mit der Königin vom Vortag erzählte. Die Sache mit dem Niesen brauchte ich ja nicht zu erwähnen, und ich glaubte nicht, dass Elizabeth und Felicity sich gut genug kannten, um bei einer Tasse Tee und Gebäck über diesen unkultivierten Deutschen zu klatschen.

»Ich war gestern übrigens in Buckingham Palace.«

»Oh, waren Sie das? Wie interessant.«

Okay, okay. Es interessierte sie also nicht die Bohne. Hätte ich mir denken können; ich war ja schon zu Hause nicht gerade auf helle Begeisterung gestoßen, als ich von meinem Ausflug berichtet hatte. Selbstverständlich war es eine zensierte Version gewesen – den blamablen Zwischenfall hatte ich verschwiegen. »War ja klar, dass du die Wände einstürzen lässt«, hätte Katja nur gesagt. »Wie oft habe ich mich mit dir schon blamiert.«

Tochter Julia fragte nur, ob ich ihr wenigstens ein Autogramm mitgebracht hätte. »Die Königin gibt keine Autogramme.«

»Warum nicht?«

»Sie ist schließlich kein Popstar.«

An Felicity war mir natürlich schon aufgefallen, dass nicht nur ihre Erscheinung maskulin war, sondern dass sie auch ähnlich schlicht und geradlinig wie ein Mann dachte. Sprünge vollführte sie nur mit ihrem Pferd.

»Ich frage mich, ob es stimmt, was die Leute sagen, dass nämlich das Klassensystem im heutigen Großbritannien schon vor langer Zeit zusammengebrochen ist«, fragte ich sie.

Bei der Erwähnung des Wortes »Leute« rümpfte sie zwar kurz die Nase, aber sie ließ sich nicht aus dem Gleichgewicht werfen.

»Natürlich gibt es keine Klassen mehr«, sagte sie in einem Ton, der keinen Widerspruch duldete.

»Sie sind sich aber sehr sicher.«

»Natürlich ist man sich sicher. Wenn es noch ein Klassensystem gäbe, wäre so jemand wie Sie doch gar nicht in den Palast gekommen, oder? Und wenn es noch Klassen gäbe, würde ich mit Ihnen nur reden, um Ihnen eine Anweisung zu geben.«

Ich schluckte. Wahrscheinlich hatte sie ja wirklich recht. Aber ich ließ nicht locker.

»Aber die Königin, der Hochadel, Sie wollen doch nicht sagen, dass die nicht noch immer der Oberklasse angehören?«

»Ach, die Queen, das süße alte Ding. Nein, wissen Sie, der Charme dieses Landes bestand schon immer in der Leichtigkeit, mit der man in die Mittelklasse abrutschen konnte, wenn man nicht aufpasste. Und auch die Königin, das muss man leider sagen, ist doch ganz schön gewöhnlich geworden. Allein ihre Sprache! Hören Sie sich doch mal an, wie sie früher gesprochen hat: glockenhell, wie tiefgekühltes Kristall. Und wie redet sie heute? Wie eine Grundschullehrerin oder eine BBC-Ansagerin, fast schon vulgär.«

Es stimmte. Auf alten Tonbandaufnahmen klingt Elizabeth unnahbar und entrückt. »Als ob sie versuchen würde, eine Weintraube mit den Pobacken festzuhalten, ohne sie zu zerquetschen«, hatte es Len einmal wenig schmeichelhaft, aber sehr anschaulich beschrieben.

Felicitys Stimmlage dürfte sich noch nie verändert oder gar an die breite Masse angepasst haben. Während ihres Monologes hatten nicht nur die Rehe die Flucht ergriffen; selbst die Vögel im Park schienen verstummt zu sein. Nur die Zwergpapageien krächzten zurück. Wie diese tropischen Vögel nach Südwestlondon kamen, weiß niemand. Eine Theorie besagt, dass die Vögel Komparsen in dem Film »African Queen« mit Humphrey Bogart und Katherine Hepburn waren, der in den Pinewood Studios in London gedreht wurde. Die Papageien seien ausgebüchst und hätten sich unter anderem in Richmond Park niedergelassen, wo sie sich mittlerweile zu einer Landplage entwickelt haben.

»Große Veränderungen erkennt man am besten an vermeintlichen Kleinigkeiten«, schnarrte mich Felicity an. »Das gilt auch für das bedauerliche Ende der Klassengesellschaft. Sagen Sie mir: Waschen Sie sich nach dem Urinieren die Hände? Und ich frage Sie speziell als Mann.«

Das Blut schoss mir in die entlegensten Ohrspitzen.

Es traf mich jedes Mal aufs Neue völlig unerwartet: Die ach so samtpfötigen Briten können manchmal brutal direkt sein.

»Aber das gehört sich doch so, ich meine, das sollte jeder machen, oder etwa nicht«, stotterte ich.

»Da haben Sie es: Durch und durch Mittelklasse. Wie ordinär. Sie können von Glück sagen, dass Sie vom Kontinent kommen. Als Brite wären Sie noch nicht einmal Arbeiterklasse, mein Lieber. Arbeiter waschen sich die Hände auch nicht nach dem Pinkeln.«

»Aber, aber ... die Hygiene ...«

»Nonsens, Hygiene. Ich frage Sie, wohlgemerkt als Mann: Mit welchen Gegenständen kommen Ihre Hände in Berührung, wenn Sie Wasser lassen?«

Ich stieß mich zwar ein wenig an der Beschreibung jenes Körperteils als Gegenstand, schrieb dies aber Felicitys Absicht zu, das Thema quasi wissenschaftlich neutral zu halten und nicht in Schlüpfrigkeiten abzugleiten.

»Ganz recht«, sagte sie, als sie sah, dass ich nur hilflos den Mund auf- und zuklappte. »Und den halten Sie doch sauber, wie ich hoffe.«

Mein Mund schloss sich mit einem hörbaren Ploppen. Ich konnte nur noch fasziniert nicken.

»Das Händewaschen nach dem Pinkeln ist eine abscheuliche Mittelklassegewohnheit, und es gibt dafür sogar einen historischen Beleg. Mein Vater saß im Oberhaus, müssen Sie wissen, noch vor dem Krieg, als sich dort noch keine zu Lords geadelten Lokführer breitmachten. Im House of Lords waren die Waschräume unterteilt: Es gab Toiletten, und es gab Pissoirs, und in den Pissoirs waren natürlich keine Waschbecken installiert. Wenn Sie wollen, können Sie das selber überprüfen. Grundrisse des Gebäudes können Sie einsehen, die sind ja gottlob kein Staatsgeheimnis. Doch dann kam der Krieg und mit ihm die deutschen Luftangriffe.«

Ich war ja beruhigt, dass wir wieder einmal an allem Unheil schuld waren. Sollten die Nazis nun auch noch verantwortlich dafür gewesen sein, standesbewusste Briten zu Waschbecken und Seife getrieben zu haben?

»Ihre Luftwaffe ...« Felicity Smythe-Stockington machte eine bedeutungsschwere Pause und bohrte ihre Augen in mich, als ob in meinem Garten unter einem Camouflage-Netz ein Geschwader Messerschmitts geparkt wäre. »... Ihre Luftwaffe hat, wie Sie wissen sollten, das Parlamentsgebäude beschädigt, so dass die Mitglieder des Unterhauses in den Kammern des Oberhauses tagen mussten.«

Sie schüttelte sich. Es war keine Frage, was sie verwerflicher fand – und es war nicht die teilweise Zerstörung der Mutter der Parlamente durch fliegende hunnische Horden.

»Erst für diese ...« Sie rang nach einem geeigneten Wort. Pöbel erschien ihr offensichtlich zu hart. »Erst für diese gewöhnlichen Bürgerlichen wurden Waschgelegenheiten in den Pissoirs eingerichtet. Damit hat Mittelklasse-Verhalten Einzug genommen in einen Bereich, der damals noch rein aristokratisch war.«

Triumphierend blickte sie mich an. Jetzt fiel mir wieder ein: Ich war gestern im Buckingham-Palast auf der Toilette gewesen, und, ja, ich hatte mir die Hände gewaschen, nicht zuletzt deshalb, weil ich den Seifenspender aus Edelstahl ausprobieren wollte.

Aber was, wenn auch diese Toiletten von versteckten Kameras überwacht wurden? Was, wenn der Palast mit Hilfe dieser Videoaufnahmen die Spreu vom Weizen schied und bestimmte, wer wieder eingeladen würde und wer nicht? Einmal Pinkeln und Händewaschen – und Palastverbot für immer? Irgendwann einmal wollte ich doch zu einer Gartenparty der Königin eingeladen werden. Sollte ich diese Chance für immer verspielt haben? Und nur, weil man mir als deutschem Mittelklasse-Kind anrüchige Mittelklasse-Gewohnheiten eingetrichtert hatte?

Wir waren während unseres Gespräches langsam weitergegangen. Ich schnellte aus meinen dunklen Gedanken hoch, als ich vor uns auf einer weiten freien Wiesenfläche eine männliche Gestalt entdeckte, die mir bekannt vorkam. Langsam schritt sie ein Areal ab, das offensichtlich genau umrissen war. Penibel setzte der Mann einen Fuß vor den anderen, wobei er mitunter leicht ins Schwanken geriet, als ob er einen über den Durst getrunken hätte.

Als wir näher kamen, sah ich, dass es mein Nachbar Euan war und dass er bei jedem Schritt murmelte: »Zweitausenddreihundertzweiunddreißig, zweitausenddreihundertdreiunddreißig, zweitausenddreihundertvierunddreißig ...« Dass sich Euan zuweilen merkwürdig benahm, war mir ja bekannt. Aber meistens brauchte er dazu entweder ein Auto oder irgendeine batteriebetriebene Spielerei. Dass er auch gänzlich ohne technische Hilfsmittel spinnen konnte, war mir neu.

Ich räusperte mich. »Was treibst du denn hier, Euan? Erlaube, dass ich euch bekannt mache. Das ist das Frauchen von Tiddly und Winks – ähhh ...«

»Mrs Smythe-Stockington«, sagte Felicity Smythe-Stockington. Ich war ins Stocken geraten, weil ich ihren Namen ja gar nicht kennen durfte. Sie hatte sich nie die Mühe gemacht, sich vorzustellen, vermutlich weil sie sich sonst nach meinem unaussprechlichen fremdländischen Namen hätte erkundigen müssen. Ich hatte ihren Namen ja gleichsam hinter ihrem Rücken im Reitstall erfragt.

»Und das ist mein Nachbar Euan«, sagte ich.

Euan und Felicity taxierten einander wie zwei Boxer vor der ersten Runde. Es war unübersehbar, dass sich keine dauerhafte Freundschaft zwischen den beiden anbahnen würde.

»How do you do?«, fragte Euan.

»How do you do?«, erwiderte Felicity, mit der Betonung auf dem »you«.

Einen Augenblick lang kam ich mir vor, als ob ich in einen Roman von Jane Austen versetzt worden wäre. Außenstehende mutet der traditionelle britische Grußaustausch ein wenig albern an. Briten hingegen verstehen es, Tonfall und Timbre dieser vier Wörter mit unglaublich vielen Schattierungen und Modulierungen anzureichern. Euan und Felicity signalisierten einander, dass der Widerwille, mit dem sie sich den knappen Wortwechsel abrangen, auf Gegenseitigkeit beruhte. Hätte dieser tölpelhafte Germane sie nicht in diese peinliche Lage gebracht, wären sie selbstverständlich wortlos aneinander vorbeigegangen wie zwei Kamelkarawanen in der Wüste.

Übrigens verhalten sich Briten ebenso unterkühlt, wenn sie tatsächlich mit einer Kamelkarawane durch die Wüste ziehen. Ich erinnerte mich an den Bericht über eine Reise, die ein junger Engländer namens Alexander Kinglake Mitte des 19. Jahrhunderts im Orient unternahm. Nach mehreren Tagen in der syrischen

Wüste machte er am Horizont eine Gruppe von Reitern auf Kamelen aus. Als sie näher gekommen waren, sah er, dass einer der Reiter Europäer war und englische Kleidung trug – also vermutlich nicht topmodisch. Als sie sich aufeinander zubewegten, quälte Kinglake nur eine Frage: »Sollen wir miteinander sprechen? (…) Es gab eigentlich nichts, worüber ich mich mit ihm hätte unterhalten sollen, und ich hatte auch keine große Lust, anzuhalten und mit ihm zu reden.«

Glücklicherweise handelte es sich bei dem Fremden tatsächlich auch um einen Engländer. Beide Männer begnügten sich also damit, im Vorüberreiten wortlos ihre Hüte zu lüften. Nur weil die Kamele stehen blieben – also dem Verhalten der Hunde im Park nicht unähnlich –, sahen sich die beiden Gentlemen genötigt, das Wort aneinander zu richten. Der Fremde eröffnete das Gespräch mit der überraschenden Bemerkung: »Ich wage zu sagen, dass Sie wissen möchten, welchen Verlauf die Pest in Kairo genommen hat?«

Zweifellos hätte Felicity viel dafür gegeben, wenn ihr eine ähnliche Äußerung eingefallen wäre. So aber zwitscherte sie nur: »Ich muss dann mal, Reisevorbereitungen. Tiddly, Winks, kommt her.« Und zu mir gewandt, fügte sie hinzu: »Germany calling, Sie wissen ja.«

Irgendwie gelang es ihr, einen ebenso raschen wie formvollendeten Abgang hinzulegen wie Aschenputtel auf dem Ball des Prinzen, obwohl sie keine Glas-Slipper trug, sondern Gummistiefel, die vom schlammigen Boden schmatzend festgesogen wurden.

»Gut, dass du vorbeikommst«, sagte Euan, als Felicity außer Hörweite war. »Du musst mir helfen.«

»Gerne. Aber wobei?«

»Kennst du Jost van Dyke?«

»Aber klar doch. Mary Poppins. Der den Kaminkehrer gespielt hat. Und Tschitti Tschitti Bäng Bäng.«

»Nein, das war Dick van Dyke. Ich meine Jost van Dyke, die Insel.«

»Insel? Im Wattenmeer?«

»Nein, British Virgin Islands. In der Karibik. Colette und ich waren doch da mit Freunden. Eine irre Yacht haben die, und gar nicht mal teuer. Aber ich will mir kein Schiff kaufen, sondern ein Grundstück.«

»Auf Jost van Dyke?«

»Ja, absoluter Geheimtipp. Die Preise können nur steigen.«

Er rieb sein Ohrläppchen zwischen Zeige- und Mittelfinger. Es war eine Geste, die er jedes Mal machte, wenn er von Geld sprach. Sein Ohr befand sich fast immer zwischen den beiden Fingerspitzen.

»Ein Kollege in der City hat mir gesteckt, dass dort ein Ferienclub gebaut werden soll, so eine Art Club Med, nur schicker und exklusiver.« Er nahm den Finger vom Ohr und streckte den Daumen senkrecht in die Höhe, um die Richtung der erwarteten Wertsteigerung anzugeben. »Außerdem wird es keine politischen Überraschungen geben. Britisches Territorium, verstehst du. Good old Lizzie ist auch dort die Königin. Queen of Tortula, Queen of Barbuda, Queen of the Virgins, du kannst es dir aussuchen. Ihr Foto hängt dort in jeder Amtsstube.«

»Barbuda Queen« klang zwar eher nach einem besonders kräftigen rauchbaren Kraut oder nach einem Song von Bob Marley. Aber irgendwie war der Gedanke nicht unsympathisch, dass die alte Dame im grauen Buckingham-Palast nicht nur über neblige Nordseeinseln herrschte, sondern auch über sonnige Palmeneilande.

So weit wie ihr Mann hatte es Elizabeth bei fremden Völkern allerdings nicht gebracht. Daheim in England ist Philip ein »Prinz des Vereinigten Königreiches, Herzog von Edinburgh, Graf von Merioneth und Baron Greenwich«. Doch für die Angehörigen des Stammes der Yaohnanen auf dem Inselchen Tanna im Pazifik ist er ein Gott. Keiner weiß, warum, aber sie halten den Prinzgemahl für den Sohn des Geistes vom Berg Tukosmera. In grauer Vorzeit habe dieser Geist die Insel verlassen und sei hinausgezogen über das Meer, immer der Sonne folgend. Fern im Westen habe er schließlich eine mächtige Frau geheiratet – offenkundig Elizabeth. Inzwischen haben die Insulaner persönlich Kontakt zu ihrem Gott aufgenommen. Auf Einladung eines britischen Fernsehsenders reisten sie nach England. Eine Religion mit Prinz Philip als verehrungswürdigem höherem Wesen besitzt gegenüber dem Christentum, dem Islam oder anderen Glaubensgemeinschaften den unschätzbaren Vorteil, dass man mit seinem Gott eine Tasse Tee trinken und ein paar Gurken-Sandwiches verzehren kann. Das Bemerkenswerteste an der Begegnung der Pazifik-Insulaner mit Philip war freilich, dass sie ihn auch nach dem Treffen noch immer für göttlich hielten. Den meisten Menschen, die dem Herzog von Edinburgh zum ersten Mal begegnen, fallen viele Adjektive ein. Das Wort göttlich ist nie darunter.

»Virgin Islands, was?«, fragte ich Euan. »Warum kaufst du kein Grundstück auf Jamaika?«

Ich bereute das Wort, noch bevor es meinen Mund verlassen hatte. Jamaika. Wie konnte ich nur. Chico, der bisher ein Brennnesselblatt ähnlich hingebungsvoll beschnuppert hatte wie Gerhard Schröder eine Cohiba, plumpste aufs Hinterteil, hob die Schnauze in die Luft und begann zu heulen. Er hätte, das muss man schon sagen, als Synchronstimme für den Hund von Baskerville gute Chancen gehabt.

Euan blickte mich fragend an.

»Dieses Heulen höre ich manchmal aus eurem Haus«, meinte er. »Ich habe immer gedacht, ihr seht euch Naturfilme über Wölfe in Sibirien an.«

Hilflos zuckte ich mit den Schultern. »Nein, kein Wolf. Das ist Chico. Jamaika löst das bei ihm aus. Das ist ein Grund, weshalb wir dort nie hingefahren sind. In seiner Anwesenheit konnten wir das Thema nie ausdiskutieren. Er hat uns immer unterbrochen. Sosehr wir um das Reizwort herumtänzelten, irgendwann hat sich einer verplappert. Am Ende sind wir dann nach Borkum gefahren. Weniger aufregend, zugegeben. Aber dafür kein Geheul. Und in der Karibik gibt's keine Strandkörbe.«

Wenn Euan nicht ein höflicher Mensch gewesen wäre, dann hätte er sich jetzt vermutlich mit dem Finger an die Schläfe getippt. So aber bog er die Geste um in ein Kratzen am Kopf.

»Wo, zum Teufel, war ich denn nur stehengeblieben. Zweitausendirgendwas. Macht nichts. Muss ich halt noch mal von vorne anfangen.«

»Das wollte ich dich sowieso fragen, warum du wie ein Storch hier über die Wiese stakst und Zahlen murmelst?«

»Na, ich muss mir doch ein Bild davon machen, wie groß das Grundstück sein wird. Achttausenddreihundert Fuß sind es. Achttausenddreihundertundfünf, um ganz genau zu sein.«

»Und du bist sicher, dass diese karibischen Füße dieselbe Größe haben wie deine Schuhe?«, fragte ich. Offensichtlich konnte er den Spott in meiner Stimme nicht heraushören.

»Du hast recht, das sollte ich vielleicht besser einmal überprüfen. Die Leute dort leben auf kleinerem Fuß als wir.«

»Ich bin ziemlich sicher, dass es ein Gerät gibt, mit dem du die Größe abmessen kannst«, riet ich ihm. »Mit einem Laser oder so.«

Euans Augen leuchteten. Er schlug sich an die Stirn.

»Ein *Gadget*, wieso bin ich da nicht selber draufgekommen. Weißt du was? Ich denke, dass mein Navigationssystem das kann.«

Wieder zu Hause angekommen, wollte ich mich eigentlich gleich ungesehen nach oben in mein Arbeitszimmer stehlen. Aber Katja fing mich schon in der Diele ab.

»Wir müssen besprechen, wohin wir im Urlaub wollen«, überfiel sie mich. »Ich denke, dass die Isle of Wight ganz hübsch wäre. Wir können mit dem Auto hin, und wir können Chico mitnehmen. Was meinst du?«

»Na ja, wenn wir hier im Land bleiben wollen, dann wäre Schottland doch vielleicht interessanter. Mehr Kultur als die Isle of Wight, und Julia würde was lernen.« Katja zog einen Flunsch wie zehn Tage Regenwetter, was – das gab ich ja gerne zu – den klimatischen Aussichten für einen Urlaub in den Highlands entsprach.

»Oh, die Isle of Wight passt dir also nicht?« Sie klang echt eingeschnappt.

»Liebling«, versuchte ich einzulenken, »warum sagst du eigentlich immer, dass wir gemeinsam entscheiden sollen, und dann hast du deinen Entschluss schon längst alleine gefasst? Ist ja nur eine Frage.«

»Aber wir können doch gemeinsam entscheiden, ist doch überhaupt kein Problem. Du musst nur meiner Meinung sein. Ist das denn so schwer? Also: Die Isle of Wight ist gebucht?«

Ich nickte und kroch die Treppe zum Arbeitszimmer hoch. Wahrscheinlich hatte sie sowieso recht.

An einem Tag unangenehmer Überraschungen brachte mich die E-Mail von Mäuer auch nicht weiter aus der Fassung. »Zwischenbericht zur Nachrufhalde« stand im Betreff.

»Unser Appell hat unerwartet Früchte getragen, wenn auch nicht so, wie wir es erwartet hätten. Wir sind zwar von Nachrufen geradezu überflutet worden, aber einige der Key players fehlen noch immer.«

Key players? Wer tot ist, hat eigentlich ausgespielt. Aber mein Ressortchef war schon immer ein Meister der präzisen Formulierung.

»Ich habe schon mehrfach darauf hingewiesen, aber lassen Sie es mich an dieser Stelle nochmals wiederholen: Wir brauchen keine Nachrufe mehr auf George W. Bush. Es liegen bereits fünf vor. Einige wurden von Kolleginnen und Kollegen eingereicht, deren Spezialgebiet die USA nie gewesen sind. Ich darf bei dieser Gelegenheit außerdem darauf hinweisen, dass Bush erst Anfang sechzig ist. Was uns allerdings trotz mehrfacher Mahnungen noch immer fehlt, ist ein Nachruf auf Jimmy Carter (84!)«

Bis jetzt fühlte ich mich von der E-Mail nicht angesprochen. Zu beanstanden hätte ich nur, dass Mäuer noch immer nicht den Unterschied zwischen mehrfach und mehrmals verinnerlicht zu haben schien. Dabei hatte auch er – so wie wahrscheinlich bereits jeder schreibende Kollege der Zeitung – Post des Lesers Jochen Fröhlich aus Recklinghausen erhalten, der sich die Erklärung dieses Unterschieds zur Herzenssache gemacht hatte. Er schrieb im Allgemeinen mehrmals an jeden Einzelnen von uns, aber möglicherweise schrieb er auch mehrfach. Denn die Briefe schienen Kopien einer mehrmals kopierten Urepistel zu sein.

»Besonders lobend möchte ich hervorheben, dass wir in London hervorragend aufgestellt sind.«

Ich las den Satz noch einmal. London? Hervorragend aufgestellt? Das stimmte zwar. Aus Mäuers Mund hätte ich so ein Lob aber nicht erwartet, schon gar nicht im Zusammenhang mit den Nachrufen. Oder hatte ich etwa in Trance geschrieben ohne es zu wissen? Katja behauptete zwar immer, dass ich schlafwandele. Aber im Schlaf schreiben?

Mäuer hatte offensichtlich auch gar nicht mich im Sinn.

»Wir können uns vor allem dank der aufopfernden Bemühungen der Feuilletonkollegen entspannt zurücklehnen, falls der Tod demnächst die Reihen der britischen Unterhaltungsindustrie lichtet: Paul McCartney, Shirley Bassey, Tom Jones und Rod Stewart liegen als Nachruf vor, ebenso wie die kompletten Stones.«

Ehrgeizlinge, schnaubte ich. Die haben wohl nichts Besseres zu tun, als Männer und Frauen in den besten Jahren unter die Erde zu schreiben.

»Leider gehen uns aber noch immer einige Nachrufe ab, die angesichts des Alters der betroffenen Personen und ihrer Stellung unabdingbar vorliegen müssen.«

Es war schon klar, dass er mich und meine Königin meinte. Aber ich wusste eben auch, dass Elizabeth topfit war, fitter wahrscheinlich als Mick Jagger. Keine harten Drogen, sondern nur ein gelegentlicher Gin and Tonic, ausgiebige Spaziergänge mit den Corgis an der frischen Luft in Schottland und in Windsor, kein Stress mehr mit den Kindern, seitdem nun endlich auch der Älteste die richtige Frau gefunden zu haben schien. Diese Frau war nie krank.

Verdrießlich beförderte ich die Mail mit einem Mausklick in den elektronischen Papierkorb und zog die »Akte Elizabeth« zu mir herüber, die als ständige Mahnung vor mir auf dem Schreibtisch lag. Zeitungsausschnitte, eigene Notizen, Fotos und Querverweise auf eine veritable Königinnenbibliothek hatte ich gesammelt, genug für eine ziegeldicke Biographie. Was fehlte, war der Funke, so etwas wie der Blitzschlag, mit dem Doktor Frankenstein seine Kreatur zum Leben erweckt hatte.

Ich seufzte. Wahrscheinlich würde ich das Ding letzten Endes doch trocken schreiben müssen, ohne Königin Elizabeth gesprochen zu haben. Wie misslich das ist, kann jeder Großstadt-Pfarrer bestätigen, der ein Gemeindemitglied unter die Erde bringen muss, das er nie in seiner Kirche gesehen hat. Sicher, es gibt die Urteile aus zweiter Hand – von Ehegatten, Kindern, Freunden, Nachbarn. Aber wie glaubwürdig waren die? Mit der Queen befand ich mich in einer ähnlichen Situation.

Ich griff zur Fernbedienung und schaltete den Fernseher an. Auf dem Bildschirm erschien – wunderbare Fügung – Elizabeth. Das konnte kein Zufall sein. Es war ein Sonderbericht über den Alltag der Königin, wie sie ihre Tage verbringt, was sie tut, um die Apanage zu verdienen, die britische Steuerzahler ihr jedes Jahr zahlen. Nur Pennys seien es pro Kopf und Tag, rechnen die Buchhalter des Palastes der Nation alljährlich vor. Jeder weiß zudem, wie sparsam, um nicht zu sagen geizig, die Queen ist. Vor allem die eigene Familie hat sie finanziell stets an einer recht kurzen Leine gehalten.

Die Sendung schien vielversprechend zu sein. Vorsichtshalber ließ ich den DVD-Rekorder mitlaufen. Der Reporter erzählte gerade etwas davon, wie ein Lakai der Königin, als sie sich setzen wollte, den Stuhl nicht nahe genug hingeschoben hatte. Ihre Majestät war mit einem Plumps auf dem Allerwertesten gelandet, und der unglückselige Bedienstete verdient sein Geld seitdem bei einem anderen Arbeitgeber. Dann Szenenwechsel auf einen Marktplatz – und plötzlich sah ich sie. Nicht Elizabeth, eine andere Frau, und wenn ich ihr auf der Straße begegnet wäre, hätte ich keinen zweiten Blick auf sie verschwendet. Aber es war eine Bemerkung des Reporters, die mich hellhörig machte. Ich drehte die Lautstärke hoch. Und plötzlich fiel es mir wie Schuppen von den Augen. Ich wusste: Dies war die Frau, die meine Rettung sein könnte. Aufgeregt notierte ich mir ihren Namen: Mavis hieß sie. Mavis Pickering.

Fünfzehn

Die Sendung mit der Königin und Mavis bestätigte wieder einmal ein Urteil, das ich mir schon vor einiger Zeit über das britische Fernsehen im Allgemeinen und die BBC im Besonderen gebildet hatte. Ein Fernsehabend ist ein wenig wie ein verregneter Sonntag, den man mit Stöbern auf dem Speicher verbringt. Man stolpert über altes Gerümpel, wischt Spinnweben beiseite und fragt sich, warum der Krempel immer noch herumsteht. Manchmal verklärt sich der Blick nostalgisch, wenn Erinnerungen wach werden; meistens freilich möchte man umgehend die Sperrmüllabfuhr anrufen. Doch da Dachkammern auch die Schatzinseln des Kleinbürgers sind, entdeckt man in ihnen mitunter überraschend Kostbarkeiten.

Ganz ähnlich verhält es sich mit dem Fernsehprogramm. Es besteht zu einem großen Teil aus bewährtem Material. Das mögen uralte Serien sein, mit denen schon Generationen von Briten groß geworden sind. Die nordenglische Arbeiterklassen-Saga »Coronation Street« läuft seit 1960, die Cockney-Kopie »East-Enders« immerhin auch schon seit mehr als zwanzig Jahren. Wenn Darsteller sterben, sich scheiden lassen oder nach Australien emigrieren, trauern die Zuschauer daheim am Bildschirm mehr als bei der eigenen Verwandtschaft. Dem Vernehmen nach soll die Queen ebenfalls regelmäßig zuschalten. Ich vermute, dass sie die Folge aus anthropologischem Interesse verfolgt. Wie sollte sie denn sonst einen Eindruck von ihren Untertanen gewinnen?

Für Katja und mich gerieten manche Abende zu sentimentalen Zeitreisen in die eigene Vergangenheit: Schau mal, das haben wir doch schon damals in München gesehen. Ach, mein Gott, »Mit Schirm, Charme und Melone«. Als das in Deutschland lief, ging ich noch ins Gymnasium.

Nicht minder populär sind Quizsendungen, zumal dann, wenn auch sie schon seit Jahrzehnten laufen. Briten lieben jede Art von Quiz – vom Kreuzworträtsel über Sudoku und Quiz-Abende im Pub bis hin zu TV-Ratespielen. Klassiker sind »University Challenge« und »Mastermind«. Im ersten Fall beantworten picklige Studenten aus zwei rivalisierenden Universitäten die absonderlichsten Fragen. Bei »Mastermind« stellen gewöhnliche Sterbliche außergewöhnliche Spezialkenntnisse unter Beweis – der Taxifahrer beispielsweise, der alles über flämische Gobelins der Frührenaissance weiß, oder der Supermarktverkäufer, der die Filme der Coen Brothers im Wortlaut zitieren kann.

Mut beweist die BBC zudem bei der flächendeckenden Berichterstattung von Veranstaltungen, die mitunter denselben Grad an Aufregung und Spannung vermitteln wie wachsendes Gras oder trocknende Farbe. Meisterschaften in Billard oder Darts beispielsweise werden tagelang übertragen. Nach einiger Zeit glaubt man, dass das Bild stehengeblieben ist, weil immer dieselben Spieler die Kugel zu kicken oder den Pfeil zu werfen scheinen. Nicht minder ausführlich widmet sich die BBC Höhepunkten des britischen Jahres: Über die Hundeshow von Crufts etwa wird ebenso detailliert berichtet wie über die Blumenmesse in Chelsea oder diverse Pferderennen. Aber so wie auf dem Dachboden findet man auch bei der BBC mitunter unerwartet Pretiosen in Gestalt preisverdächtiger Dokumentationen oder Fernsehspiele.

Julia – geprägt vom amerikanischen TV – genügten zwei Fernsehtage mit dem britischen Grundprogramm (BBC und ITV), um ultimativ die Einrichtung von Kabel oder, besser noch, Satellit zu verlangen, mit dem sie US-Sender empfangen konnte. Da ich inzwischen weiß, welche Kämpfe ich nicht gewinnen kann, streckte ich rasch die Waffen und bestellte einen Kabelanschluss. Wenn Disney Channel, Nickelodeon, »America's Next Top Model« und »American Idol« der Preis waren, den ich für die Bereitschaft meiner Tochter, in England zu leben, zahlen musste, dann würde ich es eben tun.

Inzwischen gefällt es ihr hier, doch merkwürdigerweise haben wir weiterhin Kabel. Julia behauptet, dass sie ihr Amerika-Heimweh noch immer mit TV-Serien bekämpfen muss, in denen US-Teenager Baseball spielen und sich in Pompoms schwingende Cheerleader verknallen. Mit der Lebenswirklichkeit in Großbritannien hat das wenig zu tun. Mit amerikanischer eigentlich auch nicht.

»Wenn man die Chance hat, in einem anderen Land zu leben, dann sollte man das nützen und alles von diesem Land kennenlernen«, hatte ich ihr gepredigt. »Und das Fernsehen ist ein wunderbares Fenster in die Seele eines Landes.« Welch blühender Unsinn! Das glaubte ich ja selber nicht. Aber Väter gleiten leicht in Unsinn ab, wenn sie pädagogisch zu sein versuchen.

Julia durchschaute mich ohnehin. »Ach wirklich!«, höhnte sie. »Die Briten imitieren doch sowieso nur amerikanisches Fernsehen: ›Britain's Next Top Model‹, ›The X-Factor‹ – alles importiert. Nur dass die englischen Models nicht so hübsch sind und die englischen Sänger nicht singen können. Sogar in Deutschland äffen sie das nach: ›Deutschland sucht den Superstar‹. Superstar! Dass ich nicht lache. Die Wörter Superstar und Deutschland passen zusammen wie Pommes Frites und Broccoli. Superstars gibt es nur in Amerika.«

So ganz aus der Luft hatte ich mir das Bild vom Fernsehen als Fenster in die Seele des Landes freilich nicht gegriffen. »Du erkennst die Briten an ihrem Fernsehprogramm«, hatte mir auch Kollege Hermann erklärt. Seit einiger Zeit schien auch seine deutsche Aussprache den pelzigen Klang seines Englisch anzunehmen. »Ich habe ja schon einiges gesehen in meiner Zeit in diesem Land, ich bin ja nicht erst seit gestern hier.« Hermann flocht bei jeder Gelegenheit seine Erfahrung ein. »Sie lieben keine Abenteuer, und sie mögen eigentlich keine Überraschungen. Und nichts ist vertrauter als die Wiederholung einer Serie, die du schon auf dem Schoß von Opa oder Oma gesehen hast. Da spielt ein wenig dieses Traditionsding mit hinein.«

»Bist du jetzt nicht ein wenig hart?«

»Überhaupt nicht. Nur ehrlich. Nimm die Politik. Alle paar Jahre wählen sie ein neues Parlament – und immer eine von zwei Parteien, schön brav abwechselnd, damit sich weder Labour noch Konservative beklagen können. Den ganzen kontinentalen Wahnsinn – Kommunismus, Faschismus –, die Briten haben das nie ausprobiert. Fanatisch sind sie nur im Fußball und bei ihren Hobbys.«

»Na ja, ein Mangel an Fanatismus fällt mir auch im Alltag auf«, warf ich ein. »Jeden Morgen fahren sie mit denselben Leuten zur Arbeit. Sie würden sie zwar nie ansprechen, aber sie sind ihnen vertrauter als die eigene Familie. Vielleicht gerade deshalb. Auf alle Fälle sind diese Mit-Pendler berechenbarer als Ehepartner oder gar Kinder. Keine Experimente – das ist ihr Prinzip. Immer dasselbe Essen, immer dieselben Niederlagen im Fußball, immer dieselbe Königin. Im Ernst: Am liebsten wäre ihnen ein Leben wie ein Teller Porridge: sanft für die Augen, mild für die Geschmacksknospen und gut für eine zuverlässige Verdauung.«

Ich begann zu erkennen, dass ein solches Leben einen gewissen Reiz haben könnte. Oder war das nur eine Frage des Alters? Sollte es unser aller Schicksal sein, irgendwann zu einem Mister Morris zu mutieren? Ich erzählte Hermann von dem wohlgeordneten Tagesablauf meiner Gastfamilie damals in London.

»Perfekt, ein perfektes Beispiel«, jubelte er. »›Das englische Leben daheim ergänzt das Leben auf See: Seine entscheidenden Wesensmerkmale sind Sicherheit und Monotonie.‹ Ist leider nicht von mir, sondern von Elias Canetti. Der verstand zwar nichts von der christlichen Seefahrt – die ist ja nicht unbedingt sicher. Aber dafür kannte er seine Briten. Lange genug hat er ja in London gelebt, wenn auch ohne Fernsehen.«

Die Sendung über den königlichen Alltag indes erwies sich für mich als atemberaubende Überraschung. Gebannt kroch ich schier in das Gerät hinein. Mavis Pickering stand auf einem Marktplatz, der aus dem Bausatz »Pittoreske englische Kleinstadt« zusammengesetzt worden war: eine Kirche wie aus einem Omen-Film, wo die Kreuze vom Kirchturm stürzen und Pfarrer aufspießen; ein Pub mit Fachwerkfassade, dessen Name »Ye Olde Yellow Dragon« auf seine neue Verwendung als China-Restaurant hindeutete; diverse Supermärkte von Tesco, eine Drogerie mit dem blauen Signet der Kette Boots, ein Woolworth und ein WHSmith. Dazwischen reichlich Überwachungskameras und Parkwächter in schlechtsitzenden grasgrünen Uniformen mit gelben Reflektorstreifen. Solche Warnfarben kommen auch im Tierreich vor.

Mavis trug eine jener übergroßen, runden Brillen in Bonbonrosa, wie sie von Popgruppen in den späten siebziger Jahren bevorzugt worden waren und die man heute nur noch im Gesicht von Elton John antrifft. Das Brillengestell und die von hohen Dioptrien geweiteten Augen verliehen ihr das Aussehen eines Uhus, der permanent zwischen Empörung und Erstaunen schwankt.

Aber es war nicht der Anblick dieses Überbleibsels der Flower-Power-Zeit, der mich in Bann schlug, sondern die Szene, die sich nun vor meinen Augen abspielte. Denn jetzt trat eine andere Frau ins Bild. Sie war klein, trug einen lindgrünen Mantel mit farblich darauf abgestimmter Kopfbedeckung, und sie ging schnurstracks auf die Eulenfrau zu. Ich zwinkerte, um mich zu vergewissern: Es war die Königin, und der Körpersprache nach zu urteilen waren sie und Mavis Pickering alte Bekannte. Ein picklig-blasser Knabe, der neben Mavis stand und irgendwie zu ihr zu gehören schien, reichte der Queen ein Blumengebinde, während Mavis mit ihr plauderte. Unwillkürlich blickte ich auf die Uhr: Fünfzehn, zwanzig, dreißig Sekunden sprachen sie nun schon miteinander. Das waren fast zehn Sekunden mehr, als ein frischgeschlagener Ritter im Buckingham Palace erwarten konnte. Wer war diese Frau, die Königin Elizabeth derart fesseln konnte? Was hatten sie sich zu erzählen?

Dieselbe Frage schien sich auch die BBC-Reporterin gestellt zu haben, denn nun füllte das Gesicht der Brillenfrau den ganzen Bildschirm aus. Sie beschrieb sich selbst als *Queen watcher*, als Beobachterin der Königin. In einem Land, in dem das geduldige Beobachten von Vögeln, Zügen sowie startenden und landenden Flugzeugen zu den populärsten Hobbys gehört, lag Mavis mit ihrem Zeitvertreib offenbar voll im Trend. Nur dass es mehr Vögel gibt als Königinnen.

»Mavis Pickering folgt der Königin auf Schritt und Tritt«, flötete die Reporterin. »Wo immer sie in der Öffentlichkeit auftritt, Mavis ist schon da. Ein wenig wie der Hase und die Schildkröte, nicht wahr?«

Mavis verzog keine Miene. Vielleicht gefiel es ihr nicht, mit einer Schildkröte verglichen zu werden.

»Ja. Ich schätze, dass ich Ihrer Majestät schon ein paar tausend Mal begegnet bin«, sagte sie schließlich. »Aber andererseits ist das auch wieder nicht besonders viel. Sie müssen bedenken, dass ich das schon fünfundzwanzig Jahre lang mache.«

Ihre raue Stimme stand in merkwürdigem Kontrast zu der Zärtlichkeit, mit der sie ihre Hand auf den Kopf des sommersprossigen Jungen senkte, der der Königin die Blumen überreicht hatte.

»Dorian ist erst elf, aber er hat die Königin schon öfter gesehen als jedes andere Kind in Britannien.«

Elizabeths eigene Kinder und Enkel wahrscheinlich eingeschlossen, ergänzte ich in Gedanken. Das war keine böswillige Unterstellung von mir, sondern beruhte auf Fakten. Irgendwann war ein larmoyanter Prinz Charles in einem Fernsehinterview über seine Rabenmutter hergezogen, die nur an ihrer Karriere interessiert gewesen sei und ihn als Kind sich stets auf Armeslänge vom Leibe gehalten habe. Es klang, als ob der Prinz eine Kindheit wie Oliver Twist verlebt hätte, oder mindestens wie einer der Jackson Five.

Mavis Pickering indes, so viel schien sicher, ließ ihren Sohn nie daheim. Ihre fleischige Hand legte sich mütterlich auf seine rotblonden Haare.

»Mein Dorian war erst siebzehn Tage alt, als ich ihn zum ersten Mal mitnahm. Und ich habe besonderen Wert darauf gelegt, dass er die Queen Mum traf. Sie war einhundertzwei, er war sechs. Er war also alt genug, um sich an sie zu erinnern. Und das ist wichtig: Wenn er einmal selber alt ist, wird er der einzige und der letzte Mensch auf Erden sein, der die Königinmutter noch persönlich kannte.«

Ich wusste sofort: Diese Frau musste ich persönlich kennenlernen. Manche hätten vielleicht gesagt, dass sie nicht ganz richtig im Oberstübchen sei. Aber das wäre nur ein oberflächliches Urteil gewesen. Mavis Pickering entsprach vielmehr bis ins letzte Gen einer besonderen Abart der britischen DNS-Helix: Jeder Strang, jede Base, jedes Atom sind für sich genommen eigentlich absurd. Aber in der Gesamtheit ergibt diese Kombination einen Sinn – wenn auch nur einen rein britischen.

Niemand hat jemals erforscht, ob es in Großbritannien mehr Exzentriker gibt als in anderen Ländern. Ich persönlich glaube, dass die Zahl mehr oder minder stark abgedrehter Personen überall auf der Welt in etwa gleich groß ist. Aber in England genießen sie mehr Narrenfreiheit, wenn nicht sogar Respekt. Eine Gesellschaft, die – wie Hermann erklärt hatte – am liebsten in seichtem, lauwarmem Wasser träge vor sich hin treibt, hat etwas übrig für Außenseiter, die nicht im Strom mitschwimmen. »Engländer lieben Exzentriker«, hatte er beteuert. »Sie dürfen nur nicht im Haus nebenan wohnen.«

Die Beschreibung traf exakt auf Anthony Willoughby und David Lucas zu, Geschäftsmann der eine, Farmer der andere, außergewöhnlich alle beide. Trotzdem hätte ich sie nicht als Nachbarn haben wollen. Ich war ihnen von Berufs wegen begegnet, als ich Artikel über sie schrieb. Dass es sich bei ihnen geradezu um Ausstellungsstücke britischer Exzentriker handelte, wusste ich vorher nicht.

Auf den ersten Blick hatten sie nichts miteinander gemein, außer vielleicht einem schalkhaften Blitzen in den Augenwinkeln. Sehr weltmännisch trat Anthony auf, als wir uns trafen: blauer Blazer, weißes Hemd, gestreifter Schlips und ein Hauch von Oberklassenakzent. Nur wenn man genau hinsah, bemerkte man, dass die Farbschattierung der Krawatte ein wenig zu grell und der Kragen ein wenig zu speckig war. Der mittlere Jackenknopf baumelte zudem gefährlich lose an einem dünnen Faden.

All dies hätte ihn noch nicht zum Exzentriker gemacht. Stutzig war ich erst geworden, als Willoughby seinen Aktenkoffer öffnete und einen Faustkeil hervorholte: pechschwarzer, blankpolierter Basalt, scharfe Kanten – von Form und Farbe her könnte er Pate gestanden haben für die neuste BlackBerry-Serie. »Das Statussymbol des Mannes von Welt«, erläuterte er und ließ das Steinzeitwerkzeug zwischen Rioja und Camembert auf den Tisch plumpsen. »Des Mannes von Welt in Papua-Neuguinea. Die Dinger sind das Gegenstück eines Personal Organisers: Wer damit umgehen kann, kann alles damit machen: ein Haus bauen, ein Schwein töten, einen Baum fällen, einen Rivalen ins Jenseits befördern. Und wie bei einem BlackBerry gibt jeder mächtig damit an und sagt, dass er den größten hat.«

Anthony grinste.

»Am Ende hat der Faustkeil sogar mehr Wumms. Sie wissen ja, wie das ist, wenn Sie sich mit jemandem verabreden: Kaum hat man sich gesetzt, legt jeder sein Handy vor sich auf den Tisch. Wenn ich dann meinen Faustkeil raushole, werden alle still. Sie erkennen die rohe Macht. Mit einem BlackBerry können Sie halt niemandem den Schädel einschlagen.«

Anthony hatte mir kostenlos die erste Lektion eines Kurses erteilt, den er ansonsten für teures Geld Geschäftsleuten aus der britischen Provinz verkaufte: Er schickte sie zu Kopfjägern nach Neuguinea oder zu den Massai in Ostafrika, von denen der Bausparkassenfilialleiter aus Basingstoke oder der Suppenwürfelhersteller aus Pontypridd lernen sollte, wie man Umsätze, Absatz und Gewinn maximieren kann.

»Schlussendlich läuft es doch immer und überall auf dasselbe raus – im Busch, im Dschungel, im Business: fressen oder gefressen werden.« Willoughby lächelte versonnen in sein Rotweinglas. »Manchmal kann ich es selber kaum glauben. Aber ich bin ausgebucht bis ins nächste Jahr.«

Ein noch ausgefalleneres Produkt als Willoughby bot David Lucas zum Verkauf an. Jahrelang hatte der zottelbärtige Bauer aus Suffolk sein Einkommen aufgebessert, indem er Kaninchenställe und Vogelhäuschen schreinerte. Jedes Wochenende rannten ihm die Städter aus London den Hof ein. Doch dann wollte Lucas höher hinaus. Aber als er sein neuestes Produkt neben der Hofeinfahrt errichtete, riss der Kundenstrom schlagartig ab. Wie hätte ein Familienvater aus dem liberalen Londoner Stadtteil Islington seinem Nachwuchs auch erklären sollen, was ein Galgen ist.

»Das ist solide Schreinerarbeit«, hatte Lucas betont und stolz den Pfosten getätschelt, als sei er die Flanke eines preisgekrönten Zuchtbullen. »Ich habe viele Kunden, und die legen Wert auf Qualität.« Lucas' Kundschaft lebte natürlich nicht in Islington, sondern vor allem in Afrika. Diktatoren wie Simbabwes Robert Mugabe, so verriet er mit offenkundigem Handwerkerstolz, deckten sich gerne bei ihm ein. Der Preis spielte offensichtlich keine Rolle. Für einen ganz normalen Galgen mit einer Schlinge verlangte Lucas so viel wie für einen Kleinwagen; ein sogenanntes »Multi-Hänge-System« mit wahlweise fünf bis sechs auf einem Sattelschlepper montierten Galgen war zehnmal so teuer.

»Allein der Laster kostet ja schon 'ne Menge«, verteidigte Lucas den Preis. »Aber dafür ist man beweglich. Sie brauchen nicht in jeder Stadt einen eigenen Galgen. Sie rufen in der Hauptstadt an, und schwuppdiwupp, am nächsten Morgen steht der Exekutionslaster auf dem Marktplatz. Wenn Sie sich das mal durchrechnen, dann spart man sich über die Zeit eine ganze Menge Kohle. Sie dürfen nicht vergessen: Die Masse macht's.«

Erst nachdem sich Amnesty International, die britische und die internationale Presse, die EU-Kommission und das liberale Bürgertum hellauf moralisch über den Farmer entrüstet hatten, meldete sich Lucas abermals bei den Medien. Er sagte nur zwei Worte: April, April – obwohl man damals schon Mai schrieb. Offensichtlich wollte Lucas nur eine Lanze für die Todesstrafe brechen.

Als Exzentrikerin schien mir Mavis Pickering irgendwo zwischen Willoughby und Lucas zu liegen. Weder lag ihr an einer politischen Aussage, noch war sie allem Anschein nach an persönlichem Gewinn interessiert. Der Königin zu folgen war eine Art von Hobby und damit eine im Wesentlichen völlig zweckfreie Betätigung. Aber selbst wenn Mavis total durchgeknallt gewesen wäre, ich konnte es mir nicht leisten, sie zu ignorieren. Wenn mir jemand eine Begegnung mit der Queen verschaffen konnte, dann waren das nicht Meryl Osborne, Wilfried Mäuer oder der deutsche Botschafter in London. Meine beste, größte, ja wahrscheinlich einzige Hoffnung lag in den Händen dieser Hausfrau und Mutter aus der Grafschaft Sussex.

Am Morgen, an dem ich nach Sussex aufbrach, herrschte ein Wetter wie an dem Tag, an dem Noah in See stach. Der Himmel kippte tonnenweise Wasser aus, als ob er das ganze Land wegspülen wollte. Aus den Frühlingswäldern war jede Farbe herausgewaschen worden, die Dörfer, durch die ich fuhr, schienen sich hinter den beschlagenen Milchglasscheiben einer Duschkabine zu verstecken.

Ich war zu früh eingetroffen. Der Regen trommelte aufs Autodach, während ich durch die Wasserwand schemenhaft zwei Fahrzeuge im Vorgarten von Mavis'

Haus wahrnahm: ein in Jamaika-Farben gehaltener gelb-grün-schwarzer VW-Campingbus und eine burgunderfarbene Ente. Der 2CV war zum Blumenkübel umfunktioniert worden. Aus den Fenstern wucherte Klematis, durch das nunmehr für alle Ewigkeit aufgerollte Stoffdach streckte eine Birke ihre Zweige. Der Verdacht, der mich schon beim Anblick ihres Brillengestells beschlichen hatte, verhärtete sich beim Anblick dieser beiden Autos: Mavis war offensichtlich ein Kind der 70er Jahre. Schon merkwürdig, welchen Weg die Hippie-Generation genommen hat: Einige wurden Bosse, Chefredakteure oder Außenminister. Andere wie Mavis Pickering sahen ihren Lebenszweck darin, der englischen Königin nachzustellen. Kein noch so abwegiger psychedelischer Drogentraum dürfte sie damals darauf vorbereitet haben.

Es war verhältnismäßig einfach gewesen, sie ausfindig zu machen. Im Gegensatz zur Königin stand Mavis im Telefonbuch. Als gutes Omen wertete ich zudem, dass sie nicht irgendwo weit weg in einem walisischen Küstenort oder in den schottischen Highlands lebte, sondern nur eine Autostunde südlich von London. Irgendwie war das konsequent. Wer der Queen nicht von der Seite weichen will, möchte keine langen Anreisen in Kauf nehmen.

»Hallo, spreche ich mit Mavis Pickering?«

Ich hatte den Hörer schon wieder auflegen wollen, so lange klingelte das Telefon.

»Am Apparat.«

»Verzeihen Sie, dass ich Sie so überfalle. Ich hoffe, Sie sind die richtige Mavis Pickering.«

»Sicher doch, Sie rufen doch wegen der Meisterschaft an.«

»Meisterschaft?«

»Na, ihr Akzent verrät Sie doch als Deutschen, und gegen die Deutschen haben wir, wie Sie bestimmt wissen, am letzten Wochenende die Europameisterschaft gewonnen.«

»Das ist aber schön – ich meine, für die Deutschen ist das weniger schön, aber Ihnen, nun ja, also, herzlichen Glückwunsch. Aber Sie müssen wissen, ich verfolge Sport nur sehr sporadisch. Um welche Meisterschaft ging es denn genau?«

»Na, die Murmel-Meisterschaft natürlich. Also, wir hätten ja nicht gedacht, dass wir es schaffen. Sie kennen ja Ihre Landsleute: diszipliniert, bis der letzte Schusser in das Loch geschnippt ist. Aber diesmal waren sie total von der Rolle. Hatten wohl ein paar Bierchen zu viel gezischt, wenn Sie mich fragen. Das rächt sich. Zum Schussern braucht man eine ruhige Hand.«

Verflixt. So freudig überrascht ich über die Information war, dass Deutschland im internationalen Maßstab offenbar nicht nur eine Fußball-, sondern auch eine Murmelmacht war, so enttäuscht war ich, dass ich offensichtlich die falsche Person gefunden hatte.

»Tut mir leid, dass ich Sie belästigt habe. Ich suche eine Mavis Pickering, die der Königin nachstellt.«

»Da sind Sie auch richtig. Ich mache beides.« Sie brach in ein hysterisches Kichern aus. »Aber nie zur selben Zeit.«

Ob es nun mein aus dem Stegreif geheucheltes Interesse für Murmeln war oder ein angeborenes Mitteilungsbedürfnis auf Mavis' Seite – wir waren uns schnell einig geworden. Mrs Pickering war Feuer und Flamme, mich zu sehen. Sie hätte nichts dagegen gehabt, wenn ich mich sofort ins Auto gesetzt und zu ihr gefahren wäre. »Über die Queen rede ich immer gerne«, hatte sie gesagt. »Aber natürlich auch über Murmeln.«

Sechzehn

Nun saß ich also vor ihrer Haustür und lauschte dem Trommeln der Tropfen auf dem Wagendach. Der Regen machte keine Anstalten, an Heftigkeit nachzulassen. Ich konnte nicht länger warten, es war Zeit. Vorsichtig öffnete ich die Wagentür. Schätzungsweise zehn Meter waren es bis zum Haus. Wenn ich sprinten würde, könnte ich es schaffen, ohne bis auf die Haut durchnässt zu werden. Den Sprint legte ich zwar olympiaverdächtig hin, aber leider dauerte es, bis die Hausherrin die Tür öffnete. Ich wirkte also nicht besonders präsentabel und hinterließ auf dem Boden bei jedem Schritt eine Pfütze.

Ich hätte mir keine Sorgen zu machen brauchen, dass ich Schmutz und Unordnung in ihr Haus trug. Aus dem Fernsehen kennt man Bilder amerikanischer Städte, nachdem ein Wirbelsturm durch sie hindurchgefegt ist. In Mavis' Haus hatte offenkundig eine Art von Bonsaitornado gewütet, der nichts an Ort und Stelle gelassen hatte. Behutsam und vorsichtig setzte ich einen Fuß vor den anderen, um mir einen Weg durch das Minenfeld auf dem Boden zu bahnen.

Mavis schien meinen Blick bemerkt zu haben. »Entschuldigen Sie die Unordnung«, sagte sie, »ich bin gerade dabei, ein Foto zu suchen.«

Fotoalben lagen in der Tat überall: Sie füllten Regalbretter, sie waren kniehoch auf dem Boden gestapelt, und auf Tischen, über denen sich ein Müllwagen entleert zu haben schien, lehnten sie sich aneinander wie Betrunkene.

»In einer Stunde kommt ein Typ vom *Mirror* und will ein Bild von mir, wie ich vor fünfundzwanzig Jahren ausgesehen habe«, erklärte sie mit weit ausholender Geste und pickte unschlüssig ein Kunstlederalbum aus einem Berg gewaschener, aber noch nicht aufgerollter Herrensocken, die wie ein Batzen baumwollener Fettuccine in der Tischmitte thronten. Unter die Strümpfe war ein Dutzend Eier gemischt, die nie den Weg in den Kühlschrank gefunden hatten. Dass der Übergang von Speisekammer zu Wohnzimmer und Wäscheschrank in diesem Hause fließend war, bewies zudem das Päckchen Butter (Kerrygold, leicht gesalzen), das jemand auf einer Schreibtischlampe abgelegt und dort offenbar vergessen hatte.

»Lassen Sie mich einen Stuhl für Sie finden«, versprach Mavis ohne viel Hoffnung und transferierte ein paar angebrochene Familienpackungen Cadbury Trauben-Nuss und Smarties auf den Kaminsims. Tatsächlich kam allmählich die Sitzfläche eines Stuhles zum Vorschein, auf dem ich mich vorsichtig niederließ.

»Tee, ja? Mit oder ohne Milch? Dorian, setz doch mal den Kessel auf«, rief sie dem dicklichen Jungen mit dem teigigen Gesicht zu, den ich im Fernsehen gesehen hatte.

»Müsstest du nicht eigentlich in der Schule sein?«, fragte ich ihn.

Dorian errötete, doch bevor er antworten konnte, mischte sich seine Mutter ein.

»Ich unterrichte ihn zu Hause. Nicht, dass das etwas wäre, was wir an die große Glocke hängen wollen. Die Leute zerreißen sich immer gleich das Maul, aber ich interessiere mich ja auch nicht dafür, wie deren Kinder in der Schule vorankommen, nicht wahr? Die Sache ist aber die, dass ich es mir gar nicht erlauben kann, Dory in die Schule zu schicken. Er kommt doch immer mit, wenn wir die Königin besuchen, er und meine Mutter auch. Sie können sich ja vorstellen, was das für ein Aufwand wäre, ihn jedes Mal vom Unterricht freizustellen. Da lernt er lieber gleich zu Hause von mir, nicht wahr, Dorian, Liebling?«

Dorian nickte kaum merklich und schlurfte quer durch einen Berg von Wäsche in Richtung Küche davon. Allem Anschein nach war er über das Arrangement, das seine Ausbildung betraf, nicht glücklich.

»Wie fing eigentlich alles an, mit der Königin?«, fragte ich.

»Das war vor fünfundzwanzig Jahren, und eigentlich nur deshalb, weil mir diese Zeitschrift in die Finger geriet.«

Sie wühlte erneut auf dem Tisch herum und zog ein zerknittertes Heft hervor. *Majesty* stand auf dem Titelblatt über einer Porträtaufnahme der Queen, wie sie misstrauisch in eine geblümte Teetasse linste, als ob sie Anzeichen außerirdischen Lebens darin entdeckt hätte.

Mavis versuchte das Heft glattzustreichen.

»Ist das Foto nicht *lovely*? Gute Fotos sind ein Markenzeichen von *Majesty*, müssen Sie wissen. Was mich besonders interessierte, war, dass die Leser ihre Fotos von der königlichen Familie einsenden. Da habe ich mir gedacht, was die können, kann ich auch. Also habe ich mir selbst eine Aufgabe gestellt: innerhalb eines Jahres so viele Mitglieder der königlichen Familie zu sehen, wie ich konnte. In dem Heft hatten sie eine Liste mit allen öffentlichen Auftritten abgedruckt, das war gut. Ich hatte ein bisschen Geld zur Seite gelegt, und weil ich damals noch arbeitete, nutzte ich alle Urlaubstage, alle freien Tage, und manchmal musste ich mich auch einfach krankmelden.«

Aus der Küche drang das Pfeifen eines Teekessels, aber Mavis war so sehr in Fahrt, dass sie es nicht hörte.

»Das waren ganz andere Zeiten damals. Ich habe fünf oder sechs Termine am Tag abgehakt. Man ist nach London gefahren, hat sich hingestellt und gewartet, dann hat man ein Foto von jemandem gemacht, der ankam, ist zur nächsten Veranstaltung auf der Liste gegangen, hat wieder ein paar Fotos gemacht, und dann ist man zurück zum ersten Termin und hat die Abfahrt fotografiert. Wissen Sie, das ist wie mit allem im Leben: Es muss Spaß machen, und bei Gott, mir macht das Spaß. Ich sage immer: Wenn es mir keinen Spaß macht, warum soll ich es dann machen, oder?«

»Nein, ganz sicher nicht.«

»Mir ist immer klar: Wenn es mir einmal keinen Spaß mehr machen würde, dann würde ich sofort damit aufhören, verstehen Sie, was ich meine?«

Doch, doch, versicherte ich ihr, ich verstand. Wirklich. Spaß, ja.

»Meine Eltern haben mich nie zu einer königlichen Veranstaltung genommen«, seufzte sie. »Noch nicht einmal die Wachablösung vor dem Buckingham Palace haben sie mir gezeigt. Wir sind am Wochenende immer segeln gefahren.«

Sie verdrehte die Augen angesichts dieser Zumutung.

»Diesen Fehler wollte ich bei Dorian nicht wiederholen. Er sollte es besser haben. Und inzwischen hat auch meine Mutter Gefallen dran gefunden. Wir fahren immer zu dritt.«

Dorian, das Glückskind, tauchte in der Küchentür auf. Vorsichtig setzte er einen Tippelschritt vor den anderen, um nichts aus den beiden randvollen Teebechern zu verschütten. Auf einem stand in schnörkeliger Blumenschrift »Mavis«, von dem anderen lächelte die Queen aus einem Kranz von Rosen, Kronen und den Worten »Golden Jubilee 2002«.

»Das ist eine besondere Tasse«, bedeutete mir Mavis. »Die ist für Ehrengäste.«

Ich nickte dankbar und räumte ein kleines Areal auf dem Tisch frei, auf dem ich meine Tasse abstellen konnte. Sie ragte noch immer ein wenig über die Kante hinaus, so dass ich sie mit dem Ellbogen abstützen musste. Wieder einmal zahlte es sich aus, dass ich in einem langen Journalistenleben gelernt hatte, in allen Lagen Notizen zu machen. Mavis umklammerte ihren Becher mit beiden Händen. Das Zimmer war nicht nur unaufgeräumt, wie ich fröstelnd feststellte, sondern auch kalt.

»Sie sind also nicht nur hinter der Königin her, sondern auch hinter all den anderen Royals – Charles, Philip, Harry, William, Camilla?«, fragte ich.

Beim Namen Camilla schnitt sie eine Grimasse, als ob sie in einen Hundehaufen gestiegen wäre.

»Ich habe sie alle gesehen, ja, das stimmt«, sagte sie, ohne mit einer Silbe auf Charles' zweite Frau einzugehen. »Aber seit Dorian auf der Welt ist, haben wir uns auf die Königin konzentriert. Mit dem Baby konnte ich ja nicht mehr wie eine blauärschige Fliege einfach so kreuz und quer durchs Land düsen.«

Ich stellte mir Mavis als dicke Fliege vor, die brummend durch die Luft irrt, und lächelte.

»Und dann haben wir uns natürlich auch die Königinmutter vorgenommen, denn man wusste ja nicht, wie lange sie noch da sein würde, wenn man bedenkt, dass sie ja, als Dorian geboren wurde, schon alt war, wie alt war sie da, schon sechsundneunzig, achtundneunzig, hundert? Egal, selbst unter den besten Umständen hätte sie es nicht mehr lange gemacht, nicht wahr?«

Mavis brach in schrilles Lachen aus, das ich angesichts des Themas ein wenig befremdlich fand. Doch es war offensichtlich nicht despektierlich gemeint, da sie voll des Lobes für Queen Mum war.

»Bei Queen Mum wusste man, woran man war. Da gab es keine Überraschungen. Jahrein, jahraus, sie tat immer dasselbe. An diesem Tag würde sie dies tun, an jenem würde sie das tun. Schon zu Beginn des Jahres wusste man, das würde sie an diesem Mittwoch im Mai tun, das am dritten Freitag im Juni, und dann konnte man die anderen Sachen ganz einfach um ihre Termine herum planen. Das fand ich wirklich gut an der Queen Mum.«

Sie senkte die Stimme.

»Die Queen-Mum-Dinger waren auch leicht zu machen«, flüsterte sie verschwörerisch, als ob sie ein Staatsgeheimnis ausplauderte. »Bei ihr gab es kein Gerangel und kein Gedrängel. Es kamen einfach nicht so viele Leute. Das ist auch der Grund, weshalb ich heute ungern zu Terminen nach London fahre. Ich meide London wie die Pest. Mehr Ärger, als es wert ist, kann ich Ihnen sagen. Zu viele Leute, spitze Ellbogen, Hickhack und Geschrei.« Vorwurfsvoll schüttelte sie den Kopf.»Kein würdiges Spektakel, überhaupt nicht. Und die meisten Leute haben nicht einmal anständig auf die Queen gewartet, sondern sie waren zufällig einfach da, als sie kam.«

Mavis schnaubte verächtlich. Sie beugte sich mühsam nach vorne zum offenen Kamin hinab und richtete eine Keramikente mit Strohhut und Wollschal auf, die umgekippt war. Der Kamin selbst war offensichtlich als Aufbewahrungsort für nicht zusammenpassende Schuhe zweckentfremdet worden.

Ganz vermochte ich Mavis' Empörung über die Touristenhorden nicht zu teilen. Um ein Haar wäre ich der Königin auf dieselbe Weise über den Weg gelaufen, und ich hätte nicht einmal einen weiten Weg zurücklegen müssen. Ich hätte nur bei uns daheim in Kingston zum Einkaufen gehen müssen.

Dies ist freilich eine Tätigkeit, vor der ich mich nach Möglichkeit drücke. Ich gehöre zur Mehrzahl jener Männer, die einen Einkauf angehen wie ein Sonderkommando die Befreiung einer Geisel aus Terroristenhand. Das Objekt ist genau definiert – hier eine Geisel, geknebelt und an ein Bettgestell gekettet, dort eine Hose auf einem Kleiderständer. In beiden Fällen darf die Ausführung der Operation nicht länger als ein paar Sekunden dauern. Rein, zugreifen, wieder raus. Manchmal bedauere ich es, dass Kunden in Kaufhäusern keine Blendgranaten einsetzen dürfen. Die würden den Akt des Einkaufs deutlich beschleunigen.

Katja hingegen entwickelt als Frau ihre Einkaufsstrategie eher beiläufig. Man könnte auch sagen, dass sie keine Strategie besitzt, sondern nur sehr schemenhafte Vorstellungen davon, was sie braucht oder möchte. Ihr Einkauf erinnert denn auch eher an die Schützengrabenkämpfe des Ersten Weltkrieges. Anstatt zielstrebig voranzustürmen, bleibt sie an einem Ständer mit Hosen hängen. Stellungskrieg – sie rückt nicht vor und nicht zurück. Endlich gelingt es ihr, sich loszureißen – aber es sind nur drei Schritte zu den Blusen, wo sie sich erneut eingräbt, nur um dann doch wieder zu den Hosen zurückgeworfen zu werden. Manchmal eröffnet sie einen Nebenkriegsschauplatz bei den Büstenhaltern, vor allem, wenn sie von einer Freundin begleitet wird – was meine Frau einem Einkauf mit mir vorzieht.

Eine jener Freundinnen war Siegried, und vor nicht allzu langer Zeit hatte sie zu einem Einkaufsbummel eingeladen, an dem Katja und ich nicht teilnehmen konnten. Der Grund war, wenn ich mich recht entsinne, eine eheliche Verstimmung, die sich an unseren gegensätzlichen Vorstellungen von Shopping entzündet hatte.

Siegried war also allein losgegangen. Abends nach Ladenschluss stand sie plötzlich unangemeldet vor unserer Tür, das Gesicht vor Aufregung noch immer glühend, kaum imstande, einen zusammenhängenden Satz zu formulieren.

»Die Königin, die Königin«, stammelte sie ein ums andere Mal und schwenkte ihren Fotoapparat. Erst als wir sie mit einer Tasse Earl Grey (wenig Milch, viel Zucker) gelabt hatten, war aus ihr herauszubringen, dass sie die Queen gesehen hatte. In echt, in Fleisch und Blut und vor allem gänzlich unerwartet. Elizabeth hatte die neue Bibliothek der Kingston Grammar

School eröffnet, als Siegried zufällig vorbeiging. Erstaunlich, wozu sich gekrönte Häupter herablassen müssen, früher weihten sie Kernkraftwerke ein oder ließen Flugzeugträger vom Stapel. Und nun? Eine Schulbücherei.

»Ich habe sie gesehen, ich habe sie gesehen. Ganz wirklich.«

Siegried ist nicht mehr die Jüngste, aber nun führte sie sich auf wie ein Teenager nach dem Popkonzert.

»Durch die Glasscheibe habe ich sie gesehen. Sie stand drinnen und hat mit irgendwelchen Leuten geredet, und wir haben uns draußen die Nase an der Scheibe platt gedrückt.«

Ein glasiger Schleier legte sich über ihre Augen.

»Aber für die Queen hätte diese Scheibe eine Ziegelmauer sein können, keinen Blick hat sie zu uns draußen auf der Straße herübergeworfen.«

Was erwartest du von ihr?, lag mir auf der Zunge. Dass sie sich benimmt wie ein Goldfisch im Glas?

»Hier, ich habe Fotos, ich kann es beweisen.«

Sie nestelte an ihrer Kamera herum. Der Bildschirm füllte sich mit Pixeln, und mit einiger Mühe konnte man eine weibliche pastellfarben gekleidete Person erkennen. Das Foto war verschwommen und hätte den Ansprüchen von Mavis Pickering bestimmt nicht genügt. Aber es war Beweis genug: Hier stand die Königin, und sie stand in Kingston, also mehr oder minder bei mir zu Hause. Ich hätte mir viel Ärger ersparen können, wenn ich nur einkaufen gegangen wäre, anstatt mit meiner Frau zu streiten. Der Nachruf wäre wahrscheinlich fertig, Katja wäre glücklich, Mäuer wäre glücklich, und ich säße nicht auf der unbequemen Stuhlkante auf der Sperrmüllhalde von Mrs Pickering in Sussex. Seufzend hob ich den Kopf – nur um ihn entsetzt gleich wieder zu senken. Bis jetzt hatte ich noch nicht bemerkt, dass über dem Kamin ein tomatenroter Elchkopf aus Plüsch auf mich herabgriente.

»Touristen, man schlägt sich immer nur mit Touristen herum in London«, nahm Mavis den Faden wieder auf. »Heute machen wir nur noch Termine außerhalb von London.«

Es klingelte.

»Oh, entschuldigen Sie, das muss Ihr Kollege vom *Mirror* sein. Der holt das Foto.«

Sie zog ein paar Bilder aus einem Stapel und eilte aus dem Raum. Ich blieb mit Dorian zurück. Dem Jungen lag offensichtlich etwas auf der Seele. Vorsichtig vergewisserte er sich, dass seine Mutter außer Hörweite war, dann rückte er näher.

»Darf ich Sie etwas fragen?«

Ich nickte ihm aufmunternd zu.

»Wie ist denn Segeln? Macht das Spaß?«

»Wer es mag, dem gefällt es wahrscheinlich. Solange es dir nichts ausmacht, ins kalte Wasser zu fallen, massive Stangen an den Kopf gedonnert zu bekommen und mit klammen, kalten Fingern enge Knoten aufzudröseln. Ja, ich schätze schon, dass das Spaß machen kann.«

Dorians Augen leuchteten.

»Das ist so unfair von meiner Mum. Sie durfte mit Opa und Oma segeln gehen, und alles, was ich mache, ist, der Königin nachzurennen. Und Kathedralen zu besichtigen oder Schlösser. Wissen Sie, dass ich oft von der Königin träume?«

»Ja, das kann ich mir denken. Lass mich raten: Du trinkst Tee mit ihr?«

»Tee? Nein. Es ist immer derselbe Traum. Ich spiele mit meinem Gameboy. Supermario. Und immer nehme ich die Prinzessin, und immer verliere ich. Dann gucke ich genau hin – und dann ist es nicht die Mario-Prinzessin, sondern die Queen.«

Ich wollte Dorian sagen, dass er sich mit seinem Traum in bester Gesellschaft befinde und dass es seine Mutter sicherlich nur gut mit ihm meine, aber da trat Mavis wieder ins Zimmer.

»Unverschämt, die Pressefritzen«, schimpfte sie und erschrak. »Anwesende natürlich ausgenommen. Meine Fotos haben ihm nicht gefallen. Ich meine nicht meine Fotos von der Queen, sondern die Fotos, auf denen ich zusammen mit der Königin abgebildet bin. Davon habe ich sowieso nicht viele. Die meisten sind aus der Lokalpresse. Hier zum Beispiel.«

Sie fischte eine vergilbte Titelseite des *Surrey Comet* hervor. Je kleiner die Zeitung, desto hochtrabender der Titel – das Provinzblatt aus der Grafschaft Surrey bestätigte diese Regel. So als ob ein Himmelskörper in glühenden Lettern die Nachricht ans Firmament schriebe: »Farmer aus Godalming schlachtete preisgekrönte Zuchtsau«. Das Blatt, das Mavis hochhielt, zeigte eine Szene in einer Fußgängerzone. »Ihre Majestät die Königin (rechts) grüßt Einwohner von Guildford bei ihrem Rundgang durch die Stadt«, stand unter dem Foto. Mavis stand links von der Monarchin, die Sonne funkelte in ihren Brillengläsern, und sie strahlte über das ganze Gesicht. Elizabeth blickte ein wenig mürrisch drein.

»Wer sollte mich denn auch fotografieren? Ich kann doch schlecht der Königin meine Kamera in die Hand drücken und sie bitten, ob sie vielleicht mal eben so gut wäre … Sie verstehen. Dorian muss die Blumen halten, und meine Mutter konnte noch nie fotografieren.«

Ich deutete auf die Zeitungsseite.

»Sagen Sie, was ich die ganze Zeit schon fragen wollte: Sie sind der Queen schon so oft begegnet, kennt sie eigentlich Ihren Namen?«

»Aber sicher doch.« Sie zögerte. »Aber andererseits weiß man das nicht genau. Sie benutzt nie Namen, selbst wenn sie weiß, wer du bist, woher du kommst, all diese Dinge. Ich glaube, sie findet Namen einfach zu gewöhnlich, zu vulgär. Aber wenn sie mich sieht, dann steuert sie schnurstracks auf mich zu, und Dorian gibt ihr die Blumen. Die sind aus unserem Garten, und sie weiß, dass sie aus unserem Garten sind, und wenn ich ihr mal, aus irgendeinem Grund, Blumen gebe, die nicht aus unserem Garten sind, dann schaut sie erst die Blumen ganz streng an und dann mich.«

Mavis versuchte sich überzeugend an einer Imitation königlichen Missmutes.

»Diiiieee sind aber nicht aus dem Garten, oder sind sie es etwa?«, kopierte sie den missbilligenden Tonfall der Königin. »Meine gute Güte, habe ich mir damals gedacht. Sie weiß doch tatsächlich, welche Blumen aus dem Garten sind und welche nicht. Hier zum Beispiel, sehen Sie her.«

Irgendwo hatte sie ein neues Foto gefunden und hielt es triumphierend hoch.

»Das hier ist meine Mama mit der Königin, und ich weiß noch, sie hatte diesen bunten Strauß von allen möglichen Pflanzen aus unserem Garten, und sie fragte sie, also sie wollte von meiner Mum doch tatsächlich wissen, ob sie die alle beim Namen kennen würde.«

Mein Stift flog über die Seiten meines Notizblockes.

Dies waren Informationen, die sich als entscheidend erweisen könnten, wenn ich Elizabeth persönlich gegenüberstehen würde. Ohnehin umhüllt ein Geheimnis die Konversationen, welche die Königin mit ihren Untertanen pflegt. Niemand will preisgeben, worüber er mit seinem Souverän gesprochen hat, aber hier war Mavis und schüttete ein Füllhorn an Details aus. Für meinen Artikel könnte sich das Wissen als unschätzbar erweisen, dass die Queen offensichtlich gerne in die Rolle einer Schulrektorin schlüpft, die ihre Untertanen mündlich in Botanik prüft.

»Natürlich kennen wir die Namen der Blumen, sagte meine Mutter. Sie mag zwar nichts vom Fotografieren verstehen, aber ihren Garten kennt sie. Sie rasselte die Namen nur so runter. Und die Queen war sehr zufrieden mit ihr, das konnte man sehen. Und zu ihrem Achtzigsten, nicht dem von meiner Mutter, sondern dem der Königin, da haben wir sie das ganze Jahr lang vor dem Geburtstag verfolgt. Wir haben uns gesagt: Wenn die Königin in ihrem Alter noch das ganze Land rauf und runter fahren kann, dann können wir das auch. Ich sage Ihnen: Leicht war das nicht. Aber wenn man sich einmal zu etwas entschlossen hat, dann muss man es durchziehen, weil man sich sagt, dass man es durchziehen muss, nicht wahr, Dorian?«

Dorian hatte sich neben einem Haufen ungebügelter Wäsche auf dem Boden niedergelassen und blätterte lustlos in einer alten Ausgabe von *Majesty*. Es war klar, dass er die Geschichte schon öfter gehört hatte.

»Und wir haben überall fotografiert, denn Bilder sind zum Angucken da, wenn man sie nicht angucken könnte, dann wären sie ja nutzlos, nicht wahr. Und zu ihrem Geburtstag haben wir ihr ein Album mit den besten Aufnahmen geschenkt. Als sie in Windsor durchs Stadtzentrum spazierte, haben wir es ihr in die Hand gedrückt, mit den besten Wünschen. Eine Menge hat sie gekriegt an diesem Tag, so eine Menge Geschenke. Das war im, wann war das, ja, im April war das. Und dann im Juni sind wir nach London rauf zum Gedenkgottesdienst in St. Paul. Wir warteten auf den Kirchenstufen, und sie kam raus und lief herum und redete mit Leuten und nahm Blumen und anderes Zeugs entgegen, und was soll ich Ihnen sagen, Sie fassen es nicht. Sie kam zu uns herüber, und sie sagte: ›Ich wollte mich nur bedanken für die liebreizenden Fotos, die Sie mir gegeben haben. Ich habe sie mir gerne angesehen.‹ Und ich dachte: Wow, das ist die Königin. Das war zwei Monate später – und sie wusste, wer diese Fotos gemacht hatte.«

Während Mavis erzählte, war mein Entschluss herangereift. Ich würde der Königin nachfahren, mit Blumen, deren Namen ich auswendig lernen würde, auf Englisch und Lateinisch. Vielleicht konnte ich mich an Mavis hängen? Sicher war, dass die Zeit drängte. Ich konnte den Nachruf nicht viel länger hinauszögern. Mäuers Bemerkungen waren letzthin immer anzüglicher geworden. Darüber hinaus waren mit dem irischen Ex-Premier Charles Haughey und dem wegen seiner Callgirl-Affäre berüchtigten britischen Ex-Minister John Profumo zwei Prominente in meinem Viertel gestorben. Sie fielen zwar nicht in die Queen-Kategorie, aber ihr Tod warf ein unangenehm grelles Licht auf meine Verschleppungsmanöver.

»Wie erfahren Sie eigentlich, wann die Königin wohin fährt?«, erkundigte ich mich betont beiläufig.

»Och, das ist ganz einfach. Das steht auf der Website

des Palastes. In zwei Monaten fährt sie nach Liverpool.«

Zwei Monate noch? So lange sollte ich die Sache in der Redaktion noch hinauszögern können.

»Was noch fehlt, sind die genaue Uhrzeit und der genaue Ort, wo sie sich aufhalten wird«, fuhr Mavis fort. »Aber das ist auch nicht schwer, wenn man ein paar einfache Grundregeln befolgt. Erstens: Die Königin tut nichts vor zehn Uhr morgens. Zweitens: Kauf dir eine Lokalzeitung. Da steht meistens alles drin, was du wissen musst. Und drittens: Wenn irgend möglich, reist sie mit dem Zug an, mit dem Royal Train. Also muss sie am Bahnhof ankommen. Die Queen fährt am Tag vorher von London ab, und am Abend parkt sie kurz vor ihrem Ziel auf einem Abstellgleis und übernachtet dort.«

Ein wenig fand ich die Vorstellung ja schon despektierlich, um nicht zu sagen majestätsbeleidigend, dass eine Königin für die Nacht aufs Abstellgleis rangiert wird, während der Rest der Welt in Gestalt von Schnell- und Postzügen an ihr vorüberdonnert. Andererseits schlafen die meisten Menschen lieber in ihrem eigenen Bett, und das nimmt die Königin in ihrem Sonderzug mit. Sie und ihr Ehemann nächtigen übrigens in getrennten Salonwaggons, und falls sich Prinz Charles ihnen anschließt, muss er sich nicht bei den Eltern auf die Klappcouch quetschen. Auch er hat seinen eigenen Wagen. Der Thronfolger nimmt neben der Bettwäsche auf jede Reise zwei Ölgemälde mit. Sie zeigen schottische Landschaften und werden so aufgehängt, dass morgens nach dem Erwachen sein erster Blick auf sie fällt. Manche Menschen entwachsen nie ihrer Kuscheldecke. Sie ändert nur ihre Form.

Mavis hatte mittlerweile ein Netz mit Schussern aus der Tasche ihrer Strickjacke gezogen. Sie wollte aber nicht mit ihnen spielen, sondern massierte lediglich ihre Handflächen mit den bunten Glaskugeln.

»Also, der Bahnhof ist immer ein guter Start. Und dann muss man nur Ausschau halten nach Fähnchen, Absperrungen und Polizisten. Wo die geballt auftreten, wirst du später die Königin finden. Und wenn du dann noch Blumen in der Hand hast, kommt die Königin wie von selbst auf dich zu.«

»Ein hübscher Gedanke, die Königin wie eine Biene anzulocken«, sagte ich. »Wie Sie es beschreiben, klingt es so einfach.«

»Ist es auch, wenn man ein bisschen Erfahrung hat. Und natürlich muss man früh da sein. Wer zu spät kommt, na, Sie wissen schon. Denn eines mache ich auf keinen Fall: Ich stehe niemals in der zweiten Reihe. Das kommt nicht in Frage.«

Sie hielt inne und musterte mich, als ob sie mich soeben zum ersten Mal wirklich gesehen hätte.

»Wollen Sie nicht mitkommen das nächste Mal? Haben Sie Kinder? Oder besser noch einen Hund? Nehmen Sie sie mit. Auf Hunde fährt die Queen voll ab. Manchmal auch auf Kinder, so wie auf meinen Dorian.«

Ich war einen Augenblick lang sprachlos vor Überraschung und Dankbarkeit. Sie schien meine Gedanken gelesen zu haben. Ich hob meine Teetasse zur Bestätigung unseres Deals. »Vielen Dank, ich komme sehr gerne mit.«

Ich stand auf und nickte Dorian zu. Es sollte kumpelhaft wirken, aber ich merkte gleich, dass es anbiedernd rüberkam. In seinen Augen war unschwer abzulesen, dass er mich für einen Verräter hielt. Er würde mich nicht mehr so schnell nach den Vorzügen des Segelsportes fragen und mir seine Träume beichten.

Mavis begleitete mich zum Ausgang und öffnete die Tür. Draußen regnete es noch immer in Strömen. Ich zog den Schlüssel aus der Tasche und öffnete die Wagentür mit der Fernbedienung. Mavis Pickering hörte noch immer nicht auf zu reden, irgendetwas über die phantastisch seidige Haut der Königin, auf die ich achten müsse, wenn ich sie sähe. Ich hörte nur halb hin, vor allem deshalb, weil ich im Gegensatz zu ihr schon halb im Regen stand.

»Ich muss jetzt wirklich los«, protestierte ich und wischte mir das Wasser aus den Augen.

»Machen Sie sich nichts aus dem Regen«, beruhigte sie mich. »Wenn wir die Königin treffen, wird es nicht regnen. Das kann ich Ihnen garantieren. Wenn die Königin rauskommt, regnet es nie.« Es klang, als ob sie ein Wetterhäuschen beschriebe. »Selbst wenn es gerade geregnet hat: In dem Moment, in dem sie aus dem Auto steigt, hört es auf.«

In Deutschland nannte man das zu unseligen Zeiten mal Führerwetter, dachte ich. Aber ich behielt es für mich.

Siebzehn

Ziemlich eng war der Laden sowieso. Auch ohne die Drehgestelle mit den Ansichtskarten und die Kleiderständer mit den T-Shirts hätte man sich kaum umdrehen können. Obendrein war die Luft zum Schneiden dick, denn offensichtlich bemühte sich die Isle of Wight, ihrem Ruf als einer der südlichsten Punkte des Vereinigten Königreiches mit rekordverdächtigen subtropischen Temperaturen gerecht zu werden. Wäre in dem Souvenirladen nicht zugleich die örtliche Fremdenverkehrszentrale untergebracht gewesen, dann hätten wir ihn nie betreten.

Vor allem hätten wir nicht so lange gewartet, bis eine der Angestellten uns zur Kenntnis nahm.

»Sie haben also einen Hund – und ein Kind?«, fragte sie – ein wenig überflüssig, da sich unsere ganze Familie vor ihrem Schalter aufgebaut hatte.

»Ja, eine Tochter. Fast schon ein Teenager, aber trotzdem nett. Sie fällt nicht weiter unangenehm auf. Meistens jedenfalls.«

»Aha. Ich sehe.«

Mein Herz sinkt unweigerlich jedes Mal, wenn jemand die beiden Wörtchen »Ich sehe« sagt – einmal abgesehen von dem eher seltenen Fall eines Blinden, dem das Augenlicht geschenkt wird und der dieses Wunder in epischer Schlichtheit kundtut. Bei solchen Gelegenheiten quillt selbstverständlich auch mir das Herz über. Aber vor allem wenn Engländer sagen,»I see«, ist Vorsicht angesagt. Denn bei ihnen steht es als Abkürzung für einen wesentlich längeren Satz, der in etwa so viel bedeutet wie:»Was ich sehe, ist, dass Sie mir offensichtlich die volle Wahrheit verschweigen und dass wir deshalb ein riesiges Problem haben, bei dem ich nicht sicher bin, ob ich es überhaupt lösen kann oder will.«

Unser Problem hätte eigentlich lösbar sein sollen: Wir brauchten ein Hotelzimmer, und da wir es schon bis ins Fremdenverkehrsamt des Städtchens Sandown geschafft hatten, schienen die Aussichten auf eine Unterkunft grundsätzlich nicht schlecht zu sein. Doch das war, bevor die junge Dame im knappen grünen Top unsere Hoffnungen mit ihrem schnippischen »Ich sehe« vorerst stoppte. »Joan« stand auf dem Namensschildchen, dass prekär auf ihrer rechten Brust balancierte. Sie zog ihre Nase in ein Geflecht von Runzeln, während sie in den Computer starrte und anfing, mit zwei manikürten Zeigefingern auf die Tastatur einzustechen wie ein Dirigent bei den Einsätzen für ein Allegro con brio.

Wir waren alle vier auf die Isle of Wight gefahren für ein paar Tage Ferien. Ich hätte Katja ja daran erinnern können, dass es ihre Idee gewesen war, hierherzukommen, und dass wir in Schottland, mein Vorschlag, bitte schön, allein schon deshalb mehr Chancen auf eine Unterkunft gehabt hätten, weil Schottland eben größer ist als die Insel Wight, um nicht zu sagen »breiter«, wie es der Russe ausdrücken würde. Eine kleine Stimme in meinem Kopf freilich erinnerte mich, dass Besserwisserei selten gut ankommt und dass

Zeitpunkt und Ort im Moment besonders schlecht gewählt wären. Knapp eine Stunde war bereits vergangen, seitdem wir die kleine Touristenzentrale in der High Street mit hochgespannten Hoffnungen betreten hatten. Während Joan mit ihrem Computer kommunizierte und ab und zu telefonierte, blätterten Julia und Katja schon zum dritten Mal in den Prospekten. Unsere Tochter war allerdings schon bei der ersten Durchsicht zu dem Schluss gekommen, dass Attraktionen wie ein Heim für gerettete Zirkusesel, ein Orchideengarten und schnaufende Dampflokomotiven nichts waren, womit sie nach den Ferien bei ihren Schulfreundinnen punkten könnte. Nicht einmal Osborne House, wo Königin Victoria vor hundert Jahren gestorben war, konnte sie reizen. Und mir versetzte es beim Gedanken an das Dahinscheiden Ihrer Majestät ohnehin nur einen pikenden Stich ins Gewissen, löste er doch die Gedankenkette aus: Königin – Tod – Nachruf – Wilfried Mäuer.

Chico hatte sich auf der Suche nach Kühlung in voller Länge flach auf den Boden fallen lassen und alle viere von sich gestreckt. Er sah nicht nur aus wie ein abgezogenes Eisbärfell, er legte auch denselben Mangel an Beweglichkeit an den Tag und rührte sich auch dann noch keinen Zentimeter von der Stelle, wenn Kundschaft über ihn hinweg zur Kasse steigen musste. Das Einzige, was sich an ihm bewegte, war die hechelnde Zunge, die ihm aus dem Hals hing wie das Einstecktuch eines Dandys. Unter seinem Kinn hatte sich bereits eine mittelgroße Speichellache gebildet. Es gibt Augenblicke, in denen ich nachvollziehen kann, warum manche Menschen Katzen Hunden vorziehen und dafür ästhetische Gründe angeben.

Im Gegensatz zu Chico hielt meine Frau ihre Zunge zwar im Zaum. Gleichwohl waren Anzeichen gesteigerter Irritation nicht zu übersehen. Um es einfach auszudrücken: Katja ist fürs Warten nicht geschaffen. Ihre Nervosität wurde nicht unbedingt dadurch besänftigt, dass ich in regelmäßigen Abständen mit einem Aufschrei aus dem Laden hinaus- und die Hauptstraße entlangrannte, um die Parkuhr zu füttern, an der unser Auto stand. Beim letzten Mal hatte ich einen Parkwächter gesehen, der auffällig unauffällig um den Wagen schlich wie eine Hyäne um einen tödlich verletzten Wasserbüffel. Mit jeder Pfundmünze, die ich durch den Schlitz zwängte, verlängerte ich zwar die Lebenserwartung, aber in den Augen des Parkmenschen war der Büffel unweigerlich dem Tod geweiht.

Das Auto hatten wir genommen, weil uns nicht mehr der Sinn danach stand, eine Erfahrung zu wiederholen, die wir bei einer Zugfahrt nach Penzance in Cornwall gemacht hatten. Wir waren mit dem »Cornish Riviera Express« von Paddington gefahren. Das ist der Bahnhof, wo der kleine Teddybär gleichen Namens aufgefunden wurde, und das einzig Positive, was man über ihn sagen kann, ist, dass Paddington Bear ihn augenblicklich wiedererkennen würde – so wenig hat er sich in den vergangenen hundert Jahren verändert.

»Riviera Express« klang nach einem der großen, eleganten Züge der Welt – nach Orient Express oder Blue Train: Luxus, Plüsch und Kaviar. Indes, der Name entpuppte sich als Irreführung. Die Realität war viel prosaischer. Der Zug, der uns auf Bahnsteig sieben erwartete, weckte auf den ersten Blick eher Erinnerungen an Eisenbahnfahrten in der ehemaligen Sowjetunion.

Die Waggons hätten nicht nur dringend einer Wäsche bedurft, sie waren obendrein im selben schmutzigen Graugrün Moskauer Vorortzüge gehalten.

Im Zuginneren verstärkte sich der Eindruck realsozialistischer Malaise deutlich. Alle Oberflächen, mit denen die Hand in Berührung kam, waren ein wenig klebrig, einige der Fenster ließen sich nicht öffnen, andere nicht schließen. Lack und Farbe waren, so man sie überhaupt verwendet hatte, großflächig abgeplatzt. Selbst durch die geschlossenen Toilettentüren kroch das scharfe Aroma von Desinfektionsmitteln durch die schmalen Korridore.

Der »Riviera Express« verlässt Paddington um Mitternacht und trifft um sieben Uhr morgens am äußersten südwestlichen Ende Englands ein – an sich schon eine reife Leistung für eine Strecke von nicht einmal fünfhundert Kilometern. Wir hatten uns auf ein spätes Dinner und vor allem auf ein Frühstück in einem schicken Speisewagen gefreut. Brühheißer Tee und Eier mit Speck, während die Küste Cornwalls vor dem Fenster vorübergleitet – so hatten wir uns das gedacht. Aber der Schlafwagenschaffner lächelte nur mitleidig.

»Einen Speisewagen haben wir nicht. Sagen Sie mir, wann ich Sie morgen früh wecken soll, und ich bringe Ihnen das Frühstück.«

Nun gut, besser als gar nichts. Wir würden zwar mit knurrendem Magen zu Bett gehen, aber Frühstück am Bett klang vielversprechend. Der Schaffner holte eine Liste und einen angekauten Kugelschreiber hervor.

»Tee oder Kaffee? Biskuits mit Schokolade oder Natur?«

Ich sah meine Frau und meine Tochter an. »Also, ich hätte gerne Spiegeleier mit Speck ...«

Viel weiter kam ich nicht.

»Sie können nach Herzenslust frühstücken, was Sie wollen, wenn wir in Penzance angekommen sind. Am Bahnhof gibt es ein Café. Aber im Zug kann ich Ihnen nur die Auswahl zwischen Tee und Kaffee offerieren. Und Kekse. Schoko oder blank.«

Bei der Ankunft am darauffolgenden Morgen stellte sich heraus, dass das Bahnhofscafé von Penzance wegen Generalüberholung geschlossen war.

Die Engländer haben die Eisenbahn erfunden. Das kann ihnen niemand nehmen: Sie waren die Ersten, die mit Dampf eine Maschine antrieben, sie waren die Ersten, die dieses Ungetüm auf Gleise setzten, und sie waren die Ersten, welche die drei Klassen, in die ihre Gesellschaft unterteilt war, auf die neue Eisenbahn anwendeten. Das Konzept erwies sich als Exportschlager: Überall auf der Welt schlugen britische Ingenieure stählerne Trassen durch Steppen, Sümpfe und Savannen. Das russische Wort für Bahnhof – woksal – ist direkt von der Firma Vauxhall abgeleitet, die einst Eisenbahnen baute und Gleise verlegte und heute merkwürdige Autos zusammenschraubt.

Als früherer Dampflokheizer steht Len in dieser ruhmreichen Tradition. Vor allem an regnerischen, grauen Tagen, an denen seine Arthritis schmerzhaft aufflammt, flüchtet er sich nostalgisch in die Vergangenheit. Hört man ihm zu, glaubt man, dass er schon vorne auf der Lok dabei gewesen war, als Sherlock Holmes zusammen mit Doktor Watson ein Abteil der ersten Klasse im Zug nach Dartmoor bestieg, um dem Hund von Baskerville auf die Schliche zu kommen. Len hätte Dampf durch ein Ventil gejagt, ein schriller Pfiff wäre ertönt, der Stationsvorsteher hätte laut gerufen: »Achtung, alles einsteigen«, krachend wären Türen ins Schloss gefallen, und mit heftigem Zischen und Schnaufen hätte sich die Lokomotive schließlich stampfend in Bewegung gesetzt. Die ganze Eisenbahnerromantik – von Anna Karenina bis zum Hogwart-Express – schwingt in Lens Erzählungen mit.

Daran hat sich bei den britischen Eisenbahnen im Prinzip bis heute nichts geändert. Noch immer krachen Türen schwer ins Schloss, noch immer gibt es den Mann mit Mütze, Kelle und Pfeife an der Bahnsteigkante, der schreit, ruft und trillert, noch immer ruckeln und schwanken die Züge, bevor sie allmählich Fahrt aufnehmen. Demnächst werden sie vielleicht auch wieder mit Dampf angetrieben. Großbritannien ist das einzige Land der Welt, wo im 21. Jahrhundert wieder eine Dampflok gebaut wurde.

Pünktlichkeit im Zugverkehr ist reine Glückssache, und ich wundere mich, warum die wettversessenen Briten nicht schon längst damit begonnen haben, auf die Ankunftszeit von Zügen zu setzen: Fünfzehn zu eins, dass der Neun-Uhr-siebenunddreißig von Euston nach Glasgow nur fünfundvierzig Minuten später ankommt. Gewinne könnten in Form von Benzingutscheinen ausgezahlt werden. So würden die Bahnen wenigstens ein wenig entlastet.

Aus all diesen Gründen hatten wir uns also entschieden, statt mit der Bahn mit dem Auto auf die Isle of Wight zu fahren – was freilich andere Probleme aufwarf. Denn inzwischen hatte ich meine letzte Pfundmünze in der Parkuhr versenkt. Der Parkwächter, dem das nicht verborgen geblieben war, registrierte es mit offenkundiger Schadenfreude. Mir schien es, als ob er sich hyänenhaft die Lippen leckte. Joan war unterdessen bei ihrer Suche nach einem Zimmer noch immer nicht weitergekommen. Ich begann bereits eine Heimkehr nach London ins Auge zu fassen. Wenn wir uns beeilten, würden wir die letzte Fähre nach Portsmouth schaffen. Mitunter war es ein Vorteil, dass England so übersichtlich und kompakt war.

»Hier hätte ich was.« Joan war auch persönlich erleichtert. »Das sieht gut aus. Die nehmen Hunde, und von Kindern ist nichts erwähnt. Ich rufe mal kurz an. Gedulden Sie sich einfach noch ein bisschen.«

Katja und Julia verdrehten die Augen, Chico ließ den Kopf apathisch in die Speichelpfütze fallen, und ich sah hektisch auf die Uhr. Noch fünf Minuten, dann war die Parkzeit abgelaufen, dann war der Wasserbüffel – um bei meinem Bild zu bleiben – verendet, und die Park-Hyäne würde über unser Auto herfallen.

Ich war von Anfang an dafür gewesen, von zu Hause aus ein Zimmer zu buchen. Aber Katja liebt die Spontaneität, und sie hasst es, sich auf ein bestimmtes Hotel festzulegen. Meinen Einwand, dass wir auf dem Höhepunkt der Reisesaison aufbrechen würden, wischte sie zur Seite. »Wer fährt denn schon auf die Isle of Wight?«, hatte sie entschieden. »Die Briten fliegen doch alle mit EasyJet oder Ryanair nach Gran Canaria und Mallorca.«

Aber Katja lag mit ihrer Einschätzung daneben. Britische Badeorte schienen sich ungebrochener Popularität zu erfreuen: So gut wie alle Hotels, Pensionen und Bed and Breakfasts waren ausgebucht. Noch nicht einmal ein mickriges Einzelzimmer schien irgendwo noch frei zu sein, geschweige denn ein Raum, in dem wir nicht nur zwei Erwachsene, sondern auch einen Teen und einen Hund für die Nacht unterbringen konnten. Denn wie wir erfahren hatten, stellen viele britische Herbergsbesitzer ihre Gäste vor ein moralisches und ethisches Dilemma: Sie müssen sich entscheiden, ob sie den Hund aussetzen oder das Kind zur Adoption freigeben.

»Das ist also die berühmte britische Tierliebe«, murmelte ich vor mich hin. Unwillkürlich musste ich an eine Bemerkung von Hermann denken, mit dem ich das Thema einmal diskutierte. »Man sollte weniger von Tierliebe sprechen als von der Liebe zu Hunden und Katzen«, hatte er gesagt. »Denn die werden wirklich verwöhnt. Aber Liebe zu Tieren? Dass ich nicht lache. Windhundrennen, Steeplechase, Rinderwahnsinn, Fuchsjagd«, hatte er gehöhnt. »Alles britische Erfindungen. Aber sehr nett ist man da nicht zu den Tieren. Überhaupt: Tierliebe hat sowieso oft nur am Rande mit Tieren zu tun. Ihr wirklicher Genuss und ihr eigentlicher, wahrer Zweck liegt vielmehr darin, dass sie es den Briten ermöglicht, unnett zu Menschen zu sein.«

Ich beugte mich zu Chico hinab und tätschelte seinen Kopf. Keine Bange, flüsterte ich ihm zu, wir werden dich nicht im Stich lassen. Unwirsch drehte er den Kopf weg und blickte zu Julia hinüber. Denk noch nicht mal dran, ermahnte ich ihn streng. Sie lassen wir auch nicht zurück.

»I'm so sorry to keep you waiting«, ließ Joan sich nun wieder vernehmen. Es war ihr an den Augen abzulesen, dass es ihr überhaupt nicht leidtat, uns warten zu lassen. Sie tat sich höchstens selber leid. Aber das allgegenwärtige Wörtchen sorry, die Scheidemünze britischer Konversation, kann sowieso alles Mögliche bedeuten – nur selten steht es für eine Entschuldigung.

Es ist instinktiv das erste Wort, das Briten aus dem Mund rutscht. Deutsche würden »hoppla« sagen, wenn sie zufällig einen Passanten anrempeln, oder »oops«. Das ist die neudeutsche Entsprechung für den schwerfälligeren altdeutschen Ausruf: »Passen Sie gefälligst auf, wo Sie hintreten, Sie Lümmel.«

Da klingt »sorry« in der Tat eleganter. Vor allem passt es zu jeder Lebenslage.

Wenn Eskimos angeblich unglaublich viele Wörter für Schnee haben, geht das Englische den umgekehrten Weg: Das Wörtchen »sorry« deckt praktisch jede Eventualität ab. Der scharfzüngige England-Beobachter (und Schotte) A. A. Gill hat einmal versucht, sie aufzuzählen: Sorry, ich entschuldige mich; sorry, aber ich entschuldige mich nicht; sorry, Sie können das als Entschuldigung betrachten, wenn Sie wollen, aber wir wissen beide ganz genau, dass es keine Entschuldigung ist; sorry, aber würden Sie jetzt bitte endlich den Mund halten; sorry als Ausdruck von Mitgefühl; sorry, dass Sie etwas verloren haben (egal, ob es der Autoschlüssel ist, der Hund oder der Vater); sorry, ich kann Sie nicht hören; sorry, aber das darf doch nicht wahr sein; sorry, ich verstehe Sie nicht; sorry, aber Sie verstehen mich nicht; sorry, würden Sie sich bitte beeilen; sorry, aber ich glaube Ihnen kein Wort; sorry, dass ich Sie unterbreche; sorry, aber das kommt überhaupt nicht in Frage; sorry, meine Geduld ist am Ende.

Böse Zungen behaupten, dass Engländer auch beim Sex auf ein Sorry nicht verzichten wollen: Mit »Sorry!«, kommentieren sie den Orgasmus.

Jede Beschwerde beginnt mit dem Wörtchen sorry. Es ist das Gleitmittel, das Kritik erst herausschlüpfen lässt. »Herr Ober, sorry, aber in meinem Blattsalat grast eine Schnecke.« »Sorry, soll ich ihr die Blätter kleinschneiden?« Nur im Englischen ergibt ein Satz wie dieser Sinn: »Es reicht nicht, dass Sie sorry sagen; ich verlange eine Entschuldigung.« Diese aber, eine *apology*, hört man eigentlich nur in Historienfilmen, und dann aus dem Munde leibeigener Sklaven, die sich vor einem Pharao demütig im Staube wälzen.

Die fünf Buchstaben s-o-r-r-y gestatten es den Briten, auszurasten, ohne ausfällig zu werden. Joan wäre eine *apology* nie über die Lippen gekommen, es war ihr anzusehen, dass sie uns mit unserem Hund und unserer Tochter zum Teufel wünschte. Trotzdem blieb sie höflich. Denn »sorry« ist ein Prophylaktikum: Es bewahrt beide, den Sprecher und den Zuhörer, vor den potentiell explosiven Konsequenzen der Wahrheit – und die hätte im Fall von Joan anders geklungen.

Jetzt legte sie den Hörer auf und wandte sich uns zu. Sie lächelte erleichtert. »Ich habe etwas gefunden. Eine nette Familienpension in Shanklin. Direkt an der Strandpromenade. Sie sind also mittendrin im Trubel.«

»Mitten im Trubel?« Katja hat ein scharfes Ohr für Zwischentöne und für das, was sie Maklersprache nennt. »Was Sie damit sagen wollen, ist, dass wir die ganze Nacht kein Auge zumachen werden, weil unter unserem Fenster ein Spielsalon ist und schräg gegenüber eine Achterbahn. Kommt überhaupt nicht in Frage.«

»Schräg gegenüber ist das Meer«, korrigierte Joan betont eisig. »Und, sorry, aber das ist das einzige Hotel, das sie alle vier akzeptiert – mit Hund und Kind. Zurück aufs Festland …«, sie warf einen Blick hinauf zu einer Uhr im Seemanns-Design mit Ankern und

Muscheln, »zurück aufs Festland schaffen Sie es heute nicht mehr. Aber wenn Sie wollen, dann kann ich das Zimmer auch stornieren.« Sie machte Anstalten, wieder zum Telefon zu greifen.

Mitunter muss man sich als Mann auch durchsetzen können. Mein Machtwort wurde zudem durch den Gedanken befördert, dass unser Wagen jede Minute mit einer Kralle lahmgelegt oder abgeschleppt werden könnte. »Nein, nein«, rief ich, »wir nehmen das Zimmer.«

Eine halbe Stunde später waren wir in Shanklin angekommen und hatten unseren Wagen irgendwie auf den Parkplatz des Southview Guesthouse gequetscht. Mir war sofort klar, dass ich hier nie wieder im Rückwärtsgang hinauskommen würde, es sei denn, man trüge einen Teil der Umfassungsmauer ab. Oder die Kotflügel.

Immerhin stimmte der Name des Hotels mit der Lage überein: Die dreistöckige Fassade, die in einem Farbton gehalten war, der an erbrochene Pommes mit Lagerbier erinnerte, blickte nach Süden hinaus auf den Ärmelkanal. In der Entfernung konnte man, wenn man die Augen zusammenkniff, Öltanker und Frachter vorbeiziehen sehen. Eine zerrupfte Palme, zu deren Füßen Luftballons verkauft wurden, verströmte einen Hauch von Tropen-Atmosphäre.

Links und rechts neben dem Gästehaus befanden sich tatsächlich zwei Spielhöllen. Sie waren in jenen Neonfarben gestrichen – grün und barbiepink –, die in den siebziger Jahren hausgemachten englischen Törtchen vorbehalten waren. Sie waren so süß, dass man sich mit einem einzigen Stück Kuchen einen Glukose-Trip verschaffen konnte, der eine Woche lang vorhielt. Heute findet man diese Neon-Törtchen kaum mehr. Ich vermute, dass sie inzwischen in der Öl- und Gasindustrie Kanadas und Russlands am Polarkreis Verwendung finden – aufgelöst in Alkohol als Frostschutzmittel.

In den Spielsalons war viel los. Es piepste und heulte, kreischte, krächzte, pfiff und bollerte. Dazwischen krakeelten Kinder, und im Pub an der Ecke grölte jemand Seemanns-Shantys. Sie passten nicht zu der Musik, die aus dem Lautsprecher drang. Das war Macarena.

Beim Anblick der Spielautomaten ließ Julia zum ersten Mal an diesem Tag einen Anflug von Interesse an ihrer Umgebung erkennen. Dieser Urlaub barg vielleicht doch noch ein gewisses Potential. Sie wusste, dass Kinder in England in Spielhallen – anders als in Hotels – gerngesehene Gäste waren. Werden die blinkenden Glücksspielautomaten in Deutschland in schmuddeligen Nebenstraßen in der Bahnhofsgegend versteckt, so finden dort in England Schulausflüge, Rentnertreffen und Kaffeekränzchen statt.

Katja dagegen musste ich gar nicht ins Gesicht sehen, um zu wissen, welche Miene sie zog. Wenn man erst einmal einige Jahre verheiratet ist, dann kann man die Mimik des Partners hören. Und Katjas Gesichtsausdruck dröhnte buchstäblich in meinen Ohren.

»Es gab kein anderes Zimmer, das hast du doch gehört«, wehrte ich vorsorglich ab.

»Habe ich einen Ton gesagt?«, fragte sie zurück. »Kein Wort habe ich gesagt.«

Ihre Laune besserte sich unmerklich, als wir das Zimmer gesehen hatten. Alle Räume mit Blick auf die See – und damit auch auf die Uferpromenade und ihre lautstarken Attraktionen – waren sowieso vergeben. Unser Zimmer ging nach hinten hinaus auf den Parkplatz. Direkt unter dem Fenster strömte die Abluft aus der Küche. Dem Geruch nach zu urteilen gab es scharf angebrannte Hamburger mit Pommes. Das Öl, so stellte ich mit missbilligendem Naserümpfen fest, hätte auch wieder einmal erneuert werden können. Mein Magen reagierte allein auf den Geruch mit einem schmerzhaften Säureausstoß. Zum Glück gab es ja noch andere Restaurants am Ort, tröstete ich mich.

Direkt hinter dem Hotel ragte majestätisch die Klippe in den Himmel. Wenn man den Kopf weit aus dem Fenster streckte und nach oben verdrehte, konnte man die Kuppe sehen. Als positiv vermerkte ich, dass die Felswand unserem Zimmer von morgens bis abends kühlenden Schatten spenden würde. Ich behielt diese Erkenntnis allerdings für mich, weil ich nicht sicher sein konnte, ob meine Familie schon ebenso weit in der Kunst des positiven Denkens fortgeschritten war wie ich.

Auf der Plus-Seite konnten wir zudem abhaken, dass wir kein dreidimensionales Labyrinth austricksen mussten, um unser Zimmer zu finden. »Die Treppe hoch und links«, hatte man uns auf den Weg mitgegeben, und dort befand sich tatsächlich die Tür. Die Einrichtung als spartanisch zu bezeichnen wäre übertrieben gewesen. Ein schmales Einzelbett, ein Etagenbett und ein windschiefer Kleiderschrank füllten den Raum fast vollständig aus.

»Ich weiß, ich weiß«, fauchte Katja, bevor ich etwas sagen konnte. »Es war das letzte Zimmer auf der ganzen gottverdammten Insel.«

Sie flucht nur selten, und meist erst dann, wenn sie

in einem Hotel die sanitären Einrichtungen inspiziert hat. Mit einer Mischung aus Verwegenheit und Resignation unterzog sie auch hier das Badezimmer einer Überprüfung. Als sie wieder zum Vorschein kam, war sie grün um die Nase, aber sie schwieg. Dies war, wie ich aus Erfahrung wusste, ein schlechteres Zeichen als ein Schwall von Flüchen und Verwünschungen. Sie teilte lediglich nüchtern mit, dass sie erst wieder in London duschen würde.

Früher einmal hätte ich meiner Frau an dieser Stelle von eigenen Erlebnissen in grauenerregenden Hotels erzählt, im irrigen Glauben, dass ich damit die Maßstäbe zurechtrücken könnte. Ich hätte berichtet von Blackpool, wo ich einmal in einem fensterlosen Verlies untergebracht war, in dem vorher eine Gruppe schwerer Raucher eine Poker-Meisterschaft absolviert zu haben schien. Oder jenes andere Hotel in Blackpool, das der Architekt als Teil einer Achterbahn entworfen hatte. Vor meinem Fenster befand sich der Fußpunkt einer steilen Schussfahrt, die auch dem unterkühltesten Briten spitze Schreie entzauberte. Wie gesagt: Früher hätte ich davon erzählt, heute nicht mehr. Manchmal lernen auch Männer aus Erfahrung.

Wirklich beunruhigend war freilich Chicos Verhalten, als er ins Zimmer kam. Er weigerte sich, den Raum überhaupt zu betreten. Auf dem Treppenabsatz stemmte er die Hinterbeine in den fleckigen Flokati und bewegte sich keinen Millimeter weiter. Nur mit vereinten Anstrengungen zogen und schoben wir ihn über die Schwelle. Es war nicht daran zu denken, ihn allein im Raum zu lassen. Er hätte das ganze Hotel zusammengebellt. Nun, damit hatten sich unsere Dinnermöglichkeiten drastisch verringert: Wir hatten die

Wahl zwischen einem Hotdog an der Imbissbude oder einem triefenden Pizza-Dreieck vom Pappteller.

Nicht, dass die kulinarischen Möglichkeiten anderswo größer gewesen wären. Das gilt für Shanklin ebenso wie für Bournemouth, Blackpool, Skegness, Scarborough oder irgendein anderes britisches Seebad. Serviert wird im Wesentlichen Fast Food, wobei »fast« eher im Sinne des deutschen Wortes »beinahe« gemeint ist: Es ist fast richtiges Essen.

Feinschmecker oder Vegetarier kämen in britischen Seebädern eher nicht auf ihre Kosten. Die Menge an Kohlehydraten, die hier pro laufendem Meter Strandpromenade frittiert, gebacken oder gegrillt wird, würde ausreichen, um ein mittleres Kraftwerk ein Jahr lang zu befeuern. Und es gibt viele Tausend Kilometer Strandpromenade rings um die britischen Inseln. Theoretisch wären die Expansionsmöglichkeiten unbegrenzt; man müsste nur immer weiter anbauen, und eines Tages wäre die ganze Insel umschlossen von einem Kranz von Burgerbuden, Spielhallen, Eiscremeständen und Parkplätzen. Vor allem von Parkplätzen, mit deren Gebühren Stadtverwaltungen ihre Personalkosten finanzieren und dann immer noch etwas übrig haben für ehrgeizige Kommunalprojekte wie neue Parkplätze und Parkhäuser.

Da die horizontale Ausweitung lange Fußmärsche nach sich ziehen würde, hat britisches Erfinder-Genie buchstäblich einen rechten Haken um neunzig Grad geschlagen. Das Ergebnis ist der Pier, der von der Promenade abzweigt und viele Hundert Meter weit ins Meer hinausgreift – ein proletarischer Stinkefinger an all die Yacht- und Regattakapitäne in ihren feinen Booten. Seht her, sagen diese Piers, auch wir wagen uns hinaus auf hohe, na gut, auf höhere See. Aber uns schwankt nicht der Boden unter den Füßen, wir werden höchstens nass, wenn wir im Suff das Bier verschütten. Und auf welchem Segelboot, bitte schön, bringt man eine Achterbahn unter oder ein Spiegelkabinett, wie man es auf jedem Pier in England antrifft?

Wie so vieles in diesem Land scheint auch das Verhältnis zum Seebad durch das Prisma der Klasse gesehen zu werden. Kreiert wurde die Mode, sich an der Küste zu verlustieren, vom Königshof: Anfangs muss es ungeheuer schockierend gewesen sein, sich freiwillig in eine Gegend zu begeben, in der Fischer und Seeleute daheim waren. Dem Hofstaat folgte schon bald der Adel, und es dauerte nicht lange, bis das wohlhabendere Bürgertum die Vorzüge der erfrischenden Meeresluft für sich entdeckte. Ende des 19. Jahrhunderts war mit Blackpool dann der erste Urlaubsort für das Proletariat entstanden, das aus dem industriellen Herzland rings um Manchester, Birmingham und Liverpool an die Irische See reiste.

Nichts enthüllt den Doktor-Jekyll-und-Mister-Hyde-Charakter der Briten besser als Seebäder. Bürger, die im Alltag und im Landesinneren gemeinhin ein nüchternes, langweiliges und gesetzestreues Leben führen, überfällt an der Küste eine seltsame Wandlung: Sie ziehen sich halbnackt aus, schütten sich von morgens bis in die späte Nacht mit alkoholischen Getränken zu und geben Unsummen für Andenken von abgrundtiefer Vulgarität aus. Rosafarbene Plastikbusen gehören noch zu den geschmackvolleren Souvenirs. Mehrere Kategorien tiefer sind Dauerlutscher in Form überdimensionierter Penisse oder T-Shirts angesiedelt, deren Aufschriften sich detailliert mit dem Für und Wider von Cunnilingus auseinandersetzen, wobei dieser Akt freilich nicht bei seinem lateinischen Namen genannt wird. Im Seebad eröffnet sich ein schwindelerregender Blick in die Abgründe der britischen Seele. Auf ihrem Grund vermag man einen Abglanz jener angelsächsischen Halbbarbaren zu erkennen, die einst diese Inseln unterwarfen.

Vorsorglich hatte ich vor unserer Abreise im Park Recherchen bei meiner Fokus-Gruppe angestellt. Len war begeistert gewesen, als er von unserem Reiseziel hörte. Am liebsten wäre er mitgekommen. Das lag zum einen daran, dass auf der Isle of Wight noch Dampflokomotiven verkehrten, von denen Len glaubte, dass er der einen oder anderen einst noch selbst eingeheizt hatte. Zum anderen musste man nur den Namen irgendeines Badeortes an der Küste erwähnen, und schon ging ihm das Herz auf.

»Super Essen, ordentlich zu trinken, und vor allem: Da kannst du echt gut Weiber aufreißen«, schwärmte er. »Vor allem bei einer von den Hühnernächten.«

»Hühnernächte?«

Ich wusste, dass politische Korrektheit nicht Lens Stärke war, aber manchmal ging er doch zu weit.

»Na, Hühnernächte, das musst du doch wissen. Wenn die Hühner die Sau rauslassen.«

»Len, das wird mir jetzt zu biologisch. Drück dich bitte deutlicher aus.«

»Das hat alles einmal angefangen mit dem Polterabend. Wir sagen dazu Hirschnacht, wenn die Männer feiern. Na, und im Zuge der Gleichberechtigung haben sich eben auch unsere Frauen das Recht auf ein Besäufnis erstritten – die Hühnernacht eben.«

»Also ist die Isle of Wight eine Art von Hochzeits-
metropole? Dort fährt man zum Heiraten hin, so wie
früher mal nach Las Vegas oder Gretna Green?«

»Quatsch. Wenn man nur saufen könnte, wenn jemand Ringe tauscht, wäre es doch ein trauriges Leben.
Nö, jeder Vorwand ist gut genug, um einen draufzuma-
chen. Die Girls im Office, der Strickclub, Nachbarinnen
in einer Straße – die schmeißen Geld zusammen und
düsen ab für ein Wochenende an die See. Und, boy, da
kannst du zum Stich kommen, sage ich dir.«

Gruppen enthemmter Männer und Frauen waren
mir schon daheim in London und vor allem in der Alt-
stadt von Kingston aufgefallen. Freitagabends und
an Wochenenden machen sie die Clubs und Kneipen
unsicher. Auf den ersten Blick glaubt man, zufällig
in der Herbertstraße oder im Amsterdamer Rotlicht-
viertel gelandet zu sein – jedenfalls nach der Kleidung
zu urteilen, welche die Damen angelegt beziehungs-
weise weggelassen haben. Es sind aber in Wirklichkeit
Sekretärinnen, Bankangestellte und Verkäuferinnen.
Steigen die Temperaturen, fallen schon am helllichten
Tag die Hüllen – bei Männern ebenso wie bei Frauen.
Bei keinem der Geschlechter ist dies ein restlos befrie-
digender ästhetischer Anblick: Ob Wülste oder Well-
fleisch, Speck- oder Altersfalten – so manche Metzger-
auslage sieht appetitlicher aus.

An der Küste jedoch scheinen Briten alle Hemmungen abzulegen – als ob die Kombination aus Kieseln und
Sandstrand, einer frischen Meeresbrise und dem Aroma frittierter Grundnahrungsmittel einen genetischen
Schalter umlegte. Nicht-britische Touristen können
dieses Verhalten auf Mallorca oder den Kanarischen
Inseln studieren. Perfektioniert wurde es allerdings

daheim, und dies schon vor vielen Jahren. »Wenn wir in Urlaub fahren, lassen wir unseren Launen und Geschmäckern die Zügel schießen«, schrieb der anonyme Autor eines »Official Guide« für den Badeort Hastings. »Von dem Moment an, in dem wir den Bahnhof verlassen, werden wir wahrhaftig wir selbst. Neigungen, die unterdrückt werden mussten, Träume, die auf goldene, der Pflicht gestohlene Augenblicke beschränkt waren – jetzt werden sie freigesetzt. Wir sind entschlossen, das zu tun, was uns gefällt, und das Einzige, was wir von der Stadt verlangen, die wir besuchen, ist, dass sie für jede Neigung etwas bereithält.«

Diese Zeilen wurden 1925 geschrieben, und von der heutigen Realität unterscheiden sie sich nur darin, dass es niemand mehr so blumig formulieren würde. Stattdessen spricht man eher von Komabesäufnissen und Projektilkotzen.

Dieser gesellschaftliche Hintergrund war denn wohl auch dafür verantwortlich, dass Felicity Smythe-Stockington die Nase gerümpft hatte, als ich sie betont beiläufig fragte, was sie von Seebädern im Allgemeinen und der Isle of Wight im Besonderen halte.

»In so einen Ort fährt ein Gentleman nur dann, wenn die Torys dort ihren Parteitag abhalten«, sagte sie vorwurfsvoll. Dies waren in der Tat die einzigen Gelegenheiten gewesen, bei denen ich Blackpool und Bournemouth kennengelernt hatte. Schon damals hatte ich mich gewundert, warum eine Partei, in der noch immer Repräsentanten der Oberklasse den Ton angeben, ihre Mitglieder und Delegierten einmal im Jahr dazu zwingt, in feuchten Hotelzimmern unter Nylonbettwäsche zu kriechen und sich fünf Tage lang von Lebensmitteln zu ernähren, die in heißem Öl herausgebacken wurden.

Felicity Smythe-Stockington jedenfalls ließ keinen Zweifel daran, dass sie selbst nur dann einen Fuß in einen solchen Ort setzen würde, wenn ein amtierender Premierminister der Konservativen Partei sie persönlich mit dem Dienst-Jaguar abholen würde.

Als sie hörte, dass ich freiwillig und noch dazu mit der ganzen Familie nach Shanklin fahren wollte, lebten ihre alten Zweifel wieder auf, ob ich der richtige Umgang für sie sei. Sie schien sogar kurz davor zu stehen, unseren losen Kontakt sofort und unwiderruflich abzubrechen. Vermutlich war es nur der verbotene Kitzel, sich mit einem vulgären Vertreter der Unterklasse (Gattung deutsch) gemeinzumachen, der sie von dem letzten Schritt abhielt.

»Aber wo machen Sie denn Urlaub?«, erkundigte ich mich, befürchtend, dass eine solche anscheinend harmlose Frage ihre Intimsphäre verletzen könnte. Felicity Smythe-Stockington gab nur widerstrebend preis, was sie als persönliche Information betrachtete. Ihre Urlaubspräferenzen könnten in dieselbe Kategorie fallen wie ihre Einkommensverhältnisse oder Essgewohnheiten.

»Ich hatte Ihnen ja schon gesagt, dass man Frankreich als Destination vorzieht«, erinnerte sie mich. Dabei fiel mir ein, dass sie mir nie von ihrer Reise nach Deutschland berichtet hatte. Ich konnte nur annehmen, dass sie aus Höflichkeit den Mantel des Schweigens über diesem Trip ausbreitete.

»Frankreich. Italien ist noch ganz passabel. Rom, Florenz, Mailand. Nicht der Süden, Gott bewahre. Ansonsten bleibt man in Britannien und fährt aufs Land. In die Cotswolds, nach Wales oder nach Schottland. Das ist alles nicht schwierig, solange man der englischen Sommersaison folgt. Vielleicht kennen Sie das nicht: Pferderennen in Ascot, Tennis in Wimbledon, Regatta in Cowes, Oper in Glyndebourne und am Ende dann die Rebhuhnjagd in den Highlands. Gottlob hat man ja überall Freunde mit geräumigen Häusern.«

»Ah, man schnorrt sich also bei Freunden durch?« Felicity warf mir einen vernichtenden Blick zu.

»Man frischt seine Verbindungen zu guten Bekannten auf, damit der Kontakt nicht abbricht. Das ist einem Urlaub in einem unpersönlichen Hotel doch vorzuziehen, finden Sie nicht? Und bei Freunden weiß man wenigstens, wen man antreffen wird. Ganz zu schweigen davon, dass man auf keine Annehmlichkeiten verzichten muss, vor allem dann, wenn diese Freunde Personal haben.«

Ich konnte mir zwar Besseres vorstellen, als tagelang Bekannten – und seien sie auch noch so lieb und teuer – jeden Morgen am Frühstückstisch gegenüberzusitzen, wobei es nur einen graduellen Unterschied machen würde, ob sie unrasiert und verschlafen erschienen, oder aufgekratzt und voller Tatendrang. Zu dieser Tageszeit ziehe ich es vor, mit mir allein zu sein. Diese Gesellschaft ist meistens schon schwer genug zu ertragen.

Ich hatte schon von solchen »weekends in the country« gehört. Einladungen verliefen in etwa nach diesem Muster: »Darling, also ihr müsst unbedingt runter zu uns aufs Land kommen, zu dieser Jahreszeit ist Buckinghamshire einfach göttlich.« »Wie liebenswert von euch. Kommen Jason und Fiona auch?« In den meisten Fällen waren diese Einladungen sogar ehrlich gemeint. Die Gefahr, dass die Gastgeber sich bei der Ankunft gutgläubiger Gäste hinter schweren Brokatvorhängen verstecken, hält sich mithin in Grenzen.

Euan hatte mir einmal von so einem Wochenende im Landhaus eines leibhaftigen Earls erzählt. Der hatte in Norfolk ein schlossartiges Anwesen gehabt, nicht weit von Sandringham, wo die Queen Weihnachten verbringt. Euan und Colette waren eingeladen worden, weil sie der neuen Klasse reicher Überflieger aus der City angehörten. Sie waren gekommen, weil sie sich im Glanz alten Adels sonnen wollten. Es war, wie schon immer in der Menschheitsgeschichte, die perfekte Kombination.

»Ich habe den Aston Martin genommen, Gott sei Dank, man will sich ja nicht blamieren, wenn man die lange Auffahrt rauf zum Haus rollt. Und nichts knirscht besser auf Kies als ein authentischer DB9-Diagonalreifen mit Edelstahlfelgen und Speichen von Michelin.«

Euan kennt sich aus mit solchen Details. Mir hingegen genügt es zu wissen, dass Reifen tunlichst rund und prall aufgepumpt sein sollten. Aber ich fahre auch keinen Aston Martin.

»Es ist wie im Film: Du fährst vor, oben auf der Freitreppe stehen deine Gastgeber, ein Butler öffnet die Wagentür, ein anderer kümmert sich ums Gepäck. Du nimmst einen Willkommensdrink, dann gehst du hinauf in dein Zimmer, und da ist alles schon ausgepackt und eingeräumt. Ich kann dir sagen: Ich war froh, dass ich keine Socken mit Löchern eingepackt hatte. Und dann steht schon wieder der Butler in der Tür und verkündet, dass er dir jetzt das Badewasser einlassen werde und wie warm du denn das Wasser haben möchtest. Einfach himmlisch.«

Wenn ich es genau bedenke: Auch die Königin macht nicht am Meer Urlaub. Sie fährt jedes Jahr nach Balmoral, ihrem Schloss in Schottland. Dort geht sie spazieren, teils allein, teils mit ihren Hunden, und wenn man Helen Mirrens Darstellung im Film »Die Queen« glauben kann, dann hält sie mitunter auf einem einsamen Hochmoor stille Zwiesprache mit einem Prachthirschen. Sie trägt den ganzen Tag lang ein Kopftuch und einen karierten Schottenrock. Die männlichen Windsors lassen das Kopftuch weg und beschränken sich auf den Kilt.

Mitunter lädt auch die Königin Leute übers Wochenende aufs Land ein. Meist ist es weitläufig verwandter europäischer Hochadel oder der jeweils in Downing Street amtierende Premierminister. Dass es bei diesen Gelegenheiten hoch hergehen kann, erfuhr eine erstaunte, wenn auch nicht wirklich interessierte britische Öffentlichkeit dereinst von Cherie Blair. Weil es so kalt war in ihrem Burggemach (die sparsame Queen lässt auch in einem kalten schottischen Sommer nicht heizen), habe sie sich inniglich an ihren Tony gekuschelt, verriet sie in ihren Memoiren. »Eins führte zum anderen«, schrieb die Politikergattin, und das Ergebnis sei neun Monate später in Gestalt des Säuglings Leo zur Welt gekommen. Es ist nicht überliefert, wie die Queen und ihre Familie auf die indiskreten Enthüllungen reagierten. Spötter mutmaßten, dass Prinz Philip die spitzen Geräusche, die in jener Nacht aus der Bettkammer der Blairs drangen, womöglich als Bemühungen des Premierministers missdeutete, das Dudelsackspiel zu erlernen.

Katja, Julia, Chico und ich schlenderten die Strandpromenade von Shanklin auf der Suche nach einem

Abendessen entlang, während mir diese Gedanken durch den Kopf gingen. Die beiden Damen debattierten die jeweiligen Vorzüge einer Bratwurstbude oder eines Hamburgerstandes. Der Hund schien eindeutig den Würsten den Vorzug zu geben, nach der Kraft zu urteilen, mit der er in diese Richtung zog.

Eine Einladung nach Balmoral für ein Wochenende mit den Royals – ja, das wär's. Ich würde mich auch meines Gepäcks nicht schämen. Soll der Butler doch auspacken und einräumen. Ich habe nichts zu verbergen. Zur Not würde ich mir vor der Fahrt frische Socken und ein paar neue Unterhosen kaufen. Bei manchen Investitionen soll man nicht knausern.

Ich seufzte, was mir einen misstrauischen Blick der geliebten Ehefrau eintrug.

Aber es war sinnlos, von einer Einladung nach Balmoral zu träumen. Das war etwa so wahrscheinlich wie ein Sechser im Lotto. Ich war ja schon mit meiner Anfrage gescheitert, von der Queen zu ihrer Sommerparty im Garten von Buckingham Palace eingeladen zu werden. Die Ablehnung hatte mich persönlich getroffen, schließlich darf bei dieser Gelegenheit nicht nur gemeines Volk über den gepflegten Rasen hinter den hohen Palastmauern wandeln und sich an den gereichten Häppchen laben; sogar der eine oder andere ausländische Journalist erhält an diesem Tag Zugang – und die Chance, von der Königin mit einer Konversation geehrt zu werden. »Ihre Majestät wünscht Sie kurz zu sprechen«, flüstert dann ein Adlatus dem derart ausgezeichneten Gast ins Ohr, worauf man – fraglos wie auf rosa Wölkchen schwebend – hinübergeht zu einer kleinen Menschengruppe, deren Nukleus eine kleine Frau in Zartrosa oder Hellblau ist.

Nur mir hatte der Palast schon beim ersten Versuch die Tore vor der Nase zugeschlagen. »Ihre Majestät berücksichtigt bei ihren Einladungen im Allgemeinen nur Personen, mit denen wir in der Vergangenheit zu tun hatten«, beschied mich eine männliche Stimme in der Presseabteilung in einem Ton, der keinen Widerspruch duldete.

»Und wie, bitte schön, soll ich diesen Kontakt herstellen, wenn ich nicht kommen darf?«

»So etwas entwickelt sich über Jahre, mitunter sogar über Jahrzehnte.«

Ach ja? Und was war mit meiner Kindheit als nordbayerischer Doppelgänger von Prinz Charles? Was war mit dem morschen Baum der Königin vor meinem Schlafzimmerfenster? Nicht zu vergessen der unauslöschliche Eindruck, den ich bei der Investitur hinterlassen hatte. Hatte ich nicht mehr als genug in der Vergangenheit mit der Queen zu tun gehabt? Zählte das alles nicht?

Doch wohlweislich hielt ich den Mund. Meine beste Chance lag in den Händen von Mavis. Katja hatte auf meinen Bericht über mein Treffen mit ihr mit einer Reihe von Fragen reagiert, die überhaupt nichts mit dem Plan zu tun hatten.

»Du willst mit ihr zusammen nach Liverpool fahren, richtig?«

»Ja, sie kann mich an die Hand nehmen, im übertragenen Sinn, und mir zeigen, wie es geht.«

»Einen Sohn hat sie, sagst du. Wie alt ist er denn?«

»Erst elf, aber von der Queen hat er schon jetzt die Nase voll.«

»So jung ist er. Dann ist die Mutter sicher auch noch nicht alt.«

Ich begann zu ahnen, worauf diese Vernehmung hinauslief.

»Nein, ja, sie wollte mir ihr Alter nicht verraten.«

»Ach, kokett war sie auch noch.«

»Das kann man so nicht sagen. Koketterie wäre das letzte Wort, das mir im Zusammenhang mit Mrs Pickering einfiele. Sie hat nur gesagt, dass ihr Mann sehr viel älter ist als sie.«

Ich wusste, dass ich einen Fehler gemacht hatte, noch bevor die letzten Wörter meinen Mund verlassen hatten. Es ist nicht so, dass meine Frau eifersüchtig wäre. Sie will nur nichts dem Zufall überlassen.

»Ihr übernachtet im selben Hotel?«

»Ja, ist sinnvoll. Wir müssen ja am nächsten Tag früh raus.«

»Dann sieh mal zu, dass ihr nicht verschlaft.«

Achtzehn

In der Redaktion hatten sie schon wieder eine neue Idee. Es war Mäuers Einfall gewesen. Es hätte auch niemand anders sein können. Nur Mäuer gelingt jene Mischung aus Peinlichkeit, Geschmacklosigkeit und Morbidität. Gewürzt mit einem Schuss heller Verzweiflung angesichts der nahenden Sauregurkenzeit und dem damit einhergehenden Horror leerer Seiten.

Ich traute meinen Augen nicht, als ich die E-Mail sah: Eine Sommerserie unter dem Motto »Dem Tod ins Gesicht gelacht – die heitere Seite des Sterbens« war bei den Korrespondenten bestellt worden. Ich unterdrückte eine hässliche Gemütsregung, die sich an der Wortkette Tod, Heiterkeit und Ressortleiter entlanghangelte, und las weiter, um herauszufinden, was man sich in der Redaktion genau vorstellte.

Redaktionen lieben Serien. Sie lieben sie im Wesentlichen aus einem Grund: Bei einer Serie reicht es, eine einzige Idee zu haben, die man dann in beinahe beliebig vielen Fortsetzungen und Facetten ausbreiten und weiterspinnen kann. Es ist das redaktionelle Gegenstück des Marketingtricks »Buy one, get five free«. Auch in diesem Fall will der Leser den Artikel eigentlich nur einmal, aber er bekommt ihn trotzdem in mehrfacher Ausfertigung geliefert.

Der Tod als Thema einer Sommerserie mutete schon ein wenig abwegig an. Während der Urlaubssaison wollen sich jenseitige Gedanken beim besten Willen nicht einstellen, jedenfalls nicht bei mir. Ich hätte es eingesehen, die Serie rund um den Volkstrauertag, um Allerheiligen, Halloween oder den Tag der Deutschen Einheit laufen zu lassen. Auf diese Weise könnte man – wenn schon nicht unbedingt dem Tod – so doch wenigstens der depressiven Novemberstimmung den Stachel nehmen.

Aber Mäuer war schon immer ein Freund des sogenannten antizyklischen Journalismus gewesen. Das klingt komplizierter, als es ist; vereinfacht gesagt bedeutet es so viel wie: Wenn etwas wirklich Wichtiges passiert, über das sowieso schon alle Medien breit und ausführlich berichten, dann schreiben wir über etwas anderes. Im Grunde genommen ist antizyklischer Journalismus das exakte Gegenteil der Definition einer Zeitung, die eigentlich aktuell berichten soll.

Weltmeister des antizyklischen Journalismus ist der Londoner *Independent*. Wenn alle Welt über ein verheerendes Erdbeben mit Tausenden von Toten schreibt, macht der *Independent* mit der Schlagzeile auf: »Ist die Meningitis endlich besiegt?« Oder es kann passieren, dass *Indie*-Leser vom Ausgang der amerikanischen Präsidentschaftswahl erst erfahren, wenn sie die Titelseite überschlagen haben, auf der steht: »Klimawandel bedroht die englische Wiesen- und Obsthummel«. Als eine tiefgespaltene Nation das Ergebnis einer Unterhausabstimmung zur Stammzellenforschung herbeifieberte, beunruhigte der *Independent* seine Leser mit der Zeile: »Ausgesetzt! Sind Haustiere die jüngsten Opfer der Wirtschaftskrise?«

Dennoch schwören manche Journalisten auf antizyklische Nachrichten. Sie glauben, dass der Leser der Geschichten über verschüttete Erdbebenopfer überdrüssig ist, weil sie ihm in allen Medien um die Ohren geschlagen werden, und dass er sich stattdessen lieber über das Schicksal der Hummel informiert. Mäuer gehört, wie gesagt, zu dieser Gattung (von Journalisten, nicht Hummeln). Der Flurfunk im Haus, den wir Korrespondenten mit Verspätung über eine Art telefonischen Auslandsdienst mitbekommen, wollte allerdings wissen, dass er auf das Todesthema verfiel, weil er bei der jüngsten Beförderungsrunde abermals übergangen worden war. Das war seine Methode, sich aus dem Tal seiner eigenen Depressionen zu befreien, wurde uns hinter vorgehaltener Hand gesteckt.

Wenn ich die E-Mail richtig verstand, war nicht so sehr daran gedacht, über charakterlich widerwärtige und unanständig reiche Erblasser zu schreiben, die überraschend ableben und ihre Erben dadurch gleich doppelt erfreuen: zum einen, weil sie die Umwelt von ihrer Präsenz befreien, zum anderen, weil sie ihr ein Vermögen hinterlassen. Stattdessen sollten die Korrespondenten in aller Welt das Thema kulturhistorisch beleuchten: Der Mann in Österreich würde die Bestattungslust der Wiener untersuchen, der Kollege in Lateinamerika die fröhlichen Knochenmänner der Mexikaner, Peking die papierenen Grabbeigaben der Chinesen, die den Verstorbenen wenigstens im Jenseits ein Leben in Luxus erlauben sollen, und Washington die letzten technischen Neuerungen des Bestattungsgewerbes – inklusive iPod und Plasma-Bildschirm sechs Fuß unter der Erde.

Der Mann in London – also ich – sollte den Wurzeln

des schwarzen Humors der Briten nachgehen. Das Thema war schon richtig gewählt, denn nirgendwo scheint man dem Tod respektloser ins Gesicht zu lachen als auf den Inseln: »Ich wollte ihn doch in seinem dunkelblauen Anzug aufgebahrt haben, nicht im schwarzen«, beklagt sich die Ehefrau, als sie ihren Mann im Bestattungsinstitut sieht, in einem Witzklassiker. »Kein Problem, wird sofort erledigt«, beschwichtigt man sie. »Bob, tausch doch mal die Köpfe von Nummer drei und fünf aus.«

Mäuers Serienidee war der Grund, weshalb ich nun bei Vic Fearn & Company in Nottingham stand und mir eine Kollektion von Leichenhemden vorlegen ließ – nicht zur Anprobe, versteht sich, sondern als Teil der Recherche.

»Hier unten haben wir die Damenmodelle, und weiter oben im Regal sind die Kartons mit den Herrenversionen«, erklärte der Inhaber des Geschäftes und zog jeweils eine Box aus dem Regal hervor.

Ich konnte mir nicht vorstellen, weshalb man ausgerechnet beim Leichenhemd noch einmal ein geschlechtsspezifisches Fashion-Statement setzen wollte. Andererseits: Dies war das Kleidungsstück, das man gleichsam für die Ewigkeit tragen würde. Da sollte es schon etwas Zeitloses sein und keine modische Marotte, über die man in ein paar Jahren lachen würde.

»Und worin, bitte schön, unterscheiden sich die Damen- von den Herrenmodellen?«, fragte ich.

»Damenhemden sind rosa, Herren blau«, verriet der Händler und grinste wie ein Schuljunge, dem ein besonders durchtriebener Streich gelungen ist. »Fragen Sie mich nicht, warum. Vielleicht, damit Gott am

Jüngsten Tag die Männlein und die Weiblein auseinanderhalten kann.«

Die Hemden waren freilich nur als Accessoire im Angebot. Ohnehin lassen sich die meisten Briten inzwischen am liebsten in ihren eigenen Klamotten beerdigen. »Das Lieblings-T-Shirt, die bequemen Jeans – man liegt ja lange, da soll nichts drücken und klemmen, da will man sich wohl fühlen«, meinte der Verkäufer. »Es ist ja schon schlimm genug, dass man im Krankenhaus in so eine Art von Leichenhemd gesteckt wird.«

Den weitaus größten Teil ihres Umsatzes machten Vic Fearn & Company mit Särgen. Allerdings waren es keine Standardversionen, die hier geschreinert wurden, sondern von Hand gefertigte Designer-Modelle nach persönlichem Geschmack der Kunden. Je verrückter der Vorschlag, desto besser, nicht von ungefähr hieß die Firma Crazy Coffins – verrückte Särge.

»Jeder hat das Recht, seinen eigenen Abschied so zu feiern, wie er will, und wir bieten jedermann und jeder Frau das gewünschte Vehikel für die letzte Reise an – ein Bierglas, ein Raumschiff oder ein Skateboard«, erläuterte der Händler die Unternehmensphilosophie.

Er führte mich durch die Halle, in der die Firma ihre Produkte aufgestellt hatte wie die Tate Modern eine Ausstellung moderner Kunst. Es fehlten nur die Punktstrahler. Abrupt blieb er vor einer jeansblauen, knapp zwei Meter langen Sporttasche stehen, die der Riese Rübezahl mit in den Fitnessclub hätte nehmen können.

»Das Modell hier ist nicht nur elegant, sondern auch besonders praktisch«, sagte er und griff nach den beiden ledernen Trageschlaufen. »Sehen Sie: Daran kann man es gleich ins Grab hinunterlassen.«

Er musterte mich aufmerksam, als ob er meine Reaktion auf seine Worte abschätzen wollte.

»Sie müssen schon entschuldigen, dass ich Sie so kritisch anschaue«, sagte er. »Aber wir haben die Erfahrung gemacht, dass die meisten Nicht-Briten befremdet auf unsere Arbeit reagieren. Wir geben ja häufig Interviews, und wir merken dann, dass die Gesprächspartner nicht wissen, ob sie uns geschmacklos finden sollen oder nur verrückt.«

»Ein wenig exzentrisch finde ich Sie schon«, gab ich zu.

»Der Geschmack wird ja von unseren Kunden vorgegeben«, verteidigte er sich. Er begann in einer Ledermappe zu kramen und zog eine Handvoll Papiere hervor.

»Die meisten Kunden faxen oder mailen detaillierte Skizzen. Hier, ein Wikingerschiff. Die Dame will sich darauf verbrennen lassen. Auf der Themse, vor Big Ben. Das hat doch Stil, finden Sie nicht? Oder hier, das gefiel uns besonders gut, weil wir schon einen ähnlichen Sarg in Korkenform haben: ein Bierglas. Wird aber bei einer Erdbestattung teuer, wenn er sich aufrecht beisetzen lassen will. Man muss tiefer graben, wenn man das ganze Glas versenken will, und Totengräber sind nicht billig.«

»Lehnen Sie eigentlich auch Vorschläge ab?«, fragte ich.

»Nein, grundsätzlich nicht. Wenn überhaupt, dann nur aus praktischen Gründen. Da war ein Schotte, der bestellte eine Red-Bull-Dose. Für eine Einäscherung. Wir mussten ihm sagen, dass Metall nicht verbrannt werden darf und dass eine Dose, die groß genug wäre für seinen Körper, nicht durch die Standardklappe eines Verbrennungsofens passen würde«, erklärte der Geschäftsmann mit einem Unterton von Bedauern. »Nun nimmt er einen Normalsarg mit Motorradmotiven. Noch nicht mal eine einzige Dose Red Bull ist darauf abgebildet.«

Schweigend schlenderten wir weiter an den Ausstellungssärgen entlang: ein Skateboard, eine Gitarre, ein paar Langlaufskier.

»Grundsätzlich sind wir der Meinung, dass die eigene Beerdigung eine viel zu ernste Angelegenheit ist, um sie den Nachkommen zu überlassen«, gab er zu bedenken. »Außerdem gilt für uns: Wer zuletzt lacht, lacht am besten – und am besten ist ein hohler Lacher aus der Kiste. Man kann sich ja nicht immer darauf verlassen, dass die Leichenrede witzig ist. Mitunter ist es entsetzlich, wie todernst so eine Trauerfeier sein kann.«

Über mangelnde Umsätze konnte man bei Vic Fearn & Co. nicht klagen, obschon das Geschäft – da war man sich in der Konzernzentrale sicher – noch besser ginge, wenn man von London aus operieren würde und nicht im provinziellen Nottingham. Mir war es ganz recht, denn nach Nottingham wollte ich schon immer mal, seitdem ich als Junge zum ersten Mal von Robin Hood, dem Sherwood Forest und dem Sheriff von Nottingham gehört hatte.

Einen Sheriff hat die Stadt noch immer. Nur wo er früher der lokale Zwingherr eines ungeliebten Königs war, übernimmt heute umschichtig jedes Jahr ein anderer Stadtrat diesen Posten, zu dessen Vergünstigungen ein Talar, eine goldene Amtskette, ein grüner Dienst-Bentley und viele Auslandsreisen gehören. Der moderne Sheriff soll nämlich weltweit Investitionen und Touristen nach Nottingham locken. Das hat die Stadt auch dringend nötig, denn in Großbritannien hat sie heute weniger einen Ruf als Stadt von Robin Hood, sondern als Metropole der Hoodies – also halbwüchsiger Halbstarker in Kapuzenjacken, die ganze Stadtteile terrorisieren.

»Hier würde ich nicht aussteigen, noch nicht mal am hellen Tag«, hatte mir der Taxifahrer auf dem Weg vom Stadtzentrum zur Sargschreinerei gleich mehrere Male erklärt. »Da dauert es keine fünf Minuten, und Ihre Brieftasche ist weg.« Ich hatte den Eindruck, dass außer dem Stadtzentrum und der unmittelbaren Umgebung von Crazy Coffins ganz Nottingham eine einzige No-go-Zone war.

Der Taxifahrer selbst lief freilich keine Gefahr, am falschen Ort auszusteigen. Er war so unförmig fett, dass er mit seinem Fahrzeug verschmolzen zu sein schien. Er war wie ein Einsiedlerkrebs, der nicht rechtzeitig seine Muschel gewechselt hatte und nun darin feststeckte. Ich persönlich begegne Menschen dieses Ausmaßes sehr gerne. Neben ihnen verliere ich – gefühlsmäßig – gleich mehrere Kilo Gewicht. Ich frage mich, ob das nicht vielleicht der eigentliche Grund war, weshalb Shakespeare Caesar ausrufen lässt: »Lasst wohlbeleibte Männer um mich sein.« Der Römer wollte sich womöglich nur deshalb mit Fettwänsten umgeben, um seine Extrapfunde zu kaschieren.

Einen mindestens ebenso schwarzen Humor wie Crazy Coffins zeigte freilich auch das britische Finanzamt. Denn die Steuereintreiber Ihrer Majestät haben eine ihrer administrativen Zentralen ausgerechnet in Nottingham eingerichtet. »Früher hat der Sheriff auf der Burg die Pennys gehortet, die er den Bauern abgepresst hat, heute ist es der Fiskus«, hatte sich der Taxifahrer empört, als wir am Neubau der Finanzbehörde zu Füßen der Burg vorbeigefahren waren. »Aber ich schätze mal, das läuft unter der Rubrik Tradition.«

Daheim in Kingston waren übrigens sowohl Len als auch Euan Feuer und Flamme gewesen, als sie von Crazy Coffins hörten. Len wollte sogar noch einmal seine Grundsatzentscheidung überdenken, ob er sich wirklich einäschern lassen sollte. »Für jemanden, der mit Leib und Seele Heizer auf der Dampflok war, scheint mir das angemessen«, hatte er mir einmal versonnen mitgeteilt. Doch die Aussicht, dass er nun vielleicht in einem Kohletender aus Sperrholz ins ewige Leben hinüberdampfen könnte, erschien ihm weitaus reizvoller.

Euan hatte mich um die Kontaktadresse der Sargschreiner gebeten. Er würde sich am liebsten, so hatte er mir anvertraut, in einem Maserati beerdigen lassen.

»Es sollte aber kein popeliges Balsaholzmodell sein, sondern das echte Ding. Ein 3200 GTA, nachtblau, mit Ledersitzen. Von null auf hundert in unter fünf Sekunden. Ich bin gerne bereit, auf dem Friedhof für den zusätzlichen Raum extra zu zahlen.«

Ich hatte ihm empfohlen, das benötigte Areal schon mal probeweise auf einer Wiese im Richmond Park abzuschreiten, was er mit einem diebischen Grinsen quittierte.

»Länge mal Breite – mal Tiefe?«, fragte er.

Das ist der Unterschied zwischen Euan und Mäuer (abgesehen von Gehalt, Automarke und dem durchschnittlichen Champagnerverbrauch). Es ist derselbe Unterschied, der sich wie eine Kluft zwischen den Kontinent und die Britischen Inseln schiebt und der den Briten ihr letztes Quäntchen an Überlegenheitsgefühl gegenüber dem Rest der Welt garantiert: Briten haben Humor, Nicht-Briten sind humorlose Sauertöpfe. Die Fähigkeit, einen Witz zu machen oder über einen Scherz zu lachen, gilt als eine der wichtigsten britischen Sekundärtugenden. Jeder, der dazu nicht imstande ist, enttarnt sich automatisch als Ausländer: Schwerfällig, täppisch und tölpelhaft ist er die intellektuelle Entsprechung des mit einer Keule bewaffneten Neandertalers, während der Brite elegant mit feinem Florett ficht.

Briten befinden sich in ständiger Witzbereitschaft. Es gibt keine Lebenslage, der sie nicht einen humoristischen Zug abzugewinnen versuchen, und jeden Satz klopfen sie auf seine Witzqualität ab. Der bereits erwähnte Autor A. A. Gill machte gar einen Arzt ausfindig, der in mehreren Weltgegenden praktiziert hatte, bevor er nach England ging. In jedem Land, das er kenne, berichtete der Mediziner, brächen die Patienten fassungslos zusammen, wenn er ihnen mitteilte, dass sie unheilbar erkrankt seien und nur noch kurz zu leben hätten. Nur die Engländer quittierten auch noch diese Nachricht mit einem Scherz.

»Schlechte Nachrichten«, sagt der Arzt. »Sie haben nicht mehr lange zu leben. Ich gebe Ihnen höchstens noch zehn …«

»Zehn – was?«, unterbricht panisch der Patient. »Jahre? Monate?«

»… neun, acht, sieben, sechs …«, setzt der Arzt den Countdown fort.

Wer dem Tod derart keck in die Fratze lacht, beweist eine Haltung, die von jener ungerührten Kaltblütigkeit zeugt, mit welcher die Briten allen Widrigkeiten zu begegnen scheinen – vom Wetter bis zum rebellischen Eingeborenenstamm. Womöglich aber verstecken sich dahinter nichts anderes als Gefühlskälte und das, was Gill als Nebenprodukt englischen Humors identifizierte: »Zorn in einem hübschen Kostüm.«

»Wenn du ernst genommen werden willst in diesem Land, dann darfst du um Himmels willen nicht ernst sein«, hatte mir Euan in einem unerwarteten Anflug philosophischen Denkens verraten. »Lachen tut man über beide – den Witzbold und den humorlosen Langweiler. Der Unterschied ist: Über den Langweiler lacht man hinter seinem Rücken. Du musst nur mal gucken, was Männer und Frauen in jeder Kontaktanzeige als Erstes verlangen: kein Geld, kein gutes Aussehen, sondern GSOH.«

GSOH? Was konnte das sein? Ich überlegte hin und her, kam aber nur auf Gruppensex ohne Hemmungen.

»Great Sense of Humour«, sagte Euan. »Humor ist wichtiger als Sex – manchmal sogar wichtiger als Trinken.«

Euan war mit seinen philosophischen Überlegungen noch nicht fertig.

»Nimm doch mal euch Deutsche als Beispiel«, meinte er mit väterlichem Unterton. »Ihr baut hervorragende Autos: solide, zuverlässig, praktisch, aber auch ein bisschen langweilig. Und eure Witze, die sind genau wie eure Autos. Verstehst du, was ich meine?«

»Sicher«, erwiderte ich. »Der Umkehrschluss funktioniert ja auch. Eure Autos, als ihr sie noch produziert habt, waren ein Witz. Für britische Produkte braucht man ebenfalls einen GSOH.«

Euan hatte über meinen Witz nicht gelacht, sondern sich nur ein gequältes Lächeln abgerungen, an dem die Augen nicht beteiligt waren. Dabei war ich so stolz gewesen auf meine Bemerkung. Esprit, Wortwitz, Schlagfertigkeit – ich hatte geglaubt, den Ruf deutscher Humorlosigkeit mit einem Schlag Lügen zu strafen. Aber offensichtlich hörte für Euan der Spaß in dem Augenblick auf, in dem ein – per definitionem humorloser – Ausländer über Briten witzelte.

Seit dieser Szene habe ich mir überlegt, ob britischer Humor nicht das Gegenstück zur strategischen Option des nuklearen Erstschlages ist. Soll heißen: Lieber machen Briten präventiv selber Witze über sich, bevor jemand anders auf die Idee kommt, sich über sie lustig zu machen. Ein Bonus dieser Einstellung besteht darin, anderen herablassend zu bescheinigen, dass ihre Witze längst nicht so gut und so verletzend sein können wie die eigenen.

Die Folge ist, dass sich jeder Brite permanent als semiprofessioneller Komiker fühlt. Wahrscheinlich gilt das sogar für die Queen, ja vielleicht gerade für sie. Denn wann immer sie irgendwelche Untertanen mit ein paar Sekunden Smalltalk ehrt, muss sie nur eine Bemerkung über die schwülen Temperaturen oder über die Gewinnaussichten ihres Lieblingspferdes beim Rennen in Ascot machen, und schon brechen alle Umstehenden katzbuckelnd in breites Grinsen und in Gelächter aus.

»Trefflich, trefflich, Your Majesty. Hervorragend formuliert, ach, welcher Witz. Einfach königlich.«

Es wäre kein Wunder, wenn sich ihre Majestät unter diesen Umständen für eine der witzigsten Personen des Königreiches halten würde. Bei meinen Recherchen in Sachen Nachruf war ich darauf gestoßen, dass sie und ihre Familie nicht nur unfreiwillig witzig sein, sondern durchaus auch bewusst Humor an den Tag legen können. Mitunter bringen die Windsors sogar Perlen an Weisheit zustande. Vom ewig verdrossenen Altchauvi Prinz Philip, von dem man dies am wenigsten erwartet hätte, stammt beispielsweise die Erkenntnis: »Wenn jemand einer Frau die Autotür aufhält, dann kann es nur zweierlei bedeuten. Entweder ist das Auto neu oder die Frau.«

Meistens handelt es sich um ausnehmend ätzende und mitunter verletzende Witze, wenn die Royals spaßig sein wollen. Deshalb sind nur wenige Beispiele an die breite Öffentlichkeit gedrungen. Wer einmal die spitze Zunge der Queen zu spüren bekommen hat, behält dies meist lieber für sich.

Der ehemalige Gewerkschaftsführer Hugh Scanlon gehörte zu jenen unglückseligen Opfern. Zum Glück für die Nachwelt gab es Zeugen jenes Mittagessens, zu dem das frühere Arbeiterkind in den Buckingham-Palast geladen worden war. Als Sozialist wurden Scanlon antimonarchistische, republikanische Tendenzen nachgesagt, und dies mag der Grund gewesen sein, weshalb die Königin ihn von vornherein mit einem gewissen Maß an Misstrauen betrachtete.

Ihren scharfen Augen entging nicht, dass dem nervösen und ungeschickten Arbeitervertreter der Versuch misslang, eine Kartoffel auf die Gabel zu spießen. Die Knolle rutschte weg, flippte vom Teller und flog in hohem Boden auf den Teppich. Scanlon verfärbte sich dunkelrot und registrierte dankbar, dass seine Tischnachbarn, die Königin eingeschlossen, so taten, als ob sie nichts bemerkt hätten. Außerdem trabte, wie er aus dem Augenwinkel sah, eine potentielle Rettung in Gestalt eines der königlichen Corgis heran. Neugierig beschnupperte der Hund die Kartoffel, doch anstatt sie zu verspeisen, wendete er sich nach wenigen Augenblicken mit einem herablassenden Schnaufen ab und trollte sich.

Mit unnachahmlich freundlichem Lächeln drehte sich die Königin zu ihrem Gast um und sagte mit feiner Stimme:

»Heute ist nicht Ihr Tag, oder?«

Solche Anekdoten zeigen, wie schadenfroh die Königin sein kann. Schadenfreude ist nach fester britischer Überzeugung eigentlich eine typisch deutsche Eigenschaft und damit grundsätzlich verwerflich. Wenn Briten schadenfroh wären, so heißt es, hätten sie ein eigenes, englisches Wort für diesen Charakterzug und müssten sich nicht den deutschen Zungenbrecher ausborgen.

Beim Gedanken an die Schadenfreude der Königin musste ich unwillkürlich schlucken. Nicht mehr lange, vorausgesetzt Mavis Pickering hielt Wort, dann würde ich sie endlich treffen. Die Erinnerung an mein peinliches Erlebnis bei der Investitur trieb mir noch immer den Purpur ins Gesicht. Freilich schmeichelte ich mir, dass ich – jedenfalls für einen schwerblütigen Deutschen – über genügend GSOH verfügte, um solche Misslichkeiten zu überstehen. Ganz sicher war ich, um nur mal ein Beispiel zu nennen, in puncto Humor nicht so schwer von Begriff wie Mäuer. Bislang sind noch alle meine Versuche fehlgeschlagen, ihm einen Witz zu erzählen. Einmal hatte ich ihm eine Geschichte vorgeschlagen, die sich mit den Ursachen und Hintergründen des britischen Humors befassen sollte.

»Klingt gut, erzählen Sie doch mal einen Witz«, hatte er mich wohlwollend aufgefordert und dabei gleichsam auf Vorrat schon mal fröhlich gegluckst. Ich entschied mich für einen Witz, der auch bei Kindern gut ankam. Ich wollte meinen Chef nicht von Anfang an überfordern.

»Was tut ein Buchhalter, wenn er ein Problem mit Verstopfung hat?«

»Keine Ahnung«, kicherte Mäuer. »Was tut ein Buchhalter, wenn er ein Problem mit Verstopfung hat?«

»Er löst es ganz sorgfältig mit dem Bleistift.«

Am anderen Ende der Leitung wurde es still. Ich konnte buchstäblich hören, wie die Neuronen in Mäuers Hirn versuchten, Verbindungen zu knüpfen.

»Also, das ist ja eklig«, ließ er sich endlich vernehmen. »Mit dem Bleistift, ich muss schon sagen.«

»Herr Mäuer, das ist nicht wörtlich zu verstehen«, warf ich ein. Aber seine Phantasie hatte ihn schon in Bereiche geführt, in die ich ihm eigentlich nicht folgen wollte.

»Und gefährlich ist es auch. Ich hoffe doch wenigstens, dass der Buchhalter nicht das spitze Ende benutzt. Wenn schon, dann das stumpfe.«

Er schien zufrieden mit dieser Vorstellung, doch dann fiel ihm noch etwas ein.

»Oh, mein Gott, an dem Ende kaut man dann auch noch herum. Widerlich, einfach widerlich. Ich hoffe, dass Weissgerber nicht auch diese Angewohnheit hat. Oder?« Weissgerber arbeitete in der Buchhaltung des Verlages.

Aus der Geschichte wurde dann nichts. Mäuer lehnte das Thema ab, weil er fand, dass es mir an Humor gebrach.

Das war schade, denn ich hatte mich für die Recherche schon auf die Suche nach den Wurzeln des englischen Humors begeben. Diese Suche führte mich über kurz oder lang, wie so oft im Vereinigten Königreich, in die Kneipe, dem Dreh- und Angelpunkt britischen Lebens. Wirklich spannend wird es aber erst in den Obergeschossen britischer Gaststätten. Dort, abgeschieden von der breiteren Öffentlichkeit, treffen sich Gleichgesinnte und tauschen sich über ihre Hobbys aus: Sammler, Fotografen, Wanderer. Es würde mich nicht überraschen, wenn dort auch Mavis Pickering und ihre Queen-Beobachter regelmäßig ihre nächsten Exkursionen planen würden.

Pubs sind aber auch die Urzelle britischen Humors. Nicht nur, weil am Tresen nach ein paar Bieren geflachst und geblödelt wird. Unter derart feuchtfröhlichen Rahmenbedingungen gelingt sogar den vermeintlich permanent übellaunig brütenden Deutschen der eine oder andere Witz. Aber in England sind Pubs auch die Bühne für eine besondere angelsächsische Spezies: den sogenannten Stand-up-Comic.

Wörtlich übersetzt beschreibt dies eine komische Person, die sich aufrecht vor ein Publikum hinstellt. Diese Beschreibung entspricht grundsätzlich den Tatsachen, wobei gesagt werden muss, dass die Komik der vorne auf der Bühne stehenden Person mitunter unfreiwillig sein kann, wenn nämlich seine Witze nicht ankommen. Dies geschieht häufiger, als man denkt, denn so ähnlich, wie es in Frankreich erstaunlich leicht sein kann, in einem Restaurant schlecht zu essen, ist es im Mutterland des Mutterwitzes auch nicht schwierig, gnadenlos schlechte Komödianten anzutreffen. Wird es dann so richtig peinlich, dass man das Elend des Komikers und des Publikums am liebsten mit einem wohlgezielten Schuss beenden möchte, spricht man im Englischen derb, aber zutreffend von buttock-clenching – so benannt nach dem Reflex des Schließmuskels, wenn er sich angesichts besonders lauer Scherze zusammenzieht.

Dieses Risiko hat natürlich noch keinen jungen Briten davon abgehalten, sich vor einem Publikum bodenlos zu blamieren. Es bedarf entweder eines übersteigerten, geradezu napoleonischen Selbstbewusstseins oder der weltabgewandten Gleichgültigkeit eines Zombies, um sich in einem abgedunkelten Raum vor einer Gruppe wildfremder Menschen aufzubauen und Witze zu erzählen. Das ist schon schwierig genug vor einer gutgelaunten Hochzeitsgesellschaft, einem Betriebsfest oder bei einem Skatabend. Menschen aber, die Geld gezahlt haben, um zu lachen, legen strengere Maßstäbe an als Kollegen oder Familienmitglieder.

Viele der ganz großen britischen Komiker – von der Monty Python-Truppe bis zu Mister Bean, von Benny Hill über die Stars von Little Britain oder The Office – haben sich ihre ersten Lacher in rauchgeschwängerten Kneipen oder Varieté-Theatern verdient. Zur zweiten Kategorie gehört The Grand Theatre in Battersea, wohin ich mich zwecks Recherche in Sachen Humor begeben hatte. The Grand hatte schon bessere Zeiten gesehen, zu einer Zeit, als hier neben dem Umsteigebahnhof Clapham Junction noch jene feine Herrschaft ihre Häuser hatte, die sich ihr eigenes Theater für solche Tage leistete, an denen sie nicht zu einer Premiere ins West End fuhr.

Das Grand war noch immer ein beeindruckendes Gebäude, das demonstrierte, was man aus rotem Backstein zustande bringt, wenn kein Carrara-Marmor zur Verfügung steht. Hoch ragte das Theater über die

Umgebung hinaus, nur die Kupferkuppel des Deben-
hams-Kaufhauses nebenan hielt mit seinen Zinnen
und Türmchen mit. Ringsumher war das übliche Sor-
timent an Wettbüros, Café-Ketten, Fast-Food-Tresen
und Secondhandshops verstreut, und das Pflaster trug
die Sprenkel unzähliger ausgespuckter und festgetre-
tener Kaugummis. Da der Samstagabend noch jung
war, hielt sich die Zahl der Angetrunkenen in einem
überschaubaren Rahmen.

An den meisten Abenden war das Grand keine Co-
medy-Bühne, sondern ein Nachtclub. Das Interieur
erinnerte daher mit seinen verschlissenen roten Da-
masttapeten, den von Staub verkrusteten Armleuch-
tern und den schwarzen Vorhängen an den Set einer
Dracula-Produktion der Londoner Hammer Films aus
den sechziger Jahren. Dass zwei Bars geöffnet waren,
erfreute die Freunde des Humors ebenso wie die Ver-
anstalter. Alkoholisch enthemmt lacht es sich leichter
und vor allem schneller.

Ich saß neben einem jungen Mann mit pickligem
Gesicht, steil in die Höhe gegelten Haaren und Fingernägeln, denen das Kunststück gelang, sowohl abgekaut als auch schmutzig zu sein. Er hieß Pitt Brett, was
ich nur wusste, weil alle Sitze namentlich reserviert
waren. Ein armer Junge, dachte ich mir. Als Schüttel-
reim eines Hollywood-Stars durchs Leben zu laufen
und auch noch wie sein genaues Gegenteil auszusehen
kann nicht leicht sein.

Pitt Brett hatte eine Freundin dabei, die ein dünnes
Fähnchen von einem Kleid trug, das wenig der Phantasie überließ. Die einzige Abwechslung in ihrem blassen
Gesicht bildeten ein Archipel an Sommersprossen und
zwei steile Hamsterzähnchen, die beim Lachen unter

der Oberlippe hervorlugten. Sie lachte oft und laut, und dabei hatte das Programm noch gar nicht begonnen.

»Zum ersten Mal hier?«, fragte mich Pitt Brett. »Ich habe dich noch nie gesehen.«

»Ja, zum ersten Mal. Und ihr?«

»Wir kommen jeden Monat her. Das ist besser als die Komiker im Fernsehen. Härter. Einfach direkter, nicht so scheu, weißt du.«

Nein, eigentlich wusste ich es nicht. Aber ich sollte es bald erfahren.

Als Erster trat ein gewisser Matthew Brown ans Mikrofon. Er war der Typ von Mann, der mir schlaflose Nächte bereiten würde, wenn Julia ihn einmal als Freund anschleppen würde. Lockenkopf, Bauchansatz, verblasste Jeans und eine speckige Lederjacke. Bis auf den Schmerbauch passte nichts von allem zu seinem Alter, das ich auf Ende dreißig veranschlagte. Matthew wäre offensichtlich gerne als Bohemien durchgegangen; ich verdächtigte ihn aber eher, seine Zeit gleichmäßig zwischen Nickerchen in einem Hörsaal, dem Pub und der Scheckausgabe der Sozialversicherungsbehörde aufzuteilen.

Matthew hielt ein volles Pint-Glas in der Hand. Bei jedem Schritt schwappte Bier über den Rand, was jedes Mal spitze Lacher im Publikum hervorrief. Es war doch erst sieben Uhr abends; wann, bitte, hatten die Leute hier mit dem Trinken begonnen, dass sie schon so gut in Stimmung waren?

»Wer sind denn diese verfickten Idioten hier in der ersten Reihe?«, waren Matthews erste Worte, nachdem er versuchsweise ins Mikro gepustet hatte.

Das Publikum war aus dem Häuschen. »Sieht mir nach einem verfickten Polterabend aus.«

Pitt und Hamsterzahn verschluckten sich vor Begeisterung an ihrem Bier.

»Sind diese Scheißer vielleicht aus Bexleyheath? Nur Arschgeigen kommen aus Bexleyheath, aber das wisst ihr ja selbst.«

Nein, auch das war mir neu. Ich hätte Bexleyheath noch nicht einmal auf einem Stadtplan gefunden. Immerhin war mir jetzt klar, dass Pitt Brett nicht zu viel versprochen hatte, als er ankündigte, dass die Show nicht so zartbesaitet wie im Fernsehen sein würde. Gottlob hatte ich mich im letzten Moment noch eines Besseren besonnen und Julia und Katja nicht mitgenommen, was ich eigentlich geplant hatte.

Zum Glück führte Matthew nur als eine Art von Conférencier durchs Programm und räumte bald die Bühne für den ersten Akt des Abends, einen jungen Iren mit zerknautschtem Gesicht, der sich auf den Mikrofonständer stützte wie ein beinamputierter Leprakranker auf einen Bettelstab. Auch er tauchte sprachlich recht schnell in niedere Körperregionen ab, bereicherte sein Publikum aber mit ungewöhnlichen Einsichten.

»Babys sind ja potthässlich«, verkündete er und deutete wie zur Bestätigung mit dem Finger auf sein Gesicht. »Aber leider kann man sie ja nach der Geburt im Krankenhaus nicht wegwerfen, sondern muss sie mit nach Hause nehmen.«

Ich spürte einen Stoß in meine Seite. Pitt wollte mit seinem Ellbogen sicherstellen, dass ich dem Vortrag folgte.

»Und die Eltern zeigen dann stolz ihre Bälger herum und verlangen ein Urteil von dir.«

Der kleine Ire verzog seine Miene, als ob er in einer

Reality-Show einen Topf mit Maden zum Verzehr vorgesetzt bekommen hätte.

»Dass es ein schönes Kind ist, kann man aber nicht sagen, denn das wäre ja nicht ehrlich. Und es wäre unhöflich, wenn man sagen würde: Igitt, wo haben Sie denn dieses Ding da aufgelesen. Deshalb sagen wir bei dieser Gelegenheit dann immer: Ooch, das Kleine sieht aber genauso aus wie Sie.«

Nicht schlecht. Keine große Klasse, aber um Längen besser als Matthew. Aber leider war mit dem kleinen Iren der Abend noch nicht zu Ende. Die Hauptattraktion stand erst noch ins Haus, raunte mir Pitt mit einem neuen Rippenstoß ins Ohr: Big Jim, ein Schotte aus Glasgow. Jim machte seinem Namen tatsächlich Ehre. Was da auf die Bühne schaukelte, war ein alternder Bodybuilder, bei dem die Muskeln sich in Fett umzubilden begannen.

Sein Auftritt begann nicht besonders vielversprechend. »Ich mag keine Zwerge«, teilte er unvermittelt mit. »Sie sind so klein, dass sie mir nur bis zum Knie reichen.« Erstaunlicherweise wurde diese nüchterne und alles andere als komische Betrachtung mit fröhlichem Johlen quittiert. Bald stellte sich heraus, wen Big Jim auch nicht mochte: Polizisten, weil sie »so klein mit Helm sind«, Frauen, Schwule, Alte, Japaner, Amerikaner, Taubstumme, Leute aus Bexleyheath (ich sollte wirklich einmal dorthin fahren) und jede beliebige Kombination dieser Gruppen.

Das zweite tragende Thema von Jims Ausführungen waren körperliche Ausscheidungen jedweder Art. Detaillierte Sachkenntnis schien er an den Tag zu legen, als er mit großer Liebe zum Detail darstellte, warum Frauen sich anders übergeben als Männer. Pitts Freundin jedenfalls quiekte schrill und vergnügt auf. Sie schien sich in der Beschreibung wiederzuerkennen.

Anfangs hatte ich befürchtet, dass ich Jim nicht verstehen würde. Denn wenn der schottische Akzent schon klingt wie ein Schotterwerk, dann fühlt man sich bei Leuten aus Glasgow an eine Gesteinsmühle erinnert: Knirschend und knarrend zermahlen sie jedes Wort, so dass nur noch die Nebengeräusche übrig bleiben. Doch Jim hatte – wohl aus Rücksicht auf sein Londoner Publikum – den Dialekt deutlich zurückgefahren. Ich empfand die bessere Verständlichkeit nicht unbedingt als Vorteil.

»Jeder fünfte Mensch auf der Welt ist ein Chinese«, verkündete Jim und fixierte sein Publikum, als ob er nach Chinesen Ausschau halten wolle. »In meiner Familie sind wir fünf, also muss einer von uns Chinese sein.« Die Menge kicherte erwartungsvoll. »Also entweder meine Mutter oder mein Vater oder mein älterer Bruder Angus oder mein jüngerer Bruder Hu Is Dat oder ich.« Jim wartete, bis das Gelächter abebbte, immerhin schien er zu wissen, dass Timing alles ist beim Erzählen von Witzen. »Also, ich glaube, es ist mein älterer Bruder Angus.«

Pflichtschuldig machte ich mir Notizen. Zu diesem Zeitpunkt hatte ich ja noch die Hoffnung, dass die Zeitung meine Geschichte über britischen Witz und Humor drucken würde. Pitt Brett, der meinen Block schon die ganze Zeit misstrauisch beäugt hatte, stach schließlich mit dem Zeigefinger auf ihn ein: »Ah, du willst ihm wohl seine Witze stehlen für deine Nummer«, grölte er mir ins Ohr.

Ich strafte ihn mit einem Blick, der ein sattes Kleefeld schlagartig hätte welken lassen. »Es gibt Dinge, die lohnt es nicht zu stehlen«, erwiderte ich streng. »Dinge, die in einer Kloschüssel schwimmen zum Beispiel, und die Pointen von dem Kerl da oben.«

Vielleicht war es letzten Endes doch kein Schaden, dass die Story nicht zustande kam und ich stattdessen in Nottingham zwischen verrückten Särgen stand. Ich war schon im Gehen, als der Geschäftsführer mir am Ausgang noch erklärte, wie wichtig gute Witze bei einer Totenrede seien. »Wenn man die Trauergemeinde zum Lachen bringt, dann sehen die Leute auch über einen gewöhnlichen Sarg hinweg«, tröstete er mich.

Bevor ich ihm antworten konnte, krähte mein Handy. Den Hahnenschrei hatte ich mir als bemüht witzigen Ausdruck von Individualität als Klingelzeichen heruntergeladen. Es war Katja, und ich erkannte gleich bei ihren ersten Worten, dass sie nicht gut drauf war: »Deine neue Freundin hat angerufen.«

»Ich habe keine Freundin, schon gar keine neue, und die alten waren alle vor deiner Zeit.«

»Mavis.«

Katja ließ den Namen in der Luft hängen und wartete meine Reaktion ab. Es genügt das richtige Maß an Spannung, und jeder Ehemann bricht zusammen. Ich bin ja schon immer der Überzeugung gewesen, dass Ehefrauen die besten Verhörspezialisten abgeben. Nur sie verstehen es, Drohungen, Versprechungen, Information und Desinformation so präzise zu dosieren, dass der befragte Delinquent sich früher oder später verrät. Wenn CIA-Agenten mutmaßliche Terroristen wirklich wirkungsvoll auspressen wollen, dann können sie sich Wasserfolter und Schlafentzug schenken. Sie müssen nur die eigene Gattin mit in die Verhörzelle nehmen.

Ich tat so, als ob ich mir das Gehirn zermarterte. »Mavis? Welche Mavis? Ach, du meinst Mavis Pickering, die mich mit zur Königin nehmen will. Was hat sie gesagt?«

»Mir wollte sie das nicht mitteilen. Sie hat nur ausgerichtet, dass du sie anrufen sollst. So schnell wie möglich.« Einen letzten Seitenhieb konnte sich Katja nicht verkneifen: »Sie scheint es ja sehr eilig zu haben, deine Frau Mavis.«

»Nun mach doch mal halblang«, wehrte ich mich.

Aus dem Augenwinkel bemerkte ich, dass mich der Sargschreiner mit einer Mischung aus Amüsement und Mitleid betrachtete. Hatte er mir nicht zu Beginn unseres Gespräches gesagt, dass er ein wenig Deutsch verstünde? Ein wenig! Beim üblichen britischen Understatement bedeutete das wahrscheinlich, dass er die Sprache fließend beherrschte.

»Hör zu, Katja, du wirst doch nicht eifersüchtig sein auf Mavis Pickering.« Ich legte ein Höchstmaß an verächtlich machender Lächerlichkeit in den Namen. »Und du weißt doch, dass nur du mich wirklich unwiderstehlich findest«, fügte ich hinzu.

Sollte der Sargtischler doch jedes Wort verstehen, mir war es jetzt egal.

»Ja, das mag schon sein«, sagte Katja. »Aber du weißt ja, dass ich ein bescheidener Mensch bin und keine hohen Ansprüche stelle.« Dann beendete sie das Gespräch.

Irgendwie schaffte ich es, mich einigermaßen würdevoll zu verabschieden. Draußen stand mein Taxi mit dem fugenlos in den Sitz gegossenen XXL-Fahrer.

»Na, haben Sie eine Vorbestellung aufgegeben?«, meinte er und deutete mit seinem zucchinidicken Daumen auf das Firmenschild über dem Eingang. Ich würdigte ihn keiner Antwort und sagte ihm lediglich, dass er mich ins Hotel zurückbringen solle. Dann wählte ich Mavis' Nummer.

»Hello, darling«, flötete sie, für meine Ohren viel zu vertraulich. »Das ist schön, dass du so schnell anrufst. Ich habe gerade mit dem Palast gesprochen. Gute Nachrichten: Es bleibt dabei. Die Königin fährt nach Liverpool, und wir fahren auch hin. Bleibt es dabei? Hast du Lust?«

Lust? Das war keine Frage von Lust und Laune. Das war eine Frage nackter Notwendigkeit. Ich konnte Mäuer wirklich nicht mehr länger hinhalten.

»Sicher doch, ich bin mit von der Partie«, bekräftigte ich. »Wann ist denn der Termin?«

»Am 17. Juli. Du hast doch Zeit? Sie macht einen Walkabout vor dem neuen Kongresszentrum, das sie eröffnet. Und vielleicht auch vor dem neuen Shopping-Center. Der nächste Termin, an dem wir sie erwischen könnten, wäre dann erst im November, und ich bin mir nicht sicher, ob ich da hinfahren werde. Im November ist unser Hochzeitstag, und mein Mann wäre eingeschnappt, wenn ich die Queen ihm vorziehen würde.«

Der 17. Juli. Irgendetwas an diesem Datum kam mir bekannt vor. Nein, es war kein Nationalfeiertag. Das war der 4. Juli in Amerika. Ich hatte es: Chicos Geburtstag, ja, das war's. Kein Problem, er würde es verstehen, wenn ich an diesem Tag nicht zu Hause wäre.

»Ja, ich werde kommen«, versicherte ich Mavis erleichtert. »Vorher versuche ich dann noch, sie im Juni in Ascot beim Pferderennen zu sehen.«

»Das bringt nicht viel«, dämpfte sie meinen Enthusiasmus. »Dort interessiert sie sich nur für die Pferde, bestenfalls für die Jockeys. Unters Publikum mischt sie sich dort nicht.«

»Alles klar. Dann also Liverpool. Wo treffen wir uns?«

»Ich steige immer in einem Travelodge-Hotel an einer Autobahnraststätte ab. Die haben die besten Deals. Treffen wir uns am Abend vorher. Dann können wir alle Details besprechen.«

Erleichtert und zufrieden blickte ich aus dem Autofenster. Vor einem Alkoholladen hatten sich drei Jugendliche mit Kapuzen um einen älteren Mann geschart. Sie hatten Bierdosen in der Hand, keine Messer. Jedenfalls konnte ich keine sehen. Aber es war eine jener Gegenden, vor denen mich der Taxifahrer gewarnt hatte. Im Radio schepperten die Arctic Monkeys. »D is for Dangerous«, sangen sie. Nichts spiegelt die aktuelle Realität besser wider als Popmusik, hatte ich einmal irgendwo gelesen.

Ich wendete mich freundlicheren Themen zu. Weniger als ein Monat noch, und ich würde die Queen nicht nur sehen, sondern vielleicht auch sprechen. Ich würde Blumen mitnehmen, auf alle Fälle, so wie Mavis es empfohlen hatte. Dann würde sie auf mich zukommen, sie würde reden, und ich hätte das eine oder andere Zitat aus ihrem Mund, das ich in die Geschichte einflechten könnte.

Draußen flog eine Reklametafel vorbei. Französische Weinwochen bei Tesco. »Feiern Sie mit Stil wie die Franzosen am 14. Juli.« Seltsam, dachte ich, dass es in einer Stadt wie Nottingham einen Markt für Bordeaux und Sauvignon gibt. Und noch merkwürdiger, dass man Briten ermuntert, den Jahrestag der Französischen Revolution zu feiern.

Plötzlich überlief es mich abwechselnd heiß und kalt. Mein Magen sackte ab wie ein Kilo Blei, und ich war froh, dass ich saß, denn meine Beine hatten die Konsistenz einer Doktor-Oetker-Speise angenommen. Der 14. Juli! Wie konnte ich das vergessen? Chicos Geburtstag war am Bastille-Tag, nicht am 17. Juli.

Und jetzt fiel mir auch wieder ein, weshalb ich so ein komisches Gefühl hatte, als Mavis den 17. Juli erwähnte: Der 17. Juli war auch ein besonderer Tag in unserer Familie, ja, man könnte fast sagen, dass er wichtiger war als Chicos Geburtstag. Am 17. Juli feierten Katja und ich unseren Hochzeitstag.

Neunzehn

Das Pferd stieg in New Malden zu. Zielstrebig steuerte es einen freien Sitz an, ließ sich mit einem hörbaren Seufzer niederfallen und zog eine Zeitung hervor. Es war nicht die *Racing Post*, die Bibel der Pferdewettfreunde, sondern der *Guardian*. Aber es war ja auch kein richtiges Pferd, sondern ein Mann mit einem Pferdekopf. Ein umgekehrter Kentaur, könnte man sagen, nur dass der Kopf dieses Fabelwesens aus Plastik war.

Die Fahrgäste im Waggon rückten instinktiv näher zusammen. Es kommt ja schließlich auch in London nicht jeden Tag vor, dass ein Mann mit Pferdemaske in den Zug steigt. Wir blickten einander verstohlen an, einige kicherten und tuschelten, andere krochen noch tiefer in ihren *Evening Standard* hinein. Aber auch sie sahen ab und zu von der Zeitung hoch und riskierten einen scheuen Blick auf das Ross in Jeans und T-Shirt. Denn niemand konnte ja wissen, ob der Mann harmlos war oder ob er im Schutz seiner Maske einen kriminellen Akt plante.

Die Bahn fuhr in Wimbledon ein, was unter sportlichen Vorzeichen nicht die richtige Station für ein Rennpferd war. Unser Freund legte denn auch plötzlich die Nervosität eines hochgezüchteten Araberhengstes an den Tag und fragte unvermittelt: »Hier geht's doch zum Rennkurs in Sandown?«

Die Bemerkung löste die Spannung, die über dem Abteil gelegen hatte. Vom hinteren Ende des Waggons ertönte eine tiefe Männerstimme:

»Keine Panik, Red Rum, bleib ruhig sitzen. Steig in Clapham Junction um. Über die Schranke wirst du ja hoffentlich springen können.«

Red Rum war der Name eines legendären Rennpferdes, und der ganze Waggon brach in schallendes Gelächter aus. Auch das Pferd stimmte mit ein, jedenfalls hörte sich das Schnauben, das unter der Plastikmaske hervordrang, danach an.

Was der Mann mit dem Pferdekopf wirklich vorhatte, erfuhr ich nicht. Er stieg in Clapham Junction aus, winkte uns durchs Fenster noch einmal zu und verschwand unter dem ungläubigen Staunen der Fahrgäste auf dem Bahnsteig in der Unterführung.

Ich beschloss, die Begegnung als gutes Omen zu werten. Denn ich war auf dem Weg nach Covent Garden, um mich für das Pferderennen von Ascot einkleiden zu lassen. Pferdemasken aus Plastik gehörten zwar nicht zu dieser Garderobe, aber alles andere stellte die Traditionsfirma Moss Bros bereit.

Mavis hatte zwar Zweifel geäußert, dass ich in Ascot Kontakt zur Königin aufnehmen könnte. Was sie nicht wusste: Im Gegensatz zu ihr besaß ich einen Presseausweis, der mir Zugang zu einem besonderen Areal eröffnete. Hier hielt sich auch die Queen auf; Mavis wäre dort – bei allem Respekt vor ihrer langjährigen Erfahrung – nicht hineingekommen.

Was mir nun noch fehlte, war die Kleidung. Normalerweise ist das königliche Pferderennen von Ascot

weltweit berühmt für die extravaganten Hutkreatio-
nen, welche die Damen dort mit dem konzentrierten
Mienenspiel eines Jongleur-Novizen ausführen. Weniger bekannt ist, dass sich auch die Herren heraus-
putzen – mit Frack und grauem Zylinder sowie mit
möglichst grellen Westen.

Denn Ascot ist, wie mir Peter, der Blockwart in unserem Hof erklärte, der einzige Ort, an dem die Königin Westen an Männerkörpern toleriert. In allen anderen Fällen, das hatte ich ja schon bei meinem Besuch
im Buckingham-Palast gelernt, verabscheut sie dieses
Kleidungsstück. Sie betrachte es als eine Art von Hüft-
halter, hatte Peter gesagt. Er sollte sich mit derartigen
Kleidungsstücken auskennen. Die graue Strickweste,
in der man ihn gemeinhin antrifft, erinnert ebenfalls
eher an ein Stück Unterwäsche.

»Die Queen liebt Pferde über alles, müssen Sie wissen«, hatte er mir geduldig auseinandergesetzt. »Sie
liebt Pferde mehr als Menschen, vielleicht sogar noch
mehr als ihre Corgis, und das will etwas heißen. Manche finden, dass sie einen echten Pferdeverstand hat.«

»Na, na, na«, rügte ich ihn. »Besonders galant ist das
aber nicht.«

»Aber woher denn«, verteidigte er sich. »Das ist ein
Kompliment, so als ob man jemandem Common Sense
bescheinigen würde. Auf Deutsch würde man wohl
gesunder Menschenverstand dazu sagen.«

Ich hatte ihn schon immer im Verdacht gehabt, besser Deutsch zu können, als er zugab.

»Eigentlich interessant«, fügte er nach einer kleinen
Gedankenpause hinzu, »dass die Deutschen so deut-
lich auf den gesunden Menschenverstand hinweisen.
Ist alles andere kranker Menschenverstand?«

Unter diesen Umständen erschien es angebracht, mir vor einer Begegnung mit der Queen selbst ein wenig Pferdeverstand anzueignen. Man konnte ja nie wissen, welche Richtung der Smalltalk einschlagen würde, wenn wir erst einmal ins Gespräch kämen. Mit diesem Nebengedanken hatte ich mich schließlich monatelang jeden Mittwochmorgen schlaftrunken aus dem Bett und auf einen Sattel gequält.

Prahlen konnte ich nicht gerade mit meinen Reitkünsten. Trotz fleißigen Trainings war ich noch immer nicht über das Trab-Diagonal hinausgekommen. Dabei steht man so lange in den Steigbügeln und lässt das Hinterteil über dem Sattel schweben, bis man wieder synchron mit dem Pferd auf und nieder wippt. Mein Problem war, dass ich nie erkannte, wann Fern und ich aus dem Takt geraten waren. Es war dasselbe Problem, das mich schon als Tänzer das ganze Leben verfolgte. Ich konnte mir denken, dass Fern – wenn sie nur sprechen könnte – ähnlich ätzende Bemerkungen wie meine Tanzpartnerinnen abgegeben hätte.

Immerhin schaffte ich es jetzt schon, Fern zum Stehen zu bringen. Aber vielleicht bildete ich mir das nur ein. Vielleicht litt sie nur unter denselben Symptomen wie Bates, Lens ewig ermattete Dogge, vielleicht wollte sie mich einfach nicht länger schleppen und brachte nur die Kraft nicht auf, mich abzuwerfen. Wenn sie einmal stand, konnte ich sie um nichts in der Welt wieder in Bewegung setzen.

Aus all diesen Gründen hatte man mich noch nicht aus dem Reitstall hinaus auf die Straße und in den Park gelassen. Niemand in der Reitschule verhehlte, dass man mich für eine Bedrohung von Passanten und PKW hielt. Mein Traum, im Morgennebel auf einem feurigen Ross durch Richmond Park zu galoppieren und äsende Rehrudel aufzuscheuchen, würde offensichtlich nicht so schnell in Erfüllung gehen.

Als besonders erniedrigend empfand ich, dass ich bei meinen Spaziergängen mit Chico neuerdings Felicity Smythe-Stockington nicht mehr mit ihren Corgis begegnete, sondern auf einem Pferd. So schwer es mir fiel, es zuzugeben: Offenbar besaß sie mehr Talent als ich – wenigstens, was das Reiten anging. Sie hatte den Sprung aus der Halle hinaus in die freie Wildbahn geschafft.

Mir hingegen hatte man eine Pause empfohlen – Rückenprobleme. Okay, es war nicht mein Rücken, der die Unterbrechung notwendig gemacht hatte, sondern der des Pferdes. »Wir müssen Fern ein wenig schonen«, hatte mir meine Reitlehrerin Cilla nach der ersten Stunde mitgeteilt, während der sich die Stute überhaupt nicht bewegen wollte. »Der Tierarzt hat sie sich angesehen und festgestellt, dass sie es am Rücken hat.«

Dabei blickte sie mich strafend an. Es schien ihr noch eine Frage auf der Zunge zu liegen, die sie aber mit übermenschlicher englische Zurückhaltung unterdrückte. Mir war dennoch klar, dass sie mir die Schuld gab. Ich hatte nicht vergessen, dass man mir Fern zugeteilt hatte, weil sie das stärkste Tier im Stall war.

Wahrscheinlich hatte mir Cilla ohnehin mein schlechtes Gewissen angesehen, denn ich hatte beim Eintritt in den Club mit meinem Gewicht ein klein wenig geschwindelt. Drei Kilogramm hatte ich verschwiegen, vielleicht waren es auch fünf, als sie mich nach meinem Gewicht fragten – unnötigerweise, wie ich fand. Seit einiger Zeit schien ich mich noch weiter von meinem

Idealgewicht – wo immer das liegen mochte – entfernt zu haben. Ich kontrolliere solche Dinge übrigens nicht mit einer Waage. Die ist für meinen Geschmack zu unpersönlich, zu kaltherzig. Stattdessen verlasse ich mich auf den Hosenbundtest: Wenn ich mir beim Versuch, den Knopf ins Loch zu zwängen, den Daumennagel abbreche, ist ein kritisches Maß überschritten.

Wie ernst die Lage wirklich war, erkannte ich, als ich in der Umkleidekabine von Moss Bros in Covent Garden stand und schwer atmend versuchte, die beiden Enden der graugestreiften Frackhose über meinem Bauch zusammenzuführen. Notfalls hätte ich sie auch unter meinem Bauch zugeknöpft, aber das erwies sich ebenfalls als schwierig.

»Haben Sie denn keine Hose, die mir passt«, rief ich leicht vorwurfsvoll hinter dem Vorhang hervor.

»Solche Hosen haben wir selbstverständlich«, tönte es zurück. »Aber dazu brauchen wir Ihre Mitwirkung.«

»Meine Mitwirkung?«

»Ja, entweder Sie wachsen zehn Zentimeter, oder Sie nehmen zehn Kilo ab.«

Das hatte gerade noch gefehlt: ein Verkäufer mit GSOH. Aber ich hatte nicht viele Alternativen. Wenn man sich im Vereinigten Königreich standesgemäß einkleiden will, dann kommt man um Moss Bros nicht herum. Vor allem, wenn es sich um eher rare Anlässe handelt – Hochzeiten, Trauerfälle, Ritterschläge oder eben Pferderennen –, kann man sich dort die passende Garnitur ausleihen. »Wollen Sie einen grauen oder einen schwarzen Zylinder?«, fragte mich der Verkäufer.

»Grau, denke ich. Das sieht fröhlicher aus, sommerlicher.«

Er reichte mir einen Hut.

»Hören Sie mal, der hockt oben auf meinem Scheitel wie der Zylinder eines Leierkastenäffchens. Ich brauche eine Nummer größer. Den hier kann mir ja jeder mit dem Stock vom Kopf schlagen.«

»Da müssen Sie etwas verwechseln, Sir. In Ascot trägt man keine Stöcke. Sie denken wahrscheinlich an Fred Astaire.«

Langsam ließ er seinen Blick an mir entlanggleiten.

»Sie müssen sich keine Sorgen machen. Sie sind kein Fred Astaire.«

Verstohlen blickte ich von der Seite in den Spiegel. Ein schräg sitzender Zylinder, ein aufgeblähter Schwalbenschwanz, eine mächtig kneifende Hose und unten weiße Nikes. Ich hatte vergessen, passendes Schuhwerk mitzubringen.

»Ich brauche wahrscheinlich eine etwas weitere Weste«, gab ich zu bedenken. »Den untersten Knopf kriege ich beim besten Willen nicht zu.«

»Da haben Sie Glück, denn der muss sowieso offen bleiben.«

Ich kniff misstrauisch die Augen zusammen. Wollte er sich schon wieder über mich lustig machen?

»Sie können mir ruhig glauben«, beschwichtigte er mich. »Und Sie können sich bei König Edward VII. bedanken. Der hatte nämlich ein ähnliches Figurproblem wie Sie. Er kriegte den Knopf nicht zu, und deshalb ließ er ihn notgedrungen offen. Er hat damit einen Trend kreiert.«

Königlich war nicht nur der offene Westenknopf, sondern auch die Rechnung für das Ensemble. Es war daher wohl mehr als nur eine Floskel, als mir der

Verkäufer beim Verlassen des Ladens nachrief: »Viel Glück beim Wetten in Ascot.«

Jeder Brite wettet, es ist – wie mir alle meine Freunde mehrmals versichert hatten – die zweite herausragende Nationaleigenschaft nach dem Humor. Gemessen daran, dass man bei Wetten eher verliert als gewinnt, bedingt das eine wohl das andere. Briten wetten auf alles: Wie das Wetter wird, wer die Wahlen gewinnt, welche Farbe das Kleid der Königin bei ihrem nächsten öffentlichen Auftritt hat und ob Prinz William seine Kate Middleton heiraten oder ob er sich letzten Endes als schwul outen wird. Im zweiten Fall sind die Gewinnquoten verständlicherweise höher als im ersten.

Vor allem aber wetten Briten auf Sportergebnisse. Man könnte fast annehmen, dass sie all die diversen Sportarten überhaupt nur erfunden haben, um zu zocken. Die ersten Fußballteams waren gerade erst gegründet, da zweigten Textil- und Stahlarbeiter in den Midlands schon sauer ersparte Pennys von ihrem Lohn ab, um auf die Resultate zu setzen. Mittlerweile ist das englische Fußball-Toto die größte private Wettorganisation der Welt.

Jeder kann ein schlichtes Fußballergebnis vorhersagen. Engländer mit einem Rest an Selbstrespekt brauchen einen stärkeren Kick.

»Ich habe zwanzig Pfund darauf gewettet, dass Ballack bei der Europameisterschaft erst im vierten Spiel der deutschen Mannschaft ein Tor schießen wird«, hatte mir Len mitgeteilt. »Behalte ich recht, kriege ich zweitausendfünfhundert Pfund.«

»Moment mal, das setzt aber voraus, dass die Deutschen überhaupt die Vorrunde bestehen«, warf ich ein.

»Kluges Köpfchen. Darum sind die Quoten auch so gut. Mein Freund Bob hat einen Zwanziger gesetzt, dass Ballack dieses Tor im vierten Spiel erst in den letzten fünfzehn Minuten schießt. Mit dem Kopf. Er würde dann fünf Riesen gewinnen, wenn das eintrifft.«

»Das ist doch Irrsinn. Da kann man doch gleich Lotto spielen, da sind die Chancen auch nicht kleiner.«

»Und? Hast du mir nicht erzählt, dass du seit fünfundzwanzig Jahren Lotto spielst?«

Obwohl mir Len – nicht ganz glaubhaft – versichert hatte, dass er alles andere als wettsüchtig sei und sich eigentlich gar nicht auskenne, war er erstaunlich schnell dazu bereit gewesen, mich in unserem lokalen Wettbüro in die Geheimnisse der Pferdewetten einzuweihen.

»Auch die Queen riskiert ganz gern mal ein kleines Sümmchen«, enthüllte er mir nebenbei, als wir das Wettbüro betraten. »Also kann es nicht wirklich ein Werk des Teufels sein, wie die Kirche früher immer behauptet hat.«

Irgendwo hatte ich gelesen, dass Pferdewetten eine Leidenschaft seien, die Arbeiter und alten Adel miteinander verbinde. Die Mittelklasse halte ihr Geld lieber zusammen oder gebe es für ein neues Auto oder einen Urlaub aus. Schon George Bernard Shaw, der zu jedem Thema etwas zu sagen zu haben schien, hatte Ähnliches beobachtet: Er hielt Pferderennen für »eine Verschwörung der Ober- und der Unterklasse, um der Mittelklasse das Fell über die Ohren zu ziehen«.

Auch im Ladbrokes an der Park Road in Kingston überwog das proletarische Element. Nur ein halbes Dutzend Männer in Arbeitsklamotten und ausgeleierten Pullovern hatte sich eingefunden, aber es war ja noch früh am Nachmittag. Das erste Rennen sollte erst in einer guten halben Stunde beginnen. Merkwürdig war die Stille in dem Raum. Der Ton der Fernsehschirme, auf denen die Rennen übertragen wurden, war auf ein kaum hörbares Wispern heruntergedreht, und auch die Kundschaft unterhielt sich – wenn überhaupt – eher so, als ob sie sich in einer Bibliothek befände.

»Jetzt pass mal auf!« Mit dem Handrücken strich Len die Rennseiten der aktuellen *Sun*, des *Mirrors* und der *Times* glatt. Bislang hatte ich trotz täglichem Zeitungsstudium noch nie bemerkt, dass alle britischen Blätter täglich seitenlang kleingedruckte Informationen über Pferde, Jockeys, Besitzer, Ställe und Rennfarben bringen. Sie waren so klein gedruckt, dass man scharfe Augen, eine gute Lesebrille oder am besten gleich eine Lupe verwenden sollte.

Ich hatte diese Seiten immer für Börsenzettel gehalten. Wie Finanzinformationen musste man offensichtlich auch diese Angaben lesen: Zahl der gelaufenen Rennen, Zahl der gewonnenen Rennen, Zahl der verlorenen Rennen. Dann die jeweilige Höhe der Gewinnquoten, das Alter des Pferdes, die Telefonnummer des Trainers, das Alter des Jockeys und seine Konfektionsgröße. Gut, es kann sein, dass ich das mit der Konfektionsgröße missverstanden habe.

Len versuchte, mich durch das Labyrinth der Zahlen zu führen. Ich verstand kein Wort, wie immer, wenn ich mit Ziffern konfrontiert bin. Man könnte sagen, dass ich eigentlich nur deshalb zu meinem Beruf als Schreiber gekommen bin, weil mein Gehirn auf Ruhemodus schaltet, sobald es mehr als drei Zahlen verarbeiten muss. Nebenbei bemerkt: Die meisten Journalisten teilen dieses Problem.

»Vergiss für einen Augenblick mal die ganzen Zahlen«, riet mir Len schließlich. »Wirklich wichtig ist nur dieser schwarze Punkt.« Auch dieses Pünktchen von den Ausmaßen eines Moskito-Exkrements wäre unter einem Elektronenmikroskop besser zu erkennen gewesen. »Er zeigt, dass die Experten von der Zeitung dieses Pferd für den Favoriten halten. Hier zum Beispiel: Duke of Marmalade um zwei Uhr dreißig.« Er sah zu der Uhr hoch, die über den Fernsehmonitoren an der Wand hing. »Wir haben noch Zeit.«

»Und wie viel gewinne ich?« Mir dauerte das alles schon zu lange. Ich brachte das Gespräch auf die einzige Zahl, die mich wirklich interessierte.

»Das hängt davon ab, ob du auf Sieg setzt oder *each way* wettest.«

»*Each way*? Ja, laufen die wieder denselben Weg zurück?«

Ich kam mir vor wie das knollennasige Männchen aus dem Loriot-Sketch auf der Pferderennbahn.

»Aber nein. Bei each way kriegst du auch noch Geld, wenn dein Pferd als Zweiter oder Dritter ins Ziel kommt.«

»Also auf Platz. Warum müsst ihr immer alles so umständlich formulieren. Sag doch gleich: Sieg oder Platz.«

Eines freilich war mir noch immer nicht klar: »Wenn die Experten die Favoriten kennen, dann ist doch die ganze Spannung raus aus dem Rennen«, gab ich zu bedenken. »Ich meine, wie suchst du dir denn deine Tipps aus? Hörst du auf die Fachleute?«

»Auf den Favoriten darfst du natürlich nicht setzen. Du musst hoffen, dass er verliert. Und ich gehe sowieso nach dem Namen«, gestand Len betreten. »Nach dem

Namen des Pferdes, nicht des Experten. Wenn mir der Name gefällt, wenn er mich an etwas erinnert, dann setze ich. Einen echten Insidertipp kenne ich nur beim Hunderennen.«

»Und der wäre?«

»Setze auf den Hund, der zuletzt gekackt hat. Bei Windhunden ist das Verhältnis von Körpergewicht zu ...«

»Danke, Len, ich hab's verstanden. Aber bei Pferden suchst du einfach einen vielversprechenden Namen?«

»Ja. Letztes Jahr beim Grand National habe ich mit dieser Methode dreihundertfünfzig Pfund gewonnen. Mit Silberbirke.«

»Warum denn gerade mit Silberbirke?«

»Du kennst doch die Silberbirke, wenn man oben am Ladderstile Gate in den Park kommt? Na ja, Bates hebt da immer als Erstes sein Bein, und manchmal kommen wir minutenlang nicht weg, weil er, na, du kennst ihn ja. Inzwischen habe ich einen Narren an diesem Baum gefressen, wir sind wie alte Bekannte. Als ich dann sah, dass eine Silberbirke rennen würde, war die Entscheidung klar. Sieben zu eins war die Quote. Ich ärgere mich noch heute, dass ich nicht mehr gesetzt habe. Aber meine Frau hätte mir was erzählt.«

»Und mit Recht«, mischte sich die rundliche Blondine hinter der Glasscheibe ein, wo die Wetten angenommen wurden. »Wenn Männer mehr auf ihre Frauen hören würden, gäbe es nicht so viel Unheil in der Welt.«

Das Namensschild stellte sie als Sue vor. Sie gehörte zu jenem Typ englischer Frauen, die ihr Leben lang wie Mitte fünfzig aussehen und in deren Händen sich ein Teebeutel, kochendes Wasser, Zucker und Milch in einen Zaubertrank verwandeln, der jedes Gebrechen – körperlicher wie seelischer Natur – lindert. Es ist die Art von Frau, zu der man Darling sagt, Dear oder Duckie.

Mütterlich besorgt war Sue auch noch, als sie mir zehn Minuten später vier nagelneue Zehn-Pfund-Scheine über den Tresen schob. Ich hatte auf Justriskit getippt und gewonnen. Wegen des Namens hatte ich zunächst an ein litauisches Pferd gedacht. Doch dann entschlüsselte ich ihn ganz banal als »Just risk it« – Riskier's doch. Dieses Risiko hatte sich ausgezahlt. Len hingegen hatte seine eigenen Lebenserfahrungen in den Wind geschlagen, dem schwarzen Expertenpunkt vertraut und nichts gewonnen.

»Damit du mir nun nur nicht auf dumme Gedanken kommst, Lovey«, beschwor mich Sue, als sie das Geld abzählte. »Das ist pures Anfängerglück. Versprich mir: Keine Dummheiten.«

Ich gelobte einen makellosen Lebenswandel und steckte mein Geld ein. Vierzig Pfund waren nicht schlecht. Warum, zum Kuckuck, hatte ich nicht mehr riskiert? Beim nächsten Mal würde ich nicht so hasenfüßig sein.

Ein noch dickerer Gewinn wäre schon deshalb besser gewesen, weil ich ihn zur Finanzierung eines großzügigen Geschenks zum Hochzeitstag hätte verwenden können. Gerade in diesem Jahr durfte ich mich nicht lumpen lassen. Denn bisher hatte ich Katja noch nicht gebeichtet, dass ich unseren Tag nicht mir ihr, sondern mit Mavis und Elizabeth in Liverpool verbringen würde.

Ich wusste, dass ich das unangenehme Gespräch nicht länger aufschieben konnte, und entschloss mich, den Stier so bald wie möglich so beherzt bei den Hörner zu packen, wie dies nur ein Ehemann kann. Mit anderen Worten: Ich näherte mich dem gefährlichen Tier vorsichtig von der Seite, um gar nicht erst in den Gefahrenbereich der Hörner zu geraten. Und natürlich wählte ich einen ruhigen, besänftigenden Ton.

»Warum haben wir eigentlich am 17. Juli geheiratet?«, fragte ich Katja so unverfänglich wie möglich, nachdem ich ihr von meiner ertragreichen Wette erzählt hatte. »Das ist so ein krummes Datum, mit zweimal der Sieben drin. Bringt die nicht Unglück?«

Katja ist ein klein wenig abergläubisch. Gut, vielleicht mehr als ein klein wenig. Pfeifen etwa ist in unserem Haus strengstens verboten. Wer pfeift, riskiert Armut – mit jedem Pfiff fliegt Geld aus dem Fenster.

Manchmal jedoch, und hier spreche ich aus langer Erfahrung, konnte es hilfreich sein, auf diese Marotte einzugehen.

»Ich habe dich doch damals gleich vor der Doppelsieben gewarnt. Aber, wie üblich, du wolltest mir nicht glauben. Ich wollte ein gerades Datum, aber du warst wieder mal auf Dienstreise. Im Iran. Genau genommen, bist du immer weg, wenn man dich braucht.«

Ein Gedächtnis hat diese Frau. Ich hatte schon fast vergessen, dass ich überhaupt je im Iran war, geschweige denn in welchem Jahr und in welchem Monat. Andererseits konnte sich Katja nie erinnern, wo sie ihre Brille oder ihr Handy deponiert hatte.

Die Konversation schien sich in keine gute Richtung zu bewegen. Ganz offensichtlich war es nicht der geeignete Tag, um einen Stier an den Hörnern niederzuringen.

»Wir sollten überhaupt mehr als Familie gemeinsam

unternehmen«, fügte Katja ein wenig unzusammen-
hängend hinzu.

»Seit beinahe fünfzehn Jahren machen wir als Familie etwas gemeinsam«, murmelte ich halblaut. »Wir
leiden zusammen.«

»Was meinst du?«

»Ich? Nichts? Ich meinte nur, du hast recht. Und ich
habe da auch eine Idee. Warum fahren wir am Wochenende nicht an die Küste. Da gibt es Feriendörfer, wo
Kinder tausend Dinge tun können, bei denen sie sich
den Hals oder wenigstens ein Bein brechen können:
Parasailing, Klettern, Paintball.«

Die Erwähnung der Küste besänftigte meine Frau
augenblicklich. Sie liebt die Küste, seitdem sie als
moskowitisches Sowjetkind ihre Sommerferien in
irgendwelchen Erholungslagern an der Schwarzmeer-
küste verbrachte. Auch ich mag das Meer, und unsere
Tochter sowieso.

Das Problem liegt nur darin, dass Meer nicht gleich
Meer ist und Küste nicht gleich Küste und wir unter-
schiedliche Vorstellungen und Vorlieben haben. Kat-
jas Meer sollte gezähmt sein: spiegelglatt, mit zarten
Brisen, Palmen und angenehmen Temperaturen. Blaue
Lagune trifft Jamaika – das ist die Richtung.

Wenn Katja davon träumt, im Bikini unter Palmen
kühle Longdrinks zu schlürfen, geht mir das Herz auf
beim Gedanken, an der Ostsee, in eine Strickjacke gewickelt, im Strandkorb einen heißen Grog zu trinken.

Kurz gesagt: Wenn es um Urlaube am Meer geht,
hält mich meine Frau grundsätzlich für verrückt. Meist
weigert sie sich, mich an meine Küsten zu begleiten.
Nach der anfänglichen Begeisterung über meinen Vorschlag regte sich denn auch rasch ihr Misstrauen. Nach

ihrer Erfahrung gab es nur zwei Arten, auf die Briten ihre Küsten genossen. Entweder trotzten sie den Temperaturen und planschten blaugefroren in den kühlen Wellen. Oder sie saßen in ihren Autos, tranken Tee aus Thermoskannen und blickten durch den strömenden Regen hindurch aufs Meer, das wie eine graue Anstaltsdecke vor dem Parkplatz lag.

Ihre Bedenken waren unbegründet. Der Pontins Ferienclub hatte zwar mit Meeresblick geworben, lag aber – jenem österreichisch geführten Bed and Breakfast dereinst in Cornwall nicht unähnlich – so weit von der See entfernt, dass sogar die Möwen den weiten Weg zu uns scheuten. Dafür gab es ein Wettbüro, einen Caravan-Park und einen Rummelplatz.

Letzterer erwies sich als Geschenk des Himmels. Denn die Freizeitaktivitäten, mit denen der Club um jugendliche Kunden warb, waren geschlossen, weil die Anlage an diesem Wochenende von Darts-Spielern aus dem ganzen Land übernommen worden war. Sie trugen hier eine British International Open Championship aus. Überall wimmelte es von dicken Männern und spärlich bekleideten Frauen. Die einen trugen kleine Wurfpfeile in der einen und Plastikbecher mit Bier in der anderen Hand. Die Behälter sahen aus, als ob man sie auch für Urinproben bei Pferden hätte heranziehen können. Die Damen wiederum traten nicht ohne einen Bacardi Breezer vor die Türen ihrer Bungalows. Im Mundwinkel hing eine Zigarette, und es dauerte eine Weile, bevor ich feststellte, was an diesem Bild fehlte: die Lockenwickler.

Unterm Strich verbuchten weder Katja noch Julia den Ausflug als Erfolg, und beide Damen hatten nach diesem Erlebnis keine große Lust mehr, mich wenige Tage später nach Ascot zu begleiten. »Wahrscheinlich ist das auch nicht anders als bei den Darts-Spielern«, hatte Katja spöttisch festgestellt. »Zocker und Zecher – nur besser gekleidet, mit höheren Einsätzen und teureren Getränken.«

Das glaubte ich nicht. Ascot war nicht irgendein Pferderennen, wo hungrige, hagere Männer mit flachen Filzkappen hastig an filterlosen Kippen zogen und verstohlen schmierige Geldscheine zählten. Ascot war königlich, seit jenem denkwürdigen Tag vor dreihundert Jahren, an dem Königin Anne bei einem Ausritt vor den Toren von Windsor jene prächtige Wiese entdeckte, die sich ihrer Meinung nach ausgezeichnet für Pferderennen eignete. Erstaunt war ich dann aber doch, als ich auf dem Parkplatz von Ascot über eine Picknick-Gesellschaft stolperte, die sich hinter der geöffneten Kofferraumklappe ihres Bentleys auf dem Boden niedergelassen hatte und allem Anschein nach bereits bei der zweiten Flasche Champagner angelangt war. Ein Blick auf die Uhr überzeugte mich: Es war kurz nach acht Uhr morgens. Die Herren trugen Frack und Zylinder, mit Ausnahme eines Mannes, dem ein Kilt in den Farben der königlichen Stuarts bis über die Knie hing. Mit demselben Stoff war die Rückenlehne des Rollstuhles bespannt, in dem offensichtlich die Matriarchin des Clans saß. Ihre Wangen hatten trotz der frühen Stunde bereits dieselbe kräftige rosa Farbe angenommen wie der Inhalt des Glases, das sie sich unter die Nase hielt.

Kopfschüttelnd machte ich mich auf den Weg zum Eingang, und kopfschüttelnd registrierte ich, welch eindeutig unkönigliche Personen die Hauptstraße von

Ascot bevölkerten: Zigeunerinnen mit Strohhüten, die jedem vorübergehenden Mann ungefragt parfümierte Stoffblumen ins Revers steckten und dann die Hand aufhielten; Ticket-Schwarzhändler mit schlechtsitzenden Lederjacken und dünnen Schlipsen, die ihre heiße Ware direkt vor Plakaten verkauften, auf denen die Rennverwaltung in drastischen Tönen vor Ticket-Schwarzhändlern mit schlechtsitzenden Lederjacken und dünnen Schlipsen warnte; Pin-up-Models in hautengen Jockey-Kostümen, die sich ihr Lächeln bei Paris Hilton abgeschaut hatten und Wettzettel verteilten.

Ich reihte mich in die Schlange am Eingang ein. Vor mir stand eine Frau, die mir vage bekannt vorkam. Thema ihres Kleides war offensichtlich der Botanische Garten von Kew, oder wenigstens ein Gartenzentrum. Ihr umfangreicher Körper war in mehrere Meter Organza mit Motiven tropischer Pflanzen gewickelt. Auf ihrem Kopf thronte eine Kreation aus Orchideen, um welche Schmetterlinge einer Größe taumelten, wie man sie das letzte Mal im Mesozoikum gesehen haben dürfte.

Dezent räusperte ich mich, um die Aufmerksamkeit der Schmetterlingsfrau zu erheischen. Ruckartig drehte sich Felicity Smythe-Stockington um. Ein Schatten fiel über ihr Gesicht, als sie mich sah.

»Oh«, sagte sie, ohne sich zu bemühen, die Enttäuschung in ihrer Stimme zu kaschieren. »The German.«

Man sagt Briten Gefühlskälte nach, aber das ist nicht die ganze Wahrheit. Mich verblüfft immer wieder, wie viele Emotionen sie unausgesprochen in wenigen Worten oder auch nur Blicken transportieren können. Was schwang nicht alles in der kurzen Bemerkung mit: ein entsagungsvolles Seufzen, händeringende Resignation und nicht zuletzt Bitterkeit darüber, dass diese stolze Nation unter der Führung Winston Churchills in einem Jahrhundertringen einen kontinentaleuropäischen Parvenü in die Knie gezwungen hatte, nur um mit ansehen zu müssen, wie dieser ehemalige Feind nun doch die Welt erobert hatte – von den Stränden Mallorcas bis hin zu den Vorstandsetagen britischer Traditionsfirmen. Und nun konnte man diese Krauts offenbar noch nicht einmal aus Ascot fernhalten. Was würde ihnen als Nächstes einfallen? Die königliche Familie unterwandern? Aber selbst das war ihnen ja schon gelungen.

Ich ignorierte Felicitys Gefühle und beschloss, ihr auf Augenhöhe entgegenzutreten.

»Ist es nicht schockierend, dass Leute auf dem Parkplatz picknicken«, empörte ich mich und stellte mich leicht auf die Zehenspitzen. »Es ist ja schlimm genug, wenn sie das irgendwo an der Küste tun. Aber hier in Ascot?«

»Wo sonst sollte man denn sein Picknick veranstalten, wenn nicht auf dem Parkplatz?«

Ich sank wieder auf meine Normalhöhe zurück.

»Lesen Sie nicht den *Tatler*? Niemand anders als Lady Emily Compton hat eindeutig dekretiert, dass der Parkplatz von Ascot DER fashionable Picknickplatz ist.«

Vielleicht hätte ich mir den *Tatler* einmal von Euan und Colette ausborgen sollen. Die Zeitschrift war, wie gesagt, die Bibel der britischen High Society, und Lady Emily Compton ihre Gesellschaftsredakteurin – also im weitesten Sinne eine Kollegin von mir.

»Es kommt natürlich darauf an, auf welchem Parkplatz sie parken«, fuhr Felicity fort und sah mich aus kalten Fischaugen an. »Wo haben Sie denn Ihren Wagen abgestellt? Oder sind Sie etwa mit dem Zug gekommen?«

»O nein, natürlich nicht. Mit dem Auto, versteht sich«, stammelte ich. »Ich stehe, glaube ich, auf Parkplatz Nummer fünf.«

Felicity Smythe-Stockington schien nichts anderes erwartet zu haben. »Ich sehe«, meinte sie, »das ist natürlich etwas anderes. Wir stehen auf Parkplatz Nummer eins. Sie wissen schon: Das ist der Parkplatz für Gäste der Royal Enclosure. Aber da haben Sie wohl keinen Zutritt«, vergewisserte sie sich mit einem Blick auf meinen Ausweis, der um meinen Hals baumelte.

Keinen Zutritt? Ich drehte den Ausweis um und sah ihn mir aufmerksam an. Tatsächlich: Von der königlichen Exklusivzone war keine Rede. Dabei hatte ich ausdrücklich danach verlangt. So wie es aussah, hatte man mich einen Grad hinabgestuft.

Ganz Ascot war ja ein Spiegelbild der englischen Klassengesellschaft. Die Proleten waren weit entfernt in der Mitte des Rennplatzes untergebracht. Man brauchte schon ein Fernglas, um von der Haupttribüne aus eine Art von Zeltlager zu erkennen, das man nur durch einen unterirdischen Tunnel unter dem Parcours hindurch erreichen konnte. Vermutlich konnte man diese Unterführung in Notfällen sperren. Dann kam das untere Bürgertum, das sich im sogenannten Silberring tummelte. Die höheren Ränge bevölkerten die Haupttribüne, und immerhin zählte ich an diesem Tag zu ihnen. Anzug und Krawatte waren hier die modischen Mindestbedingungen. Angeber hatten sich in Frack und Zylinder geworfen, und immerhin zählte ich an diesem Tag auch zu ihnen.

Obligatorisch waren Morning Coat und Top Hat nur für die Royal Enclosure vorgeschrieben. Aber die passende Kleidung allein garantierte eben keinen Zutritt zu diesem königlichen Bereich. Ich hätte vielleicht früher das Kleingedruckte auf der Rückseite meines Ausweises lesen sollen. Offensichtlich gab es nur drei Möglichkeiten, um auf die königliche Koppel – nichts anderes bedeutet *enclosure* – zu gelangen. Entweder war man mit der Königin verwandt, Eigner eines Rennpferdes, oder man kannte einen Angehörigen einer dieser beiden Gruppen, der einem eine Einladung verschaffte.

»Ich würde Sie ja gerne einladen, mit mir zu kommen«, sagte Felicity, natürlich ohne es zu meinen. »Aber unser Kontingent ist leider erschöpft. Vielleicht nächstes Jahr – wenn Sie dann noch hier sind. O hello, Darling«, wandte sie sich einer Frau zu, die trotz ihres fortgeschrittenen Alters offensichtlich zu beachtlichen akrobatischen Verrenkungen fähig war, weil sie sich sonst nie in ihr knallenges und kurzes Kleidchen hätte schlängeln können. Sie hauchte ihr zwei Küsse auf die Wangen, die dicht mit Make-up zugespachtelt waren. Auf dem Kopf trug Felicitys Freundin eine Konstruktion, die mich an ein Modell des Sonnensystems erinnerte, das Julia in der dritten Klasse als Hausaufgabe anfertigten musste.

»Du hast aber eine böse Erkältung erwischt, meine Liebe«, flötete Felicity Smythe-Stockington der Bekannten zu.

»Das ist keine gewöhnliche Erkältung«, widersprach sie. »Das ist die Must-have-Erkältung des Sommers.« Vertraulich beugte sie sich zu Felicity hinüber, sprach aber laut genug, dass möglichst viele Umstehende sie verstehen konnten. »Ich habe mir den Virus von einem Mitglied der königlichen Familie geholt. Ist das nicht toll?«

Felicity schien in der Tat beeindruckt zu sein.

»Ich setze mich so oft wie möglich der Zugluft aus und schlafe bei offenem Fenster«, fuhr die Trägerin des royalen Erregers fort. »Ich will die Erkältung so lange behalten wie möglich. Ich würde das ja zu gerne irgendwie gesellschaftlich zu meinem Nutzen drehen. Was meinst du?«

»Schwierig, sehr schwierig«, gab Felicity zu bedenken, und es fiel auf, dass auch sie ihre Stimme nicht senkte und keine Anstalten machte, sich in Richtung der Royal Enclosure zu bewegen. »Ich meine, wenn dir jemand beim Niesen Gesundheit wünscht, wäre es doch reichlich vulgär zu sagen: Apropos, dieses Niesen verdanke ich Prinz Soundso. Aber du könntest den Schnupfen nutzen, um Geld für soziale Zwecke zu sammeln.«

»Wie?«

»Nun, du könntest Snobs fünfzig Pfund für das Privileg abverlangen, mit dir eine klaustrophobische Viertelstunde in einer überheizten Kammer zuzubringen. Der Erlös kommt einem guten Zweck zugute, und alle würden sich den Mund zerreißen, während sie zu erfahren suchen, wie genau du dir den Virus eigentlich geholt hast. Apropos: Wie hast du ihn dir wirklich geholt?«

So absurd-faszinierend die Unterhaltung war, ich musste mich losreißen. Fürs Leben gerne hätte ich Felicity und ihrer Freundin gesteckt, wer womöglich als Erster die Erreger im Ballsaal von Buckingham Palace versprüht hatte. Aber ich war wegen der Königin hierhergekommen, und wenn ich ihr schon nicht in der Royal Enclosure begegnen konnte, dann musste ich mich bei ihrer Ankunft unters gemeine Volk mischen. Auf übergroßen Bildschirmen war zu sehen, dass sie sich bereits auf den Weg gemacht hatte. Sie saß in der ersten von vier offenen Kutschen, die von Schloss Windsor aus herüberrollten.

Elizabeth trug etwas Lindgrünes, Prinz Philip war gekleidet wie ich. Jetzt beugte er sich aus der Kutsche, und einen Augenblick lang befürchtete ich, dass er seinen Zylinder verlieren würde. Aber offensichtlich hatte er seinen Hut nicht von Moss Bros geliehen, denn er blieb fest auf dem Kopf sitzen. Skeptisch musterte der Prinzgemahl das Rad auf seiner Wagenseite. Er sah aus wie der Sheriff auf einer von Indianern verfolgten Postkutsche, der überprüft, ob die Achse noch bis Dodge City hält.

Ich hatte währenddessen schon Position auf den Treppen rings um das Halbrund bezogen, wo die Königin aussteigen würde. Leider hatte ich mich wegen der Schnupfen-Unterhaltung verspätet, so dass ich Mavis Pickerings eiserne Regel gebrochen hatte: »Niemals zweite Reihe.« Da ich an Höhe nicht wettmache, was ich an Umfang habe, musste ich mich auf die Zehenspitzen stellen, um über den Faszinator der Frau vor mir hinweg einen Blick auf die Königin zu erhaschen. Ein Faszinator, dies nur nebenbei bemerkt, ist keine Münchner Starkbier-Marke, sondern ein Kopfschmuck für all jene, die kein Geld für einen Hut ausgeben wollen oder können. Es ist eigentlich nur ein Haarband, aber ein Haarband mit Attitüde, weil an ihm Blätter, Vögel oder anderer Zierrat befestigt sind.

Ein Rauschen ging durch die Menge, Applaus brandete auf, und ich sah gar nichts mehr. Denn die Herren hatten zur Begrüßung der Queen ihre Top Hats abgenommen und schwenkten sie durch die Luft. Nachdem die Hüte wieder auf den Köpfen saßen, vermochte ich am Faszinator vorbei zu erkennen, dass die Königin offensichtlich keinen guten Tag hatte. Vielleicht lag es daran, dass alle drei Herren ihrer Kutsche vor ihr ausstiegen und ihr dabei das Hinterteil entgegenstreckten. Ich hätte es Elizabeth nicht übelgenommen, wenn sie in die dargereichten Backen gekniffen hätte, aber als Monarchin unterliegt man leider strengen Etikette-Vorschriften. Niemand half der Queen, aus dem unbequemen Gefährt zu klettern, und als sie es schließlich auf den makellos geschnittenen Rasen geschafft hatte, stand sie einige Augenblicke mutterseelenallein da, ohne dass sich jemand um sie kümmerte. Ihr Mann plauderte derweil mit anderen bezylinderten Herren, Tochter Anne zupfte irgendetwas am Kleid ihrer Tochter Zara zurecht (alle Mütter, das lehrt die Lebenserfahrung, sind gewohnheitsmäßige Zupfer), und Camilla drehte ihr sowieso ostentativ die kalte Schulter zu.

Sie tat mir fast ein wenig leid, die kleine alte Dame dort unten mit ihrer viel zu großen Handtasche und diesen klobigen Schuhen, die man auf Englisch *sensible shoes* nennt. Mit sensibel hat das nichts zu tun, und auch mit »vernünftig« ist es nur unzureichend übersetzt. *Sensible shoes* verkörpern eine Lebensphilosophie, eine sehr britische Art, durchs Leben zu gehen: unauffällig und bescheiden, ohne Schnickschnack, Firlefanz und Flausen. Mit ihnen ist man auf jede Eventualität vorbereitet, auf alle Höhen und Tiefen, auf den Spaziergang durch Matsch und Regen ebenso wie auf den noblen High Tea mit Törtchen im Palast. Sie mögen aussehen, als ob sie aus dem Reformhaus stammten. Kosten tun sie aber so viel wie Schuhe von Prada.

Vergrätzt winkte die Königin schließlich einen Hofschranzen zu sich her und redete auf ihn ein. Dann verschwand sie auch schon zielstrebig in der Tür, hinter der sich der Lift verbarg, der sie hinauf in ihre Loge tragen würde. Mavis hatte recht gehabt: Für meine Bedürfnisse war diese Begegnung eher dürftig, ja enttäuschend gewesen. Ich konnte nur hoffen, dass sie mit ihrer optimistischen Prognose für Liverpool recht behalten würde.

Blumen, die durfte ich nicht vergessen. Und außerdem musste ich noch meiner Frau die Sache mit dem Hochzeitstag beichten. Am besten wäre es wohl, wenn ich gleich zwei Sträuße besorgen würde. Den teureren und größeren für Katja, den billigen für Elizabeth.

Zwanzig

Das war jetzt schon das dritte Mal. Einmal gleich links neben dem rechten Nasenloch, wo es besonders weh tut und besonders kräftig blutet, einmal an der Kehle und nun am Kinn. Kinne sind überhaupt schwierig zu navigieren, meines jedenfalls scheint eindeutig zu knollig zu sein für einen Rasierapparat.

Es kann natürlich auch daran liegen, dass ich zu ungeschickt bin. Die Welt, wie wir sie kennen, ist zweigeteilt in gegensätzliche Paare, die einander nie verstehen werden: Arm und Reich, Alt und Jung, Mann und Frau, Nassrasierer und Trockenrasierer. Es ist Jahre her, dass ich das letzte Mal Klinge, Schaum und Pinsel an meine Haut ließ. Denn ich sah nach jeder Rasur aus, als ob ich in einer schlagenden Verbindung bei einer Mensur den Kürzeren gezogen hätte. Seitdem vertraue ich dem beruhigenden Surren eines Braun-Rasierers.

Doch ausgerechnet auf dieser Reise hatte ich meinen Elektrorasierer zu Hause vergessen. Ausgerechnet an jenem Tag, an dem ich der Queen nun endlich gegenübertreten sollte, würde ein vulgärer bläulicher Schatten die Gesichtszüge verdunkeln – erst meine, und dann vermutlich auch jene der Queen. Mir lagen zwar keine einschlägigen Informationen vor, aber ich war mir ziemlich sicher, dass sie unrasierte Männer noch weniger tolerierte als Männer in Westen.

Kurz vor Ladenschluss war ich daher noch in eine Drogerie gestürmt und hatte eine jener grässlichen Wegwerfklingen erstanden, bei denen ich mich schon immer gefragt hatte, warum sie dieselbe grelle orangegelbe Farbe wie schwere Baumaschinen haben. Vermutlich, weil es sich um eine Warnfarbe handelt und weil Blut auf ihnen besser zur Geltung kommt.

Vorsichtig zupfte ich ein weiteres Blättchen von der Klopapierrolle und applizierte es auf die neue Wunde. Wenn ich mich weiter so verunstalten würde, wäre es keine Überraschung, wenn mich die Queen für einen Eingeborenen hielte, der gerade vom Medizinmann seine Initiationsschnitte erhalten hat. Oder ganz schlicht für jemanden, der sich nicht rasieren kann. Behutsam schob ich das Behelfspflaster unter der Nase so weit wie möglich zur Seite. Das hätte mir gerade noch gefehlt, dass ich der Königin mit einem Hitlerbärtchen aus dreilagigem rosa Toilettenpapier unter die Augen treten würde.

Die Abfahrt nach Liverpool war von einem häuslichen Gewitter mit Stürmen von Orkanstärke begleitet worden. Vielleicht hätte ich Katja doch ein wenig früher in meine Reisepläne an unserem Hochzeitstag einweihen sollen. Sie schien ein wenig überrascht, ja erstaunt zu sein, als ich ihr am Morgen ihr Geschenk und einen Strauß Rosen überreichte.

»Das ist ja schrecklich lieb von dir, aber bist du nicht einen Tag zu früh dran?«, hatte sie verdutzt gefragt.

»Im Prinzip schon, aber morgen bin ich ja leider, leider nicht hier. Genau genommen, muss ich in ein paar Stunden schon vom Hof rollen, nach Liverpool.«

Von hier an war es mit dem Niveau der Unterhaltung steil bergab gegangen.

Nun stand ich also im Badezimmer meines Travelodge-Hotels, blutend, halb rasiert und zittrig. Draußen schickte sich die Sonne gerade an, über den Horizont zu kriechen. Mehrmals hatte mir Mavis eingeschärft, ja nicht zu spät zu unserem Treffpunkt zu kommen. Dies hatte meine Pünktlichkeitsbesessenheit nur noch mehr gesteigert. Kurzfristig hatte ich ernsthaft in Erwägung gezogen, gar nicht ins Bett zu gehen und gleich in die Stadtmitte zu fahren. Nur das Problem, wie ich unter diesen Umständen meinen Blumenstrauß frisch halten konnte, hatte mich davon abgehalten, auf offener Straße in Liverpool zu campieren. Mein Bukett aus Rosen, Lilien und allerlei Grünzeug ruhte im Waschbecken.

Hoffentlich war kein Blut daraufgetropft.

Mavis war selbstverständlich besser vorbereitet angereist. Ihr zweifelsfrei originelles Gebinde aus Malven und blühendem Kartoffelkraut lag untergetaucht in einem Aquarium, das eigens zu diesem Zweck mit ins Auto gepackt worden war. Und selbstverständlich stammten ihre Blumen aus dem eigenen Garten.

»Sollte man es dem Gebinde also tunlichst ansehen, dass es aus dem eigenen Garten kommt?«, hatte ich beklommen gefragt. »Macht sie um Fleurop-Sträuße verächtlich einen Bogen?«

Wir haben zwar einen Garten, der Katjas ganzer Stolz ist. Gerade deshalb aber wacht sie ebenso streng wie eifersüchtig über die von ihr liebevoll und in ständigem heroischen Ringen gegen Schnecken und Raupen herangezogenen Pflanzen. Ich glaubte nicht, dass sie mich einen Strauß für die Königin pflücken lassen würde. Seit wir in England lebten, hatte sie eine gärtnerische Obsession entwickelt, die fast an die nationale britische Besessenheit mit Grünzeug heranreichte.

»Nein, nein«, beruhigte mich Mavis. »Sie nimmt auch Blumen aus dem Geschäft entgegen. Sie kennt nur die Blumen aus unserem Garten«, fügte sie selbstbewusst hinzu. »Nur zu unseren Blumen gibt sie Kommentare ab, bei anderen Leute täte sie das nie. Wenn wir ihr gekaufte Blumen schenken würden, gäbe es gleich Nachfragen, ob etwas mit unserem Garten passiert wäre.«

Vor allem aber hatte sie mir eingeschärft, keinen allzu großen Strauß anzuschleppen. »Sie muss das Ding ja tragen können, ohne dahinter zu verschwinden. Und du darfst nicht vergessen, dass du vorher das Ding selbst mit dir herumschleppen musst, vielleicht stundenlang.« Darüber hinaus dürfe ich nicht vergessen, das Preisetikett und die Verpackung zu entfernen.

»Es gibt tatsächlich Leute, die wollen die Queen mit einem Zwanzig-Pfund-Bukett beeindrucken. Die glauben, dass sie zu Hause selbst die Blumen auswickelt und in die Vase stellt«, mokierte sie sich.

Zwanzig Pfund hätte eine Mavis Pickering nie in ein paar Blumen investiert, noch nicht mal für die Queen. Denn aufs Geld achtete sie mit pfennigfuchserischer Genauigkeit. Deshalb hatte sie mir zu einem Travelodge-Hotel geraten. Hier seien die Zimmer »billig, ziemlich sauber, und man kriegt trotzdem alle Einrichtungen und Zeugs«, wie sie es formuliert hatte. Mich hatte vor allem die Bemerkung von der »ziemlichen« Reinlichkeit stutzig gemacht.

»Wenn ich mehr als zwanzig Pfund für uns drei für die Nacht bezahlen muss, werde ich kiebig«, hatte sie gefaucht. »Wenn es billig ist, macht es mir auch nichts aus, wenn das Hotel vierzig Meilen weit von der Stadt entfernt liegt. Wir sind immer noch zweihundert Meilen näher dran, als wenn wir zu Hause geblieben wären.« Man kann sagen, was man will, aber Mavis' Logik war von zwingender Stringenz.

Für Travelodges spricht zudem, dass man im Gegensatz zu den üblichen Unterkünften auf der Insel kein Satellitennavigationssystem benötigt, um von der Lobby ins Zimmer zu finden. Sie sind von ergreifender architektonischer Schlichtheit – schnurgerade Korridore mit Zimmertüren zu beiden Seiten. Travelodges liegen häufig an Autobahnraststätten und werden daher meist von Vertretern bevorzugt. Ob Letzteres der Grund ist, dass nicht nur die Fernbedienung und die Kleiderbügel angekettet sind, sondern auch Betten und Tische fest mit dem Boden vernietet werden, konnte ich während meines kurzen Aufenthaltes nicht ermitteln.

Da Travelodges auf Restaurants verzichten und sich ihr kulinarisches Angebot auf einen Automaten mit Schokoriegeln, Kartoffelchips, Softdrinks und in Plastik verschweißten Thunfisch-Salat beschränkt, hatte ich Mavis, ihren Sohn Dorian und ihre Mutter Delia am Vorabend des großen Tages zum Essen und zur letzten Strategiebesprechung in ein Lokal in einem Einkaufszentrum eingeladen. Zwischen einen Baumarkt, eine Bingohalle und einen Supermarkt war ein Restaurant gezwängt, das sich mit falschen Holzbalken und Butzenscheiben den wenig überzeugenden Anstrich einer mittelalterlichen Kaschemme zu geben trachtete. Es handelte sich um eine sogenannte Carvery, was Mavis begeistert glucken ließ wie eine Henne, die gleich ein besonders großes Ei legen wird.

Carvery heißt wörtlich Schnitzerei. Das bezieht sich nicht auf die Balken an der Decke, sondern auf das Roast Beef, den Schweinebraten und das Schinkenstück, von dem dicke Scheiben heruntergesäbelt werden. In vielen britischen Augen (und vor allem Mündern) gelten Carveries als Gipfel aller kulinarischen Genüsse. »Value for money«, sind die ersten Worte, die nach der Erwähnung einer Carvery fallen. Dies – möglichst viel Essen für möglichst wenig Geld – zählt mehr als phantasievolle Rezepte oder frische Zutaten. Denn zusätzlich zu den üppigen Fleischportionen kann man sich in einer Carvery beliebig häufig einen Nachschlag an Beilagen holen: Kartoffeln, Erbsen, Yorkshire Pudding und Ströme an klebrig-brauner Bratensoße.

Reformhauskost oder auch nur Blattsalate würde man hier vergebens suchen. Dies ist die Art von Restaurant, in dem man nicht überrascht wäre, auf einer Extraseite hinter dem Dessert-Menü mit der Crème Brulée und der Mousse au Chocolat einen Defibrillator angeboten zu bekommen, den man sich im Fall etwaiger Herz-Kreislauf-Attacken bestellen könnte. Zudem befanden wir uns im Norden Englands, wohin Moden gesunder Ernährung noch nicht so recht vorgedrungen sind. Im Gegenteil: Hier gilt die Carvery als Gesundheitsoption, verglichen mit den anderen Essstätten, in denen jede Zutat erst dann als essbar gilt, wenn sie in siedend heißem Öl herausgebacken wurde. (In Schottland schließt dies, nebenbei bemerkt, Schokoladenriegel ein.) Als ich mich einmal bei einem früheren Besuch in Liverpool in einer Gaststätte für das Salatbüfett entschied, war sich die Bedienung nicht sicher, ob sie lachen oder ärztliche Hilfe rufen sollte.

»Aber Sie nehmen doch sicher wenigstens Fritten zum Salat«, fragte sie schließlich hoffnungsvoll.

Der Norden Englands unterscheidet sich nicht nur kulinarisch vom Süden der Insel. Ein scharfsinniger Beobachter hat einmal festgestellt, dass die BBC – die ja nominell für ganz Britannien sendet – keinen Südengland-Korrespondenten hat, sondern nur einen Reporter für den Norden. Darin steckt eine tiefe Wahrheit: Der Norden scheint ein fremdes, fernes und meist reichlich exotisches Land zu sein, das man den Südbewohnern in London und den umliegenden Grafschaften stets aufs Neue zu erklären versucht. Der Süden versteht sich von selbst; ihn dem Norden näherzubringen, wäre – so die Überlegung – vermutlich reine Zeitverschwendung.

Um die Sache geographisch zu umreißen: Gemeint ist mit dem Norden nicht Schottland. Das ist ein Sonderfall, dem Engländer mittlerweile Respekt zollen und mehr als ein bisschen Neid entgegenbringen. Mit dem Norden wird vielmehr das Land nördlich von Birmingham bis an die schottische Grenze umrissen. In den Augen des arroganten Südens leben hier Männer und Frauen, die unverständliche Dialekte sprechen, in unübersichtlichen und ansatzweise inzestuösen Familienverhältnissen leben, auf Schulbildung grundsätzlich pfeifen, ihr Geld im Pub und beim Windhundrennen vergeuden und als Hobby Brieftauben in einem Verschlag im Garten züchten – gleich neben dem Plumpsklo, das man durch die Hintertür von der Küche aus erreicht. Ein Londoner Think Tank ging einmal sogar so weit vorzuschlagen, Städte wie Liverpool, Blackpool oder Bradford gleich ganz zu schließen.

Auf den Landkarten mag der Norden zwar über dem Süden liegen; aber die Südengländer im Allgemeinen – und die überheblichen Hauptstädter in London im Besonderen – schaffen es gleichwohl, voller Verachtung aus ihrer Position auf den Norden herabzusehen. Die Nordlichter haben sich bereits daran gewöhnt. Sie wissen, dass die industrielle Revolution und Britanniens Weltmachtgeltung mit Schweiß, Muskelkraft und Initiative des Nordens begründet wurden. Sie gehen in den Pub oder zum Windhundrennen, sie rauchen, trinken und treiben keinen Sport. Sie halten die Südländer für überhebliche Idioten, und sie freuen sich diebisch, weil der Süden dank seines höheren Steueraufkommens den Norden durchschleppen muss.

Mavis Pickering stammt ebenfalls aus dem Süden. Deshalb konnte sie einen Hauch von Herablassung nicht verbergen, als sie mit Delia und Dorian im Schlepp an den anderen Gästen der Carvery hoheitsvoll vorbeischritt wie eine Königin. Es waren fast ausschließlich überdurchschnittlich große und vor allem breitgeratene Männer und Frauen, die regungslos an den Tischen saßen wie Marmordenkmäler. Nur ihre Hände, Arme und Münder bewegten sich. Systematisch wie Bagger im Kohletagebau trugen sie die Kartoffelbrei- und Erbsenberge auf ihren Tellern ab.

Genau genommen war Mavis' Hochmut fehl am Platze, schließlich hatte auch ihr Körper eine Verdrängung wie ein mittelgroßes Schlachtschiff. Umso erstaunlicher war der Kontrast zu ihrer Mutter. Delia ragte lattendürr fast bis an die Restaurantdecke. Der Apfel, sagt man im Volksmund über Eltern und ihre Sprösslinge, fällt nicht weit vom Stamm. Doch bei

Delia und Mavis glaubte man eher an ein botanisches Wunder, als hätte eine Pappel eine Wassermelone hervorgebracht.

Mavis und Dorian warfen einen sehnsüchtigen Blick auf das Büfett, bevor sie mich sahen und zu meinem Tisch herüberkamen. Dorians Lippen waren mit Schokoladeneis verschmiert. »Wisch dir den Mund ab, bevor du dir was zu essen holst«, herrschte seine Mutter ihn an, dann war er schon weg.

»Ich habe alles im Griff«, versicherte mir Mavis, als wir schließlich alle vor überquellenden Tellern Platz genommen hatten. »Ich habe meinen Kontakt im Palast angerufen ...« Verschwörerisch legte sie den Zeigefinger an die Nase und blickte sich um, ob auch niemand zuhörte. »Und man hat mir versichert, dass die Queen morgen einen Walkabout machen wird.«

»Hervorragend«, freute ich mich und zückte meinen Notizblock. »Wann und wo?«

»Das genaue Timing haben sie mir nicht verraten wollen, leider. Aber solange wir rechtzeitig da sind, können wir das Gelände selber vorher auskundschaften. Du weißt ja: Barrieren, Fahnen, Polizisten – dann liegt man richtig.«

Zufällig bemerkte ich, dass mich Delia unverwandt hilfeheischend ansah. Ihr Blick erinnerte mich an Filme, in denen eine Frau von einem geisteskranken Massenmörder als Geisel festgehalten wird und nun allein mit flehentlich beredter Augensprache einem zufällig vorbeikommenden Briefträger oder Gasableser zu verstehen zu geben versucht, in welcher Gefahr sie sich befindet.

Delia war von Mavis als Dauerbegleitperson gleichsam zwangsverpflichtet worden, nachdem Dorian zur

Welt gekommen war. Seit elf Jahren folgte sie ihrer Tochter auf allen Reisen durch das Vereinigte Königreich, wartete stundenlang in greller Sonne und in strömendem Regen, schmierte belegte Brote, schleppte die Fototasche, wässerte die Blumen, steuerte das Auto und beruhigte ihre Tochter, wenn deren Pläne nicht aufgingen.

»Mavis konnte schlecht das Baby halten und zur gleichen Zeit Fotos machen«, erklärte Delia entschuldigend.

»Können könnte ich das schon, aber dann taugen die Fotos nichts«, widersprach Mavis. »Meine Mutter war für Dorian zuständig. Den Fotoapparat würde ich ihr nicht anvertrauen. Der ist viel zu wichtig.«

Delia suchte abermals verzweifelt Blickkontakt zu mir. »Sehen Sie es nicht«, flehten ihre Augen. »Diese Frau ist zu allem fähig. Retten Sie mich – und sich selbst, solange Sie es noch können.«

Ich kam mir schon ziemlich schofel vor, dass ich ihren stummen Hilferuf ignorierte. Schamlos schmeichelte ich mich stattdessen bei Mavis ein.

»Wie ist sie denn so als Mensch, die Queen, wenn man sie, wie soll ich sagen, hautnah trifft«, wollte ich wissen.

»Also hautnah, das kannst du vergessen. Kein Körperkontakt. Sie schüttelt noch nicht mal die Hand, und dabei trägt sie immer Handschuhe. Da gibt es den verrückten Colin, der zu jedem Auftritt der Queen antanzt. Weißt du, was der für einen Trick hat? Er hält ihr die Blumen hin, und wenn sie die Hand ausstreckt, um sie entgegenzunehmen, grapscht er sich ihre Hand und drückt sie. Shocking, nicht wahr?«

»Absolut«, stimmte ich zu. »Und das ist dann wohl

auch der Grund, weshalb sie oft so missvergnügt aus der Wäsche guckt?«

»O nein, so wird sie nur von den Zeitungen dargestellt. Die Medien manipulieren, aber das weißt du ja selbst. Die drucken nur unfreundliche Bilder von ihr, und deshalb glaubt dann jeder, dass sie sauertöpfisch ist.«

»Und das ist sie nicht?«

»Ganz und gar nicht. Sie lächelt. Aber sie hat eines von diesen Gesichtern, das, wenn es gerade nichts Besonderes tut, wenn es entspannt ist, halt kein Lächelgesicht ist.«

»Also ein verbissenes Gesicht?«

»Sie hat halt kein Dauerlächeln. Sie ist ja auch kein Hollywood-Star. Aber wenn sie lächelt, dann hat sie ein wunderschönes Lächeln.« Bei der Erinnerung an das Lächeln der Königin lächelte Mavis selbst stillvergnügt in sich hinein. »Eigentlich hat sie ja zwei verschiedene Lächeln.«

»Das musst du mir erklären.«

»Also, da ist einmal das Ich-bin-die-Smiley-Queen-Lächeln, und dann ist da das Ich-lächle-Lächeln. Das erste ist ein Lächeln, das sagt: Ich sollte jetzt lächeln, weil ich die Königin bin und man es von mir erwartet. Also, in Gottes Namen, lächele ich eben. Aber das andere Lächeln, ach, das ist ein richtiges Lächeln. Da lächeln auch die Augen mit. Ich zeige dir ein Beispiel.«

Ich fürchtete schon, dass Mavis ihr Gesicht zu einem Ich-lächle-Lächeln verziehen würde. Stattdessen wuchtete sie umständlich ihren Rucksack auf den Schoß, schob den Teller zur Seite und kramte aus den Tiefen der Tasche ein kleines Plastikalbum hervor. Sie öffnete es und blätterte, bis sie das richtige Foto fand.

»Hier ist die Königin entspannt, und du kannst sehen, warum die Leute sie für schlecht gelaunt halten. Aber hier, siehst du, hier kichert sie über irgendwas. Und hier, ich versuche das zu finden ...«

Hektisch blätterte sie Seite für Seite weiter.

»... das ist ein anständiges Lächeln. Man muss es gesehen haben, um den Unterschied zu sehen. Sie hat echt leuchtende Augen, und wenn sie lächelt, also richtig lächelt, dann geht das Licht im ganzen Gesicht an, sozusagen. Dann sieht sie auch viel jünger aus. Und alle, die sie noch nie gesehen haben, denen fallen drei Dinge an ihr auf. Wie klein sie ist, was für eine samtigseidige Haut sie hat und dass sie lächelt.«

Für einen Moment erschien es mir, als ob Delia bei diesem Monolog ihrer Tochter die Augen zur Decke verdrehte. Aber vielleicht war ihr nur ein Fremdkörper ins Auge geraten, oder sie war müde. Ich jedenfalls fand die Ausführungen spannend.

Dorian schien über die Feinheiten des königlichen Lächelns bereits früher unterrichtet worden zu sein. Er schob sich den letzten Yorkshire Pudding in den Mund und bestellte sich einen Apple Crumble – weniger wegen des Apfelstreuselgerichts als wegen der Aussicht auf den versprochenen »bodenlosen Topf« warmer Vanillesoße, den es angeblich dazu gab. Das Gefäß, das die Bedienung auf den Tisch stellte, hatte zwar entgegen der Ankündigung einen Boden. Aber der Fairness halber musste ich einräumen, dass dieser Boden erstaunlich weit vom Rand der Kanne entfernt war. Mit der Zielstrebigkeit eines Gewohnheitstrinkers machte sich Dorian daran, den Topf zu leeren.

»Iss nur ordentlich«, ermunterte Mavis ihren Sohn. »Du weißt, dass es morgen nichts gibt.«

Fragend sah ich die beiden an.

»Kein Frühstück, weil wir so früh auschecken«, erklärte Dorian mit den Augen eines Hundes, dem man soeben einen vollen Napf vor der Schnauze weggezogen hat. Mit dem Zeigefinger lotete er die Untiefen des Topfes aus, um die letzten Reste an Vanillesoße zutage zu fördern. »Und zum Mittagessen höchstens ein Sandwich.«

»Richtig«, mischte sich seine Mutter ein. »Wir wollen ja nicht kostbare Zeit mit Essen vergeuden. Dazu sind wir nicht hergekommen.« Sie stand auf. »Weil wir gerade davon reden: Ich glaube, ich hole mir noch einen Nachschlag. Nur zur Sicherheit.«

Einundzwanzig

Ich hätte mir meinen Nachschlag jedenfalls verkneifen sollen, überlegte ich reuevoll, als ich im grauen Morgenlicht mit meinen lächerlichen Klopapierschnipseln im Gesicht am vereinbarten Treffpunkt vor Liverpool One, einem hypermodernen Shopping-Center, wartete. In meinem Magen rumpelte und grummelte es, als ob sich Sodbrennen, Aufregung und Lampenfieber ein Stelldichein gegeben hätten. Von Mavis und ihrer Truppe war nirgendwo etwas zu sehen. Genau genommen war überhaupt niemand zu sehen zu dieser frühen Stunde. Einige Metallbarrieren rings um das Center deuteten allerdings darauf hin, dass die Polizei irgendwann damit rechnete, hier größere Menschenmengen kontrollieren zu müssen.

Wenn ich es mir hätte aussuchen können, dann wäre ich der Königin lieber in jeder anderen Stadt begegnet als ausgerechnet in Liverpool. Ich weiß nicht, woran es liegt, aber ich mag diese Stadt nicht. Ich weiß, ich weiß: Hier sind die Beatles groß geworden, und der Fremdenverkehrsverband der Stadt melkt diese Tatsache bis zum letzten Tropfen. Aber ehrlich: Lebt Paul McCartney etwa noch in Liverpool? Haben die anderen drei jemals auch nur einen Zweitwohnsitz in ihrer Geburtsstadt unterhalten? Tatsache ist, dass die Fab Four

Liverpool bei der ersten sich bietenden Gelegenheit auf Nimmerwiedersehen verlassen haben. Ringo Starr war mal für einen Gig zurück. Aber ich glaube nicht, dass er in Liverpool übernachtet hat.

Es gibt Ecken in Liverpool, da merkt man der Stadt an, dass sie einmal schwerreich war und sogar London Konkurrenz machte. Geld kann freilich keinen Geschmack kaufen, was man schön an den drei Vorzeigegebäuden am Mersey in den alten Docklands bewundern kann – einer Versicherung, der Zentrale einer Schifffahrtslinie und der Hafenmeisterei. Sie vermitteln im Wesentlichen nur eines: dass sie Geld gekostet haben. Trotzdem sind die Liverpooler auf diese in Stein gefasste Hoffart ungemein stolz. Im Volksmund heißen die architektonischen Monstrositäten die drei Grazien, was Rückschlüsse auf allgemeine Liverpooler Schönheitsideale erlaubt.

Auch Liverpool One, dem neuen Einkaufszentrum, mangelte es eindeutig an Ästhetik. Ein kalter Wind blies vom Mersey durch die Schluchten zwischen den schmucklosen Glasfassaden herüber, und der Eindruck der Verlassenheit wurde dadurch verstärkt, dass die Straßen weiter menschenleer waren. Außer mir standen nur zwei Männer und eine Frau unschlüssig herum. Von weitem kamen sie mir vor wie Obdachlose, mit ihrem Sammelsurium an unförmigen Gepäckstücken und ihren verwaschenen Parkas und schlotterigen Jeans. Sie schienen erregt zu debattieren. Unauffällig näherte ich mich ihnen.

»Da kommt man den ganzen weiten Weg aus Nordwales – und dann so etwas«, protestierte der Älteste der Gruppe.

»Immer dasselbe«, stimmte schrill die Frau zu. »Das

ist das Problem mit dem Palast. Haben von nichts eine Ahnung, aber sind so arrogant, als ob wir Luft für sie wären.«

»Ich schlage vor, dass wir zum Bahnhof gehen. Irgendwo muss sie doch ihren Walkabout unternehmen«, riet der Erste.

Offenkundig war ich auf Kollegen von Mavis gestoßen, und ebenso offensichtlich waren sie uns voraus. Die Zeit drängte, aber noch immer war nichts von Mavis zu sehen. Ich wählte ihre Nummer.

»Gutten Moargen, wiih gäit ess«, begrüßte sie mich auf Deutsch.

»Danke, gut, aber wo seid ihr?«

»Gleich da, wir sind schon in Sichtweite. Hast du schon jemanden gesehen?«

»Ja, drei Leute, zwei Männer und eine Frau. Ich glaube, die folgen der Königin auch durchs Land. Sie haben gestöhnt, dass sie den ganzen weiten Weg aus Nordwales gemacht haben.«

»Ach Gott, ach Gott, die hundert Kilometer.« Mavis' Verachtung quoll fast schon greifbar aus dem Telefon. »Colin, Trevor und Barbara. Trägt die Frau eine affig große Brille? Haben sie abgetragene Parkas an? Und natürlich haben sie Riesentaschen dabei? Und Colin trägt einen Hut mit Union Jack?«

Ich bejahte alle Fragen mit Ausnahme der letzten.

»Den Hut setzt er später auf; er will ihn schonen. Ja, es sind Colin, Trevor und Barbara. Wir müssen uns beeilen. Ich kann dich schon sehen.«

Ich blickte die Straße entlang, und jetzt sah auch ich sie kommen: Mavis mit ihrer unverkennbar eulenartigen Brille trug einen ähnlich verwaschenen Parka wie ihre Mutter. Beide schleppten schwere Rucksäcke mit. Delia trug das Blumengebinde aus dem häuslichen Garten. Man konnte dem Gesteck zumindest Originalität nicht absprechen.

»Wir wollten ja richtige Blumen mitbringen«, rechtfertigte sich Mavis, die meinen fragenden Blick bemerkt haben musste. »Aber die Hühner haben sie gefressen.«

»Ja«, warf Delia ironisch ein. »Einen Moment lang haben wir daran gedacht, der Queen statt Blumen Eier mitzubringen.«

Ihre Tochter warf ihr einen vernichtenden Blick zu.

»Wir haben keine Zeit«, schnitt sie ihr das Wort ab. »Hier findet gar nichts statt, wir müssen sofort hinauf zur Kongresshalle. Das ist das Problem mit Buckingham Palace. Haben von nichts eine Ahnung, aber sind so arrogant, als ob wir Luft für sie wären. Zum Glück habe ich im *Liverpool Echo* gelesen, wo sie ihren Spaziergang macht. Folgt mir. Ach, und übrigens«, rief sie mir über die Schulter zu, »zupf dir das Klopapier aus dem Gesicht. Du siehst aus wie Hitler mit einem rosa Bart.«

Wie eine Elefantenkuh im Steppengras bahnte sich Mavis eine Schneise durch die Passanten, die mittlerweile die Straßen zu bevölkern begannen. Auf einer Anhöhe jenseits der alten Docks war das neue Kongresszentrum, das die Königin ebenfalls eröffnen sollte. Wie andere Hafenstädte, denen im Zuge globaler Konkurrenz die Häfen abhandengekommen sind, hatten sich auch Liverpools Stadtväter für die Boutiquisierung des Areals entschieden. In die alten Speicher zogen Designer-Läden, Teegeschäfte und Cafés ein; die oberen Etagen wurden zu sündhaft teuren Lofts mit Blick auf die Kran-Skyline in Birkenhead auf der gegenüberliegenden Seite des Flusses umgewandelt.

Der Wind war zwar inzwischen nicht wärmer geworden, aber zumindest vertrieb er die dunklen Wolken. Es herrschte – wie konnte es anders sein – das übliche Königinnenwetter. Nur einige Offizielle standen herum sowie zwei Männer, die einer Anzeige für Calvin-Klein-Unterwäsche entstiegen sein konnten: groß, muskulös, blond der eine, lockig schwarzhaarig der andere. Irritiert nahm ich allerdings zur Kenntnis, dass die beiden Fotomodelle nicht wie aus einem Calvin-Klein-Katalog gekleidet waren, sondern eher wie verschlampte Touristen: weißbestrumpfte Füße in Sandalen, wadenlange Shorts, karierte Hemden und Baseballmützen. Selten passten Inhalt und Verpackung weniger zueinander.

Freudig winkte Mavis ihnen zu.

»Gehören die auch zu eurer Gruppe von Queen Watchers?«, fragte ich ungläubig.

»O nein«, lachte sie. »Das sind Bruce und Brian.« Erschreckt verstummte sie und hielt sich die Hand vor den Mund. »Das dürfte ich dir gar nicht sagen. Das ist Staatsgeheimnis. Die beiden gehören zur Sicherheitstruppe der Königin. Ich kenne sie schon seit Jahren. Habe auch Fotos von ihnen. Findest du nicht, dass sie sich optisch perfekt in eine Menge Schaulustiger einpassen?«

Das war schwer zu sagen, denn außer Bruce und Brian hatte sich noch keine substantielle Menge eingefunden. Wachsam registrierte ich eine blonde Göre, die auf den Schultern ihres Vaters thronte. Sie trug ein Barbie-Prinzessinnendiadem im Haar und zeigte entzückende Zahnlücken, wenn sie lächelte. Einfach süß.

Zu süß. Nie würde die Königin zu mir kommen, wenn sie dieses entzückende Mädchen entdeckte. Da konnte noch nicht mal Dorian mit seinen Sommersprossen mithalten – schon gar nicht, wenn er seine Nase weiterhin in dem gigantischen Pappbecher mit einer Schoko-Sahne-Kakao-Mischung versenken würde, die er sich als Ausgleich für das entgangene Frühstück in einem Café geholt hatte.

Einstweilen konnten wir nichts anderes tun, als zu warten. Delia, Mavis, Dorian und ich lehnten nebeneinander am Trenngitter und sahen den Hofschranzen zu, wie sie den Honoratioren ihre Plätze zuwiesen. Die Bürgermeisterin, ein Lord Lieutenant und ein Sheriff waren angetreten. Letzterer trug keinen Stetson und keinen Stern am Hemd, sondern ebenso wie die beiden anderen Würdenträger eine schwere Amtskette um den Hals. Sie standen da wie Schuljungen, denen von der Direktorin der Hosenboden versohlt werden soll. Von unserem Platz aus konnte ich beobachten, wie die beiden Männer nervös die Pobacken zusammenkniffen und die klammen Hände an der Hose trockenzureiben versuchten.

Der Lord Lieutenant, der offizielle Vertreter der Queen in Liverpool, polierte sich darüber hinaus verstohlen die blankgeputzten Schuhe an den Hosenbeinen. Die Bürgermeisterin überprüfte im Taschenspiegel Lidstrich und Lippenstift. Der Sheriff warf einen Blick auf seine Armbanduhr. Wie ungezogen. Wenn man auf seine Königin wartet, zeigt man keine Ungeduld. »Warten gehört nun einmal dazu«, hatte Mavis einmal gesagt. »Ich habe kein Problem damit, hinter einer Barriere zu warten. Es macht Spaß.«

Inzwischen waren mehrere Jugendliche in roten

T-Shirts und schwarzen Hosen mit einem Bus herangekarrt worden. Sie entluden diverse Schlaginstrumente, bauten sich neben dem Eingang zur Konzerthalle auf und fingen an, wie besessen auf ihre Instrumente einzuschlagen. Ein Windstoß entriss einem Hofbeamten ein Blatt Papier. Mit wehendem Sakko eilte er dem Zettel nach, ein panisches Huhn im schwarzen Anzug. Mehrere Bauarbeiter in Sturzhelmen und gelben Schutzwesten, die von den umliegenden Baustellen neugierig herbeigeschlendert waren, lachten, zeigten mit den Fingern und machten Witze auf Polnisch.

»Nach all den vielen Jahren muss die Queen dich doch eigentlich gut kennen«, wandte ich mich Mavis zu.

»Natürlich tut sie das, habe ich dir doch schon gesagt.« Sie klang wirklich ein wenig ungeduldig.

»Letztes Jahr, da sind wir mit ihr nach Amerika geflogen, und in Williamsburg habe ich mit Blumen auf sie gewartet, und sie ist schnurstracks auf mich zugekommen und hat gesagt: Oh, Sie schon wieder.«

Delia sah aus, also ob sie eine Bemerkung machen wollte, besann sich jedoch eines Besseren und schwieg.

Allmählich begann sich der Platz vor der Kongresshalle mit Menschen zu füllen, und ich war froh, dass wir früh gekommen waren. In der ersten Reihe direkt an der Metallbarriere war inzwischen kein Platz mehr frei. An unserer Ecke schon gar nicht. Mavis gelang der physiologisch eigentlich nur von bestimmten tropischen Froscharten bekannte Trick, sich auf die doppelte Größe aufzublähen. Gemeinsam mit ihrem Rucksack, ihrer Mutter, ihrem Sohn und mit mir belegte sie

auf diese Weise gleich mehrere laufende Meter Stand-
platz.

Das stieß dem älteren Herrn unliebsam auf, der hinter uns in Position gegangen war. Da ich selbst kein
Hüne bin, empfand ich instinktiv Mitgefühl für ihn,
denn auch er war – wie man dies politisch korrekt formuliert – vertikal herausgefordert. Diese freundliche
Umschreibung konnte auch nicht darüber hinwegtäuschen, dass er bei schätzungsweise 1,65 Meter lichter
Höhe keinen Blick auf die Königin erhaschen würde.
Kleinlaut räusperte er sich.

»Entschuldigung, aber glauben Sie, ich könnte mich
noch nach vorne quetschen? Sie sehen ja selbst, dass
ich nicht sehr groß bin. Von hier aus kann ich überhaupt nichts sehen.«

Da kam er bei Mavis an die Falsche. Langsam drehte
sie sich zu dem Störenfried um, ohne einen Millimeter
Freiraum zu schaffen.

»Wenn man in der zweiten Reihe steht, kann man
nichts sehen, das ist wahr«, erläuterte sie – ein wenig
überflüssig, wie ich fand. »Es sei denn, man wäre einen
Meter neunzig groß.«

Abschätzig ließ sie ihren Blick an dem Mann hin-
abgleiten, der betreten vor ihr stand.

»Sie sind nicht einen Meter neunzig groß. Ich bin
auch nicht einen Meter neunzig groß, aber ich kenne
meine Grenzen. Mit diesen Grenzen muss man umgehen können, man kann nur innerhalb dieser Grenzen
arbeiten, und diese Grenzen werden durch die eigene
Größe gesetzt, Sie verstehen mich doch?«

Der Mann öffnete und schloss den Mund wie ein
Fisch, der sich nicht sicher ist, ob er einen dargebote-
nen Wurm schlucken soll oder nicht.

»Wenn ich Sie mal was fragen darf«, fuhr Sie ihn streng an. »Wie groß waren Sie denn, als Sie gestern Nacht ins Bett gestiegen sind? Eins neunzig? Wenn Sie über Nacht von einem Meter neunzig auf Ihre jetzige Größe geschrumpft sind, gut, dann haben Sie mein volles Mitgefühl. Aber wenn Sie jetzt nur eins fuffzig mit Hut sind, dann schätze ich, dass Sie auch gestern Abend nur eins fuffzig mit Hut waren. Aber das wissen Sie ja selber. Ergo: Wenn Sie was sehen wollen, müssen Sie früher aufstehen.«

Ohne eine Bemerkung abzuwarten, drehte sie sich wieder um. »Also ehrlich«, stöhnte sie. »Ideen haben die Leute.«

Doch bevor sie zu Details ausholen konnte, senkte sich erwartungsvolles Schweigen über die Menge. Es wurde nur unterbrochen vom Schrillen einer Kreissäge auf einer Baustelle und von Dorian, der – blind und taub für seine Umgebung – abwechselnd mit seinem Strohhalm die letzten Schokostücke vom Boden seines Pappbechers schlürfte und lautstark den Rotz in der Nase hochzog.

Aber niemand achtete auf ihn, am wenigsten seine Mutter. Auch sie blickte angespannt die leichte Anhöhe hinauf, wo wie von Geisterhand ein Polizeimotorrad und ein kastanienbrauner Bentley auftauchten. Anstelle eines Nummernschildes führte die Limousine die königliche Flagge am Kotflügel. Auf dem Kühler thronte eine ziemlich unproportional große Figur. Sie stellte den heiligen Georg dar, wie er dem Drachen den Gnadenstoß versetzt. Vom deutschen TÜV wäre dieser Georg sicherlich als lebensgefährlich verboten worden, weil die Lanze des Heiligen statt des Lindwurms ebenso gut Fußgänger hätte aufspießen können, die vor das Automobil gerieten. Der Königin aber werden in ihrem Reich gewisse Freiräume eingeräumt. Sie steht zwar nicht über dem Gesetz, aber dem Vernehmen nach ist sie die einzige Person im Land, die ohne Führerschein ein Auto steuern darf.

Ich wunderte mich, dass die Queen als Letzte aus dem Fahrzeug kletterte. Prinz Philip war ihr vorausgegangen und machte keine Anstalten, seiner Frau zu helfen. Nun ja, er hielt sich wohl an seine eigene Erkenntnis, unter welchen Umständen ein Herr einer Dame aus dem Auto hilft. Auch er hatte sowohl die Limousine als auch die Gattin schon länger.

Ich kam mir ein bisschen dämlich vor mit meinen Blumen, die ich jetzt halbhoch vor mich hielt, damit Elizabeth sie sehen konnte. Ich hätte sie gar nicht anfeuchten müssen. Meine Hände schwitzten so sehr, dass ich mit ihnen vermutlich eine Wüste zum Blühen hätte bringen können. Wahrscheinlich war das der tiefere Grund, dass die Königin nicht die Hände ihrer Untertanen schütteln mochte. Sie weiß aus jahrzehntelanger Erfahrung: Wenn man ihr entgegentritt, bleibt kein Finger trocken.

Verloren und unschlüssig stand die Queen neben ihrer Limousine und wartete offensichtlich auf Anweisungen, wie es jetzt weitergehen würde. Philip trat auf sie zu und flüsterte ihr etwas ins Ohr. Ihr Gesicht verzog sich noch mehr. Noch vor kurzem hätte ich die Miene als mürrisch bezeichnet, mit der sie die Menge hinter der Absperrung musterte. Dank Mavis wusste ich es besser: Dies war lediglich ihr entspanntes Gesicht.

Dann setzte sie sich in Bewegung. Ich konnte es nicht fassen. Sie hatte zu mir herübergeblickt und nahm

Kurs auf die Stelle, an der ich stand. Keinen Blick vergeudete sie an das blonde Gör auf den Schultern seines Vaters. Nur noch elf Schritte, zehn, neun. Jeden Augenblick würde ich mit ihr reden können, würde ich einen persönlichen Eindruck von ihr gewinnen.

Jetzt streckte sie schon die Hand aus, um meinen Blumenstrauß in Empfang zu nehmen – da schallte ein Hahnenkrähen über den Platz. Es kam aus meiner Tasche. Mein Handy. Verzweifelt fischte ich das Telefon aus der Jacke, während ich die Queen anstarrte wie ein Streifenhörnchen den Schatten eines herniederfahrenden Habichts. Das Telefon krähte unverdrossen weiter. Die Königin runzelte ganz leicht die Stirn, dann schoss ein Lächeln über ihr Gesicht, das irgendwo zwischen spitzbübisch und boshaft angesiedelt war.

Krampfhaft versuchte ich mit dem linken Daumen das Handy abzuschalten. Aber mir gelang es nur, den Lautsprecher anzuschalten.

»Hallo, wer ist da?«, drang die näselnde Stimme Mäuers aus dem Lautsprecher. Es war ein sehr leistungsstarker Lautsprecher, und Mäuer war in weitem Umkreis deutlich zu verstehen.

Die Königin war unterdessen vor mir stehen geblieben und blickte mich erwartungsvoll an. Panisch streckte ich ihr beide Hände entgegen – die Blumen und das Handy. Zu meinem grenzenlosen Entsetzen entschied sie sich für das Telefon.

»Hello, wer spricht da?«, verlangte sie zu wissen. Dabei schlug sie einen Ton an, den man nicht anders als herrschaftlich bezeichnen konnte.

»Ich bin Ressortleiter und will meinen Korrespondenten sprechen.« Keine Frage: Mäuer war gereizt. In diesen Augenblicken verstand er noch weniger Spaß als sonst. »Und wer, bitte schön, sind Sie? Was machen Sie da eigentlich?«

»Ich bin die Königin«, gab Elizabeth unnachahmlich hoheitsvoll zurück. »Was ich tue? Ich herrsche.«

Meist verwenden wir Redewendungen, ohne über sie nachzudenken. So sprechen wir davon, dass es jemandem die Sprache verschlägt. Bei Mäuer wurde dieser Vorgang buchstäblich hörbar. Es war, als ob sein nächstes Wort bereits ein Stück weit über die Zähne nach außen gedrungen wäre, nur um nun punktgenau von den Lippen weggeschlagen zu werden. Ich glaubte ihn sogar vernehmlich schlucken zu hören; der Rest des Satzes, den er sich zurechtgelegt hatte, verschwand ungesagt wieder in seinem Rachen – vermutlich gemeinsam mit seinem Pfefferminzdrops. Nach einer endlos erscheinenden Zeitspanne meldete er sich kleinlaut zurück:

»Ich bitte tausendmal um Entschuldigung, Eure hochwürdige Majestät«, stammelte er. Er war noch immer glasklar für alle Umstehenden zu hören, weil die Königin offensichtlich genauso wenig wie ich wusste, wie man den Lautsprecher deaktivierte. »Wenn Sie gerade mit meinem Mann vor Ort sprechen, will ich nicht länger stören. Höchste Zeit auch, dass er sich mit Ihnen unterhält. Der Nachruf auf Sie ist schließlich überfällig.«

Dies war das zweite Mal, dass ich der Königin nahe war, und es war das zweite Mal, dass ich um eine Erdspalte bat, die sich öffnen und mich verschlucken würde. Auf der Stirn der Königin bildete sich eine steile Falte. Von den glänzend fröhlichen Augen, von denen Mavis geschwärmt hatte, war nichts zu bemerken. Mavis selbst war von mir abgerückt, und Dorian starrte mich sensationslüstern an. Für ihn war es keine Frage, dass ich jeden Augenblick festgenommen, in den Tower geworfen und im Morgengrauen geköpft werden würde. Wahrscheinlich hatte er schon gesehen, wie sich Bruce und Brian einen Weg durch die Schaulustigen bahnten, um mich auf den Boden vor ihre weißbestrumpften Sandalenfüße niederzuringen und wegzuschleppen.

»Was? Ein Nachruf? Auf mich?«

Die Königin klang eher erstaunt als empört. Selbst Mäuer mit seiner Elefantenhaut hatte inzwischen seinen Fauxpas erkannt. Aus dem Apparat drangen nur unzusammenhängende Gurgellaute.

»Ich möchte Sie nur wissen lassen, dass ich ein solches Unternehmen als ein wenig voreilig betrachte«, beschied sie ihn mit einer Stimme, die an das dezente Klirren von Eiswürfeln in einem Gin and Tonic gemahnten. »Vielleicht hätten Sie ja auch die Güte, Ihren, wie haben Sie das genannt, Mann vor Ort entsprechend zu instruieren.«

Mit einem Knopfdruck beendete sie das Gespräch, nicht ohne zuvor fachmännisch die Lautsprecherfunktion ausgeschaltet zu haben. Sie reichte mir mein Handy und begutachtete meinen Blumenstrauß.

»Hübsche Blumen. Die sind aber nicht aus dem Garten, oder?«

Ich schüttelte nur den Kopf. Zu einer Antwort war ich nicht fähig. Herr im Himmel, lass sie mich jetzt nicht nach den Namen des Grünzeugs fragen.

Aber offensichtlich hatte die Königin genug von mir, denn jetzt machte sie Anstalten, zu der blonden Barbie-Prinzessin hinüberzugehen. Deren Vater grinste wie ein Lobotomie-Patient, der mit einer Überdosis an Antidepressiva vollgepumpt worden war. Es war die Art von Gesicht, das Elizabeth bei all ihren Begegnungen mit ihrem Volk entgegengrinst. Man würde es ihr nachsehen müssen, wenn sie schon vor langer Zeit zu dem Schluss gelangt sein sollte, dass sie leider über eine Nation debiler Kretins herrschte. Nicht, dass ich einen intelligenteren Gesichtsausdruck gehabt hätte. Dankbar hatte ich registriert, dass Mavis vor lauter Schreck wenigstens kein Foto von mir gemacht hatte.

Die Queen war mittlerweile mit der Barbie-Prinzessin fertig, nachdem sie ihr mit spitzem Handschuhfinger über die Wange gestrichen hatte. Es sah aus, als ob sie ihrer Putzfrau Staubspuren auf der Tischplatte zeigen wollte. Jeden Moment würde sie sich umdrehen und in der Kongresshalle verschwinden. Doch plötzlich zögerte sie und drehte sich noch einmal um. Ich konnte mich täuschen, schließlich musste ich erst wieder zu mir kommen, und außerdem schien mir die Sonne in die Augen. Aber ich war mir ziemlich sicher, richtig gesehen zu haben: Die Queen zwinkerte mir zu – verschwörerisch und spitzbübisch.

»Lassen Sie sich ruhig Zeit mit dem Nachruf«, sagte sie. »Und legen Sie sich ein vernünftiges Klingelzeichen zu. Wie ich höre, kann man sich manches downloaden. Es gibt auch ›God Save the Queen‹.«